# DES CADAVRES
# TROP BAVARDS

## Une enquête du Camel Club

David Baldacci

# DES CADAVRES
# TROP BAVARDS

## Une enquête
## du Camel Club

Traduit de l'anglais (États-Unis) par Laure Joanin

Du même auteur
chez le même éditeur

*Les Collectionneurs*
*Un simple génie*

Titre original
*Stone Cold*

*À Bernard Mason, acier trempé et lame aiguisée.*

*Et à la mémoire de Franck L. Jennings,*
*qui représentait tellement pour tant de gens.*

# Chapitre 1

Harry Finn se leva comme d'habitude à 6 h 30, se prépara un café, laissa sortir le chien dans l'arrière-cour en vue de sa petite promenade du matin, se doucha, se rasa et réveilla les enfants pour l'école. Pendant la demi-heure suivante, il supervisa l'ingestion des petits déjeuners, la collecte des chaussures et des sacs à dos, et les inévitables disputes suivies de réconciliations. Sa femme le rejoignit. Bien qu'à peine réveillée, elle semblait néanmoins prête à assumer une nouvelle journée de mère de famille qui la verrait jouer les taxis pour leurs trois enfants dont un adolescent précoce à l'esprit indépendant.

Âgé d'une trentaine d'années, Harry Finn avait un visage aux traits encore enfantins et des yeux bleu pâle auxquels rien n'échappait. Il s'était marié jeune, aimait sa femme et sa progéniture, et portait même une sincère affection au chien de la famille, un golden labradoodle aux oreilles pendantes baptisé George. Finn mesurait un peu plus d'un mètre quatre-vingt-cinq et était doté d'une silhouette vigoureuse et longiligne, idéalement taillée pour la vitesse et l'endurance. Il était vêtu de son habituel jean délavé et d'une chemise qui sortait de son pantalon. Son visage intelligent et réfléchi paré de petites lunettes rondes lui donnait l'air d'un comptable adorant écouter Aerosmith après une journée passée à engloutir des chiffres. Bien qu'il fût étonnamment athlétique, c'est grâce à la vivacité de son esprit qu'il nourrissait sa famille et fournissait des iPod aux oreilles de ses enfants. Dans ce domaine, il se montrait fort compétent. Très peu de personnes auraient pu faire la même chose que Harry Finn. Sans y perdre la vie.

Il embrassa sa femme, serra ses mômes dans ses bras, y compris son adolescent de fils, et s'empara d'un sac de marin qu'il avait déposé près de la porte d'entrée la veille au soir. À bord de sa Toyota Prius, il prit la route du National Airport situé sur la rivière Potomac, juste à la sortie de Washington DC. L'endroit avait été rebaptisé officiellement Ronald Reagan Washington National Airport, mais pour les gens du coin, quoi qu'il arrive, il restait le National. Finn se gara sur l'un des parkings proches du terminal principal dont la caractéristique architecturale majeure consistait en une série de coupoles reliées les unes aux autres, à l'image du Monticello cher à Thomas Jefferson. Son bagage à la main, il traversa péniblement la passerelle suspendue et pénétra dans le hall rutilant de l'aéroport. Dans l'un des box des toilettes, il tira de sa besace un gros blouson bleu orné de bandes réfléchissantes aux manches ; il glissa un casque antibruit de couleur orange autour de son cou et accrocha le badge d'identification officiel sur son anorak.

À l'aide de sa technique habituelle, il franchit un tourniquet et s'inséra dans un groupe d'employés qui s'avançait derrière un cordon de sécurité, moins surveillé que les files de passagers ordinaires. Arrivé de l'autre côté du portique, il s'acheta un café et, avec décontraction, passa à la suite d'un agent de l'aéroport le portillon sécurisé qui donnait sur le tarmac. En fait, l'homme lui tint la porte.

— Dans quelle équipe tu bosses ? demanda Finn au type, qui lui répondit aussitôt. Moi, je viens de commencer. Ça ne serait pas trop dur si j'avais pas passé la nuit à regarder ce foutu match de foot.

— À qui le dis-tu ! acquiesça l'employé.

Finn dévala les marches métalliques et se dirigea vers un 737 qu'on préparait pour un vol moyen-courrier à destination de Detroit avec service continu jusqu'à Seattle. En chemin, il croisa plusieurs personnes dont un avitailleur, deux bagagistes et un mécanicien qui inspectait le train de l'avion en partance pour le Michigan. Personne ne s'intéressa à lui, car il se comportait comme s'il avait absolument le droit d'être là. Il contourna l'appareil en achevant son café.

Puis il se dirigea vers un Airbus A320 qui décollerait pour la Floride d'ici à une petite heure. Un convoi à bagages était stationné juste à côté. D'un geste exercé, Finn tira le petit paquet de sa veste et le glissa dans la poche latérale d'un sac empilé sur l'un des wagons. Puis il s'agenouilla près des roues arrière de l'appareil et feignit de vérifier la structure des pneus. Là non plus, personne ne fit attention à lui ; Harry Finn affichait l'air de l'homme parfaitement à l'aise dans son élément. Une minute plus tard, il discutait avec l'un des membres de l'équipe au sol, analysant les chances d'avenir des Redskins de Washington et l'état effroyable du marché de l'emploi pour les forçats de l'industrie aéronautique.

– On est tous dans le même cas, sauf les patrons, dit Finn. Ces salauds font du fric.

– T'as absolument raison ! répondit l'autre.

Ils se tapèrent dans la main en signe d'accord : la cupidité des nantis qui dirigeaient ce triste monde était vraiment dégoûtante.

Finn remarqua que le panneau de chargement arrière du vol de Detroit était maintenant ouvert. Après avoir attendu que les manutentionnaires s'éloignent avec leur convoi de chariots à bagages, il grimpa sur l'élévateur qui se trouvait à côté puis se faufila dans la soute et se tapit dans un coin. Il avait choisi cette cachette au préalable en étudiant les schémas de l'intérieur d'un gros porteur type 737, informations facilement accessibles quand on savait où chercher, un don que Finn possédait de toute évidence. Des documents en libre consultation sur Internet lui avaient aussi appris que l'appareil ne serait rempli qu'à moitié ;

par conséquent, ce poids supplémentaire à l'arrière ne poserait pas de problème.

Bientôt, l'avion se remplit de valises ventrues et de passagers stressés puis décolla en direction de Detroit. Dans la soute pressurisée, il faisait nettement plus froid que dans la cabine principale et Finn se félicita d'avoir enfilé un blouson épais. Environ une heure plus tard, le 737 atterrit et roula jusqu'au terminal. On libéra la porte de la soute puis on déchargea les bagages. Avant de s'extraire de sa cachette, Finn patienta un moment, le temps qu'on sorte le dernier sac, et jeta un regard par le panneau arrière, toujours ouvert. Des gens allaient et venaient sur le tarmac, mais personne ne regardait dans sa direction. Il descendit de l'appareil et sauta sur la piste. Soudain, il avisa deux officiers de sécurité qui se dirigeaient vers lui en bavardant et en sirotant un café. Plongeant aussitôt une main dans sa poche, il sortit un sandwich au jambon dans lequel il mordit tout en s'éloignant de l'avion.

Arrivé à la hauteur des agents, il leur adressa un signe de tête.

– C'est du vrai café ou du caramel latte décaféiné avec quatre doses de je-ne-sais-quoi ?

Sa bouche encore pleine s'ouvrit dans un large sourire. Les deux flics rigolèrent à sa remarque et s'éloignèrent.

Finn pénétra dans le terminal, se dirigea vers les toilettes où il se débarrassa de sa veste, de ses écouteurs et de son badge. Après avoir passé un rapide coup de fil, il gagna d'un pas alerte le bureau de la sécurité de l'aéroport.

– J'ai déposé un sac avec une bombe à bord d'un A320 au National Airport ce matin, expliqua-t-il à l'homme de permanence. Et je viens de voyager dans la soute d'un 737 depuis Washington DC. J'aurais pu faire exploser l'avion n'importe quand.

Stupéfait, l'officier bondit par-dessus son bureau. Finn esquiva l'attaque d'un subtil pas de côté, et le type tomba à plat ventre sur le sol en criant au secours. Jaillissant en courant de l'arrière-salle, d'autres agents s'avancèrent alors vers Finn, l'arme au poing. Cependant, Finn avait sorti son accréditation avant même l'apparition des revolvers.

*Des cadavres trop bavards*

La porte du bureau s'ouvrit à la volée, laissant apparaître trois hommes, leurs badges fédéraux brandis comme le sceptre d'un roi.

– Sécurité intérieure, aboya l'un d'eux en direction des gardes. (Il pointa un doigt sur Harry Finn.) Cet homme travaille pour nous. Et il y a quelqu'un qui va se retrouver dans une sacrée merde !

# Chapitre 2

– Bon boulot, Harry, comme d'habitude ! lança un peu plus tard le chef d'équipe de la Sécurité intérieure en filant une claque dans le dos de Finn.

Lorsque, grâce à Harry Finn, toutes les parties concernées furent informées des manquements à la sécurité dans l'aéroport, il y eut des hurlements, une avalanche de rapports et de mails incendiaires et on épuisa plus d'une batterie de portable. En temps normal, le département de la Sécurité intérieure, plus communément appelé le DHS, n'aurait pas chargé Harry Finn de réaliser ce type d'infiltration. Ce rôle incombait généralement à la FAA, la Federal Aviation Administration. Mais si cette dernière était parfaitement consciente des nombreuses failles du système, elle n'avait pas envie que d'autres services les pointent. Alors, les gens du DHS s'étaient débrouillés pour obtenir l'autorisation de mener cette intervention, et ils avaient choisi Harry pour mettre le feu aux poudres.

Finn n'était pas un employé du DHS. La firme pour laquelle il travaillait avait été engagée par l'agence pour tester le niveau de sécurité des installations sensibles, à la fois privées et gouvernementales. Elle menait ces opérations avec des hommes de terrain et une approche directe : le but était de s'infiltrer dans la place par tous les moyens. Le DHS, qui pratiquait fréquemment ce genre d'externalisation, disposait d'un budget annuel d'environ quarante milliards de dollars et il fallait bien qu'il dépense l'argent. La société de Finn ne récupérait qu'un faible pourcentage de cette manne financière, mais quelques petits milliards de dollars représentaient quand même une belle source de revenus.

D'ordinaire, Finn aurait quitté l'aéroport, et advienne que pourra. Cette fois, visiblement lassé de ce problème récurrent de sécurité dans l'aviation civile et désireux de rédiger un rapport salé, le DHS lui avait demandé d'aller se dénoncer. Cet incident ferait saliver les médias, ficherait le vertige à l'industrie aéronautique, et la Sécurité intérieure n'en paraîtrait que plus efficace et héroïque. Harry Finn, lui, n'était jamais mêlé aux polémiques. Il ne donnait pas d'interviews et son nom n'apparaissait jamais dans les journaux. Il se contentait d'exécuter tranquillement ses missions.

Bien évidemment, il n'échapperait pas à un débriefing auprès du personnel de sécurité de l'aéroport à qui il venait de démontrer sa supériorité ; il s'efforcerait d'être à la fois encourageant et diplomate en préconisant les changements nécessaires. Parfois, ces séances étaient la partie la plus dangereuse de son travail. Les types pouvaient vraiment se mettre en rogne en découvrant qu'ils s'étaient fait piéger. Dans le passé, Finn avait parfois été obligé de jouer des coudes pour sortir d'une pièce.

L'homme du DHS ajouta :

– On arrivera bien à tirer quelque chose de ces gens-là…

– Je ne suis pas sûr de voir ça de mon vivant, répliqua Finn.

– Tu peux rentrer en avion avec nous jusqu'à Washington. Un Falcon de l'agence nous attend.

– Merci, mais j'ai quelqu'un à voir dans le coin. Je rentrerai demain.

– Parfait. À la prochaine.

*À la prochaine,* pensa Finn.

Une fois seul, Finn loua une voiture et s'engagea dans les faubourgs de Detroit avant de s'arrêter devant un centre commercial. De son sac à dos, il tira une carte routière et un dossier dans lequel se trouvait une photographie. L'homme sur le cliché avait soixante-trois ans. Il était chauve et arborait plusieurs tatouages caractéristiques. Il se faisait appeler Dan Ross.

Mais ce n'était pas son vrai nom. Tout comme Harry Finn.

# Chapitre 3

L'arthrite. Et, pour couronner le tout, ce fichu lupus. Ils formaient une belle paire parfaitement synchronisée pour faire de sa vie un enfer de douleur lancinante. Chacun de ses os craquait, chacun de ses tendons grinçait. Et, à chaque mouvement, il avait l'impression de recevoir un coup de pied dans l'estomac. Cependant, il continuait d'avancer, parce que si on s'arrêtait c'était pour toujours. Il avala deux cachets puissants qu'il n'était pas censé avoir en sa possession, enfonça une casquette sur sa tête chauve et pâle, abaissa la visière sur ses yeux et chaussa des lunettes de soleil. Il n'aimait pas que les gens suivent son regard. Et il ne voulait pas qu'on l'observe.

Il s'installa dans sa voiture et roula jusqu'au magasin. Les médicaments commençaient à faire de l'effet et il se sentait bien, du moins, il se sentirait bien pendant deux heures.

— Merci monsieur Ross, dit le vendeur en lorgnant le nom inscrit sur la carte bancaire avant de la lui rendre avec ses achats. Passez une bonne journée.

— Je n'ai plus de bonnes journées, riposta Dan Ross. Je n'ai que du sursis.

L'employé jeta un coup d'œil sur le chapeau qui couvrait son crâne chauve.

— Ce n'est pas un cancer, corrigea Ross en devinant ses pensées. Ce serait peut-être mieux si c'était le cas. C'est plus rapide, si vous voyez ce que je veux dire.

L'employé, qui était âgé d'une petite vingtaine d'années et se considérait donc comme immortel, ne parut pas comprendre les paroles de Ross. Il hocha la tête d'un air embarrassé et se détourna pour aider un autre client.

Ross quitta le magasin en se demandant ce qu'il pourrait faire. Il n'avait pas de problèmes d'argent. Oncle Sam prenait soin de sa vieillesse et de son délabrement physique. Sa pension de retraite était de premier ordre, sa couverture médicale en plaqué or ; dans ce domaine, les fédéraux étaient irréprochables. Pour l'heure, son principal souci était le temps devant lui. Que faire maintenant ? Rentrer chez lui pour se tourner les pouces ? Ou déjeuner dans le delicatessen du quartier où il pourrait se remplir la panse, regarder la chaîne de sport ESPN et flirter avec les jolies serveuses qui ne lui diraient même pas bonjour ? Mais il pouvait toujours rêver, pas vrai ? Rêver aux jours anciens où les femmes lui donnaient bien plus qu'un sourire.

Ce n'était pas une vie, il devait l'admettre. Tout en y réfléchissant, il lança des regards discrets dans toutes les directions. Même aujourd'hui, son instinct le poussait à vérifier qu'il n'était pas suivi. À force d'être une cible permanente, c'était fatal. Bon Dieu, qu'est-ce qu'il avait aimé ça, pourtant !

Il ne lui restait plus rien désormais, à part des souvenirs. Et ce foutu lupus.

Malheureusement pour Ross, si ses dons d'observations restaient bons, ils n'étaient plus infaillibles. Un peu plus bas dans la rue, assis dans sa voiture de location, Harry Finn ne le quittait pas des yeux. *Alors, tu vas où, Danny ? À la maison ou au deli ? Dans quelle déchéance tu es tombé !*

À chaque fois que Harry Finn avait été témoin de son débat intérieur, le deli l'avait emporté sur la maison à quatre contre un. Aujourd'hui encore, Ross fit demi-tour, descendit la rue et pénétra dans l'Edsel Deli qui marchait du feu de Dieu depuis 1954, comme le proclamait la pancarte au-dessus de la porte.

Ross y resterait à reluquer le moindre mouvement des jolies serveuses et à manger pendant au moins une heure. Puis il lui faudrait vingt minutes pour rentrer chez lui en voiture. Après, il irait s'asseoir dans la cour, lirait le journal ; viendrait ensuite l'heure de faire une sieste, de se préparer un modeste dîner, de regarder la télévision, de jouer au solitaire devant la petite table près de la fenêtre, la lampe éclairant les cartes. Puis ce serait la nuit ou tout comme. Vers 21 heures, les lumières dans le petit bungalow s'éteindraient, et Dan Ross s'endormirait pour se réveiller le lendemain matin et recommencer les mêmes gestes.

Après avoir retrouvé la trace de Ross, Finn s'était rendu à plusieurs reprises sur les lieux pour étudier la routine de son quotidien. Cette surveillance lui avait permis de concocter un plan parfait.

Environ cinq minutes avant que Ross sorte de l'Edsel, Finn descendit de voiture, traversa la rue et, par la fenêtre du deli, repéra Ross assis à sa table habituelle dans le fond, occupé à étudier le menu. Sans se hâter, Finn se dirigea vers l'endroit où Ross avait garé son véhicule. Deux minutes plus tard, il était de retour dans le sien. Trois minutes après, Ross sortit du restaurant, descendit péniblement la rue, monta dans sa voiture et reprit le chemin de son domicile.

Finn partit dans la direction opposée.

Ce soir-là, Ross couronna son petit train-train habituel avec trois doigts de Johnny Walker Black qu'il avala avec un cocktail puissant de pilules antidouleur malgré les recommandations de toutes les notices pharmaceutiques. Il venait de gagner son lit quand la paralysie s'installa. Au début, pensant que c'était à cause des médicaments, il accueillit plutôt avec plaisir cette sensation d'engourdissement. Cependant, une légère panique le gagna peu à peu. Était-ce le lupus qui entrait dans une phase plus agressive ? Quand sa respiration devint erratique, il comprit qu'il s'agissait d'autre chose. Une crise cardiaque ? Mais où étaient la sensation de lourdeur dans la poitrine, les élancements douloureux dans le bras gauche ? Une attaque ? Il pouvait encore réfléchir, parler. Il prononça quelques mots et aucun d'eux n'était confus. Son visage n'était pas tordu. Il tenta de se frotter les doigts, mais les commandes de son cerveau ne fonctionnaient plus. Plus tôt, pourtant, il avait eu un truc sur les doigts. Une substance collante comme de la vaseline. On avait beau essuyer et essuyer encore, ils paraissaient toujours mouillés. Il s'était lavé en rentrant, et le film humide avait semblé disparaître. Ses mains ne collaient plus. Était-ce grâce au savon et à l'eau ? Le produit – quel qu'il soit – s'était-il simplement évaporé ?

Puis la vérité le frappa comme la balle d'un calibre 50.

*Je l'ai absorbé. Mon corps l'a absorbé !*

Où s'était-il mouillé les mains ? Il fit un effort de concentration. Pas ce matin. Ni au magasin ni au deli. Après ? Peut-être. En montant dans la voiture. La poignée de la portière ! S'il avait pu, Ross se serait redressé dans son lit en criant *Eurêka !*. Mais il en était incapable. Il pouvait à peine respirer. Seule une brève respiration sifflante sortait de sa bouche, une sorte de râle. On avait enduit la poignée de son véhicule de poison ! Il darda un regard en biais sur le téléphone posé sur la table de nuit. L'appareil n'était qu'à soixante centimètres, mais il aurait pu tout aussi bien se trouver en Chine pour ce que cela lui apportait…

Dans l'obscurité, la silhouette apparut près de son lit. L'homme ne portait aucun déguisement ; Ross distinguait ses traits même à la faible lueur de la lampe. Il était jeune et d'apparence ordinaire. Ross avait déjà vu des milliers de visages comme celui-là sans leur prêter attention. Il n'arrivait pas à comprendre comment quelqu'un d'aussi banal avait pu parvenir à le tuer.

Tandis que la respiration de Ross se faisait plus laborieuse, le type sortit quelque chose de sa poche et le lui tendit. Il s'agissait d'une photographie, mais Ross ne discernait pas qui se trouvait dessus. Alors, Harry Finn alluma une petite torche et la braqua sur le cliché. Le regard de Ross survola l'image de haut en bas. Mais il ne comprit que lorsque Finn prononça le nom.

– Maintenant, tu sais, dit calmement Finn.

Déposant la photo en silence, Harry regarda Ross mourir. Il ne le quitta des yeux que lorsque sa poitrine laissa échapper un dernier râle et que ses pupilles devinrent vitreuses.

Deux minutes plus tard, Harry Finn traversait les bois derrière la maison. Le lendemain matin, il était à bord d'un avion, cette fois dans la cabine principale. Puis il rentra chez lui, embrassa sa femme, joua avec son chien et alla chercher ses enfants à l'école. Ce soir-là, toute la famille alla dîner au restaurant pour récompenser la benjamine, la petite Susie âgée de huit ans, qui venait d'être choisie pour incarner un arbre dans une pièce de théâtre de l'école.

Vers minuit, Harry s'aventura dans la cuisine, où George, le fidèle labradoodle, se leva de sa couche douillette pour lui faire fête. Assis devant la table, Finn raya mentalement le nom de Ross de sa liste tout en caressant l'animal.

Et il se concentra sur le prochain nom : Carter Gray, l'ancien patron des renseignements américains.

# Chapitre 4

Annabelle Conroy étendit ses longues jambes et contempla le paysage qui défilait derrière la vitre du wagon de l'Amtrak Acela. Elle ne prenait presque jamais le train. Elle préférait voyager à trente-neuf mille pieds d'altitude, là où elle pouvait grignoter des cacahuètes, siroter des cocktails à sept dollars le verre en rêvant à sa prochaine arnaque. Aujourd'hui, elle avait fait une exception parce que son compagnon Milton Farb refusait de poser le pied dans tout appareil ayant la capacité et l'intention de quitter la terre ferme.

– L'avion est le moyen de transport le plus sûr, lui avait-elle pourtant assuré.

– Pas si tu es à bord d'un zinc en perdition. Là, tes chances de mourir sont de cent pour cent. Et je n'aime pas ce genre de statistiques.

Il était difficile d'argumenter avec les génies, Annabelle s'en était aperçue. Cependant, Milton, l'homme à la mémoire photo-graphique doué d'un talent inné pour le mensonge, avait fait du bon travail. Ils avaient quitté Boston après une mission réussie. L'objet avait été remis à sa place et personne n'avait pensé à appeler les flics. Dans le monde des arnaques haut de gamme dans lequel évoluait Annabelle, l'opération frôlait la perfection.

Trente minutes plus tard, tandis que l'express Amtrak ralentissait et s'arrêtait dans une gare de la côte est, Annabelle jeta un coup d'œil par la vitre et frissonna involontairement en entendant le conducteur annoncer qu'ils arrivaient à Newark, dans le New Jersey. Jersey était la région de Jerry Bagger, mais, heureusement, l'Acela ne s'arrêtait pas à Atlantic City, où le patron du casino possédait un empire. Si tel avait été le cas, Annabelle ne serait jamais montée à bord.

Cependant, elle était assez intelligente pour savoir que Jerry Bagger avait toutes les raisons du monde de se lancer à sa recherche où qu'elle fût. Lorsqu'on avait dérobé quarante millions de dollars à un type pareil, la pensée qu'il pouvait tout faire pour vous réduire en miettes n'avait rien d'irrationnel.

Elle lança un regard à Milton, qui paraissait avoir dix-huit ans. En réalité, l'homme avoisinait la cinquantaine. Il pianotait sur son ordinateur, plongé dans quelque chose que personne, y compris Annabelle, n'aurait été en mesure de comprendre à moins d'être un génie.

Désœuvrée, Annabelle se rendit dans la voiture-bar où elle acheta une bière et un paquet de chips. En repartant, elle avisa un *New York Times* abandonné sur l'une des tables. Elle s'assit sur un tabouret, but sa bière et mâchonna ses chips en tournant paresseusement les pages, à l'affût d'une quelconque information qui pourrait motiver une prochaine aventure. De retour à Washington, elle aurait des décisions à prendre, c'est-à-dire, en fait, choisir de rester ou de fuir le pays. Elle savait déjà quelle devait être la réponse. Pour l'heure, l'endroit le plus sûr était une île anonyme du Pacifique sud. Jerry Bagger était âgé de soixante-cinq ans, et l'arnaque qu'elle avait menée contre lui avait sans aucun doute fait augmenter considérablement sa pression artérielle. Avec un peu de chance, il crèverait bientôt d'une crise cardiaque et elle s'en tirerait à bon compte. Cependant, elle ne pouvait pas s'y fier.

Annabelle s'était liée avec une brochette de vieux messieurs excentriques qui s'étaient autobaptisés le Camel Club.

Elle sourit intérieurement en pensant à ce quatuor ; l'un des membres, Caleb Shaw, travaillait à la Bibliothèque du Congrès. Il lui faisait penser au lion peureux du *Magicien d'Oz*. Oliver Stone, le chef de cette petite bande de gredins, avait quelque chose en plus. Il devait avoir un sacré passé dans le genre extraordinaire et insolite. Lui serait-il possible de dire au revoir à Oliver Stone ? Il y avait peu de chances qu'elle croise à nouveau une personne de son acabit.

Son regard effleura un jeune homme qui passait à côté d'elle sans chercher à cacher son admiration pour sa silhouette élancée et ses longs cheveux blonds.

– Holà ! lança le jeune homme.

Avec son physique de sportif, ses cheveux ébouriffés et ses vêtements coûteux faussement grunge, il semblait sorti tout droit d'une pub Abercrombie & Fitch. Elle le classa immédiatement dans la catégorie des étudiants privilégiés qui s'autorisent une arrogance à la hauteur de l'indécence de leur compte en banque.

– Holà vous-même ! dit-elle en retournant à son journal.

– Où allez-vous ? demanda-t-il en s'installant à côté d'elle.

– Pas au même endroit que vous. Ça règle le problème, pas vrai ?

Ou bien il ne comprit pas sa remarque, ou bien il s'en moqua.

– Je me rends à Harvard.

– Ouah ! je ne l'aurais jamais deviné.

– Mais je suis de Philly. Mes parents possèdent une propriété là-bas.

– Ouah ! c'est génial d'avoir des parents propriétaires, lâcha-t-elle d'un ton clairement ironique.

– C'est génial aussi parce qu'ils s'absentent du pays la moitié du temps. Je fais une petite fête là-bas ce soir. Ça va être délirant. Ça vous intéresse ?

Annabelle sentait le regard du type courir sur elle. *O.K., ça recommence !* Elle savait qu'elle n'aurait pas dû, mais avec des mecs pareils elle ne pouvait pas s'en empêcher. Elle referma son journal.

– Je ne sais pas. Délirant à quel point ?

Il lui toucha le bras.

– Je crois que vous ne serez pas déçue.

Elle sourit et lui tapota la main.

– De quoi on parle, là ? D'alcool et de sexe ?

– C'est évident. (Il affermit son étreinte.) Je suis installé en première classe, pourquoi ne venez-vous pas avec moi ?

– Rien d'autre, à part l'alcool et le sexe ?

– Vous aimeriez entrer dans les détails ?

– Tout est dans les détails, euh…

– Steve. Steve Brinkman. (Il eut un petit gloussement étudié.) Vous savez, un des *fameux* Brinkman. Mon père est le vice-président d'une des plus grosses banques du pays.

– Pour votre info, Steve, s'il ne s'agit que de coke à cette fête, et je ne parle pas du soda, j'en serai profondément déçue.

– Qu'est-ce que vous voulez ? Je suis sûr que je peux m'en procurer. J'ai des relations.

– Des barbituriques, des amphés, de la méthadone, du PCP avec l'artillerie qui va avec, et pas de limonade, ça, ça me gonfle, ajouta-t-elle en faisant référence aux drogues de médiocre qualité.

– Ouah, vous vous y connaissez ! chuchota Steve en jetant des regards nerveux aux passagers qui se trouvaient dans la voiture-bar.

– Avez-vous déjà chassé le dragon, Steve ? demanda-t-elle.

– Euh, non…

– C'est une façon funky d'inhaler de l'héroïne. Ça vous file un shoot extraordinaire quand ça ne vous tue pas.

Il ôta sa main de son bras.

– Ça n'a pas l'air génial.

– Quel âge avez-vous ?

– Vingt ans. Pourquoi ?

– J'aime les hommes un peu plus jeunes que ça. Je trouve que quand un mec atteint dix-huit ans, il baise nettement moins bien. Alors, il y aura des mineurs à cette fête ?

Le jeune homme se leva.

– Peut-être que ce n'était pas une bonne idée, au fond.

– Oh, je ne suis pas difficile. Mecs ou filles, tout me va…

– O.K., je m'en vais, maintenant, dit Steve, soudain pressé.

– Encore une chose. (Annabelle sortit son portefeuille et lui agita rapidement un faux badge sous le nez.) Vous reconnaissez l'insigne de la DEA, Steve ? L'agence de lutte antidrogue, susurra-t-elle.

– Oh, mon Dieu !

– Vu que vous m'avez parlé de la propriété de maman et papa Brinkman sur Main Line, je suis sûre que mon équipe n'aura aucun problème pour retrouver l'endroit. Bien évidemment, dans le cas où vous comptez toujours organiser une fête délirante…

– S'il vous plaît, je jure, je voulais juste…

Il tendit la main pour garder son équilibre. Annabelle s'en empara et lui écrasa violemment les doigts.

– Retournez à Harvard, Stevie. Vous aurez le temps de foutre votre vie en l'air quand vous serez diplômé. Et, à l'avenir, faites attention à ce que vous racontez aux inconnues dans les trains.

Elle le regarda s'enfuir dans l'allée et se réfugier dans le wagon de première classe.

Annabelle termina sa bière et parcourut d'un regard détaché les deux dernières pages du journal. Ce fut à son tour de pâlir.

Un certain Anthony Wallace avait été retrouvé tabassé quasiment à mort dans une propriété de la côte portugaise. Trois autres personnes avaient été assassinées dans une maison isolée du littoral. On pensait qu'il s'agissait d'un cambriolage qui avait mal tourné. Bien que Wallace fût toujours en vie, il était plongé dans le coma, victime de graves lésions à la tête, et les médecins n'avaient pas beaucoup d'espoir.

Annabelle déchira l'entrefilet et repartit d'un pas chancelant jusqu'à son siège.

Jerry Bagger avait retrouvé la trace de Tony, l'un de ses associés dans l'arnaque. Une propriété ? Elle avait expressément ordonné à Tony de rester discret et de ne pas flamber. Il ne l'avait pas écoutée et maintenant il était cérébralement mort. Jerry ne laissait jamais de témoins derrière lui. Mais qu'était-il parvenu à faire avouer à Tony ? Elle connaissait la réponse à cette question. *Tout.*

Milton cessa de taper sur son clavier et releva la tête.

– Ça va ?

Annabelle ne répondit pas. Elle regardait par la fenêtre du train qui repartait vers Washington, sans même voir la campagne du New Jersey. Son assurance s'était envolée, elle avait devant les yeux l'image détaillée de la mort imminente que Jerry Bagger lui réservait.

# Chapitre 5

Oliver Stone redressa tant bien que mal la vieille pierre tombale couverte de mousse et la cala avec un peu de terre. Il s'essuya le front. Le poste de radio posé à côté de lui sur le sol était branché sur la station locale d'infos. Stone avait besoin d'informations comme d'autres d'oxygène. Ce qu'il entendit soudain lui ficha un coup. Lors d'une cérémonie de remise des prix à la Maison-Blanche, Carter Gray, l'ancien patron des agences de renseignement américain, recevrait dans l'après-midi la médaille présidentielle de la liberté, la plus haute distinction à titre civil des États-Unis. Gray avait servi son pays loyalement pendant quatre décennies, annonçait le journaliste et, selon le Président en personne, « il était un homme dont toute l'Amérique devait se montrer fière ; un patriote sincère et un grand serviteur de l'État ».

Stone était loin d'être d'accord avec cette assertion. C'était à cause de lui que Carter Gray avait brusquement démissionné des renseignements américains.

*Si seulement le Président savait que l'homme qu'il allait décorer était celui qui avait projeté de lui tirer une balle dans la tête.*

Jamais le pays ne serait prêt à entendre cette vérité.

Une heure plus tard, douché et revêtu de ses plus beaux habits – des fripes de chez Goodwill –, Oliver Stone sortit à pied du pavillon où il était gardien du cimetière de Mount Zion, ancienne étape sur le chemin menant les esclaves du Sud vers la liberté et lieu de repos éternel d'éminents Noirs américains depuis le XIX^e siècle. Grâce à ses puissantes enjambées et à sa longue carcasse d'un mètre quatre-vingt-sept, il avala rapidement la distance qui le séparait de la Maison-Blanche.

À soixante et un ans, il n'avait pratiquement rien perdu de son énergie et de sa vigueur. Avec ses cheveux blancs coupés ras, il faisait penser à un sergent instructeur des marines à la retraite. D'une certaine façon, il était toujours commandant, même si son régiment hétéroclite baptisé le Camel Club était officieux. Il était composé de lui-même, de Caleb Shaw, de Reuben Rhodes et de Milton Farb.

Stone aurait pu ajouter Annabelle Conroy au tableau de service. Elle avait failli mourir avec eux au cours de leur dernière aventure. Annabelle était la personne la plus adroite, la plus douée et la plus culottée qu'il eût jamais rencontrée. Cependant, son instinct lui disait qu'elle les quitterait bientôt. Stone devinait qu'elle avait quelqu'un à ses trousses. Quelqu'un qu'elle craignait. Parfois, dans ces circonstances, le réflexe le plus intelligent était la fuite. Stone comprenait parfaitement ce concept.

La Maison-Blanche se trouvait face à lui. On ne le laisserait jamais franchir les grilles d'entrée du sanctuaire ni même rester sur le trottoir de Pennsylvania Avenue. La seule démarche qu'il pouvait tenter était d'attendre dans Lafayette Park, de l'autre côté de la rue. Pendant des années, il avait conservé une tente à cet endroit-là jusqu'à ce que les services secrets lui demandent de la démonter. Mais, comme la liberté d'expression restait vigoureuse en Amérique, sa bannière lui avait survécu. Déployée entre deux barres fichées dans le sol, elle proclamait : « Je veux la vérité ». Apparemment, ils n'étaient que quelques-uns à l'exiger à Washington. Et, pour l'instant, personne ne semblait l'avoir trouvée dans cette capitale mondiale de la trahison et des pressions de toutes sortes.

Stone passa le temps en discutant avec deux agents en uniforme des services secrets qu'il connaissait. Quand les grilles de la Maison-Blanche s'ouvrirent, il se tut pour regarder sortir la Sedan noire. Les vitres teintées ne laissaient rien deviner, mais Stone savait d'instinct que Carter Gray se trouvait dans la limousine. Peut-être était-ce dû à son odeur.

La vitre s'abaissa, confirmant son intuition. Stone croisa le regard de l'ex-patron des renseignements, le nouveau médaillé de la liberté, son principal ennemi.

Gray le fixa d'un air impassible. Puis, en souriant, il brandit sa grosse médaille brillante.

N'ayant rien à lui montrer, Stone opta pour le doigt d'honneur. Le sourire de Gray vira au rictus et la vitre remonta. Stone fit demi-tour et reprit à pied le chemin menant à son cimetière. Il avait le sentiment de ne pas s'être déplacé pour rien.

Lorsque la limousine de Gray tourna dans la 17$^e$ Rue, un véhicule le prit en filature. Harry Finn était lui aussi venu apercevoir Gray. Mais, alors qu'Oliver Stone s'était aventuré jusque-là pour défier l'homme qu'il détestait, Finn espérait simplement trouver le meilleur moyen de le tuer.

Le cortège fila dans le Maryland jusqu'à la ville d'Annapolis, située en bord de mer sur la Chesapeake Bay. Une ville célèbre pour ses gâteaux de crabes et la présence de l'US Naval Academy. Gray avait récemment acquis une propriété isolée sur une falaise surplombant la baie. Comme il n'était plus aux affaires, les mesures de sécurité qui l'entouraient avaient été réduites. Néanmoins, son ancien poste lui ayant valu la rancune de bon nombre d'ennemis de l'Amérique qui ne rêvaient que de lui coller une balle entre les deux yeux, il disposait toujours de deux gardes du corps.

Tuer Gray serait beaucoup plus difficile que de mettre le grappin sur un type comme Dan Ross. Vu la difficulté de la tâche, Finn avait déjà effectué plusieurs missions de reconnaissance. À chaque fois, il avait loué un véhicule différent sous de faux noms et porté un déguisement pour éviter d'être repéré. Enfin, la voiture de Gray s'engagea dans une allée privée en gravier menant à une maison située sur la falaise où, dix mètres plus bas, les eaux de la baie venaient se fracasser sur les rochers.

Un peu plus tard, perché dans un arbre, à l'aide de jumelles longue portée, Finn aperçut à l'arrière de la maison l'objet qui allait lui permettre de tuer Gray. Il sourit. Son plan venait de se dessiner.

Ce soir-là, il accompagna sa fille Susie à sa leçon de natation. Tout en admirant du haut des gradins son petit corps glissant gracieusement dans le bassin, il imagina les dernières secondes de la vie de Carter Gray.

Il reconduisit la fillette à la maison, aida à la mettre au lit ainsi que son frère âgé de dix ans ; il se disputa avec son adolescent puis mit des paniers avec lui dans l'allée jusqu'à ce que tous deux s'écroulent, en sueur et hilares. Ensuite, il fit l'amour à sa femme Amanda que tout le monde appelait Mandy et, infatigable, se leva vers minuit afin de préparer les déjeuners pour l'école du lendemain. Il signa aussi un mot d'autorisation pour son fils aîné, David, qui devait se rendre prochainement en excursion au Capitole. David entrerait au lycée l'année suivante, et Finn et Mandy l'avaient accompagné à plusieurs journées portes ouvertes dans différents établissements. David aimait les maths et les sciences. Il finirait probablement ingénieur. Finn avait suivi cette voie avant que sa vie prenne un léger détour.

Finn était un ancien Navy Seal, un membre polyvalent des forces spéciales de nageurs de combat de l'US Navy. Son CV s'enorgueillissait d'une grande expérience en opérations de service commandé. Grâce à des stages intensifs dans une école californienne où il avait passé quelque temps à apprendre l'arabe et, plus tard, à un apprentissage sur le terrain de différents dialectes, il avait développé un don étonnant pour les langues étrangères.

Si son boulot actuel lui donnait souvent l'occasion de voyager, il ne manquait presque jamais un évènement sportif ou une manifestation scolaire importante. Il était là pour ses enfants, espérant que ces derniers seraient à ses côtés plus tard. Tous les parents formaient les mêmes souhaits.

Il acheva de préparer les déjeuners puis grimpa dans sa tanière dont il referma la porte derrière lui. Là, il étudia sérieusement le plan destiné à éliminer Carter Gray. Concrètement parlant, la confrontation serait bien différente de celle qu'il avait choisie pour Dan Ross. Cependant, Finn n'avait jamais été du genre à vouloir, selon l'expression, « faire entrer une cheville ronde dans un trou carré ». Même les tueurs devaient se montrer souples. Peut-être plus souples que n'importe qui.

Son regard s'attarda sur les photos de ses trois enfants disséminées sur son bureau. Naissance et mort. Tout le monde vivait la même expérience. À l'une des extrémités, on se mettait à respirer et on s'arrêtait à l'autre bout. Ce qu'on faisait entre les deux vous définissait. Cependant, Finn se rendait compte qu'il était affreusement difficile de le cataloguer. Certains jours, sincèrement, il ne se comprenait pas lui-même.

# Chapitre 6

La voiture de location se gara près des grilles du cimetière alors qu'Oliver Stone terminait son travail. Il épousseta son pantalon et, en tournant la tête en direction du portail, eut comme un sentiment de déjà-vu. Elle lui avait fait le même coup dans le passé, avant, finalement, de revenir. Stone ne voulait pas la perdre.

Annabelle Conroy descendit de la voiture et franchit les grilles à pied. Son long manteau noir s'entrouvrait sous les rafales de vent, révélant une jupe marron qui lui arrivait aux genoux et des bottes ; ses cheveux étaient dissimulés sous un chapeau souple à large bord. Stone ferma la porte de sa petite remise située près de son cottage et mit le cadenas.

– Milton m'a dit que votre voyage à Boston avait été un franc succès, commença-t-il. Je ne crois pas avoir jamais entendu utiliser aussi souvent les mots « brillant », « étonnant » et « calme » pour décrire quelqu'un. J'espère que vous vous reconnaissez.

– Milton ferait un formidable arnaqueur. Même si je ne recommanderais jamais ce mode de vie à quelqu'un que j'aime bien.

– Il m'a dit aussi qu'au retour vous aviez l'air inquiète. Il s'est passé quelque chose ?

Elle lança un regard en direction du cottage.

– On peut parler à l'intérieur ?

Dire que l'intérieur du cottage de Stone était spartiate serait faire preuve de générosité. Quelques chaises, des tables dépareillées, des étagères croulant sous des livres écrits en différentes langues, un vieux bureau rongé des vers, une petite partie cuisine, une chambre et une minuscule salle de bains remplissaient les cinquante-cinq mètres carrés de son domicile.

Ils prirent place près de la cheminée vide dans les deux fauteuils les plus confortables, c'est-à-dire les seuls à être rembourrés.

– Je suis venue vous avertir de mon départ, commença Annabelle. Après tout ce qui s'est passé, je pense que je vous dois une explication.

– Vous ne me devez rien, Annabelle.

– Ne dites pas ça ! La situation est déjà assez pénible. Alors écoutez-moi jusqu'au bout, Oliver.

Il se renfonça dans son siège, croisa les bras et attendit. Elle tira un article de journal de la poche de sa veste et le lui tendit.

– Lisez d'abord.

– Qui est Anthony Wallace ? demanda-t-il, après avoir achevé sa lecture.

– Quelqu'un avec qui j'ai travaillé, répondit-elle d'un ton vague.

– Quelqu'un avec qui vous avez monté une arnaque ?

Elle hocha la tête d'un air absent.

– Trois personnes ont été tuées ?

Annabelle se leva et commença à faire les cent pas.

– Ça me rend dingue. J'avais dit à Tony de la jouer profil bas et de ne pas flamber. Mais qu'est-ce qu'il a fait ? Tout le contraire, et maintenant trois innocents sont morts alors qu'ils n'auraient pas dû.

Stone tapota le journal.

– D'après ce qu'on dit ici, il semble que votre M. Wallace sera le quatrième de la liste.

– Mais Tony n'était pas innocent. Il savait exactement où il mettait les pieds.

– Où ça, au fait ?

Elle cessa d'arpenter la pièce.

– Oliver, je vous aime bien et je vous respecte, mais c'est un peu…

– Illégal ? J'espère que vous réalisez que ça ne me choque pas.

– Ça ne vous gêne pas ?

– Je doute que vous ayez fait pire que ce que j'ai déjà vu dans ma vie.

Elle pencha la tête sur le côté.

– Vu ou fait ?

– Qui est à vos trousses, et pourquoi ?

– Ça ne vous regarde pas.

– Si vous voulez que je vous aide…

– Je n'ai pas besoin d'aide. Je veux juste que vous compreniez les raisons de mon départ.

– Vous pensez que vous serez moins en danger toute seule ?

– En tout cas, vous et les autres serez beaucoup plus en sécurité si je ne suis plus là.

– Ce n'est pas ce que je vous ai demandé.

– Je me suis déjà fourrée dans des tas de pétrins et j'ai toujours réussi à m'en sortir.

– D'un truc aussi sérieux ? (Il lança un coup d'œil à l'article.) Cette personne n'a pas l'air de plaisanter.

– Tony a fait une erreur, une grossière erreur. Je n'ai pas l'intention de l'imiter. Je vais me faire toute petite le temps qu'il faudra et me barrer le plus loin possible.

– Mais vous ignorez ce que Tony a pu leur dire. Savait-il des choses qui pourraient leur permettre de retrouver votre trace ?

Annabelle se percha sur le bord surélevé du foyer de cheminée.

– Probablement.

– Alors, raison de plus pour ne pas partir seule. On peut vous protéger.

– Oliver, j'apprécie l'intention, mais vous n'avez aucune idée de ce qui vous attend. Non seulement ce type est une belle saloperie, riche à millions et protégé par des gorilles, mais, pour couronner le tout, ce que j'ai fait était illégal. Vous protégeriez une criminelle en plus de risquer votre vie.

– Ce ne serait pas la première fois.

– Qui êtes-vous ? demanda-t-elle d'un ton insistant.

– Vous perdez du temps, parlez-moi de lui.

Annabelle frotta ses longs doigts graciles, prit une grande respiration et se lança.

– Il s'appelle Jerry Bagger. C'est le propriétaire du casino Pompeii, le plus grand établissement d'Atlantic City. On l'a viré de Las Vegas, il y a des années, c'est dire... Il vous étriperait si vous tentiez de voler un jeton à cinq dollars.

– Et de combien, l'avez-vous… hum… soulagé ?

– Qu'est-ce que ça peut vous faire ?

– C'est important de savoir à quel point il a envie de vous retrouver !

– Quarante millions de dollars. Vous pensez que c'est une motivation ?

– Je suis impressionné. On ne croirait pas qu'un type comme Bagger puisse se faire escroquer si facilement.

Annabelle s'autorisa un léger sourire.

– Ç'a été l'une de mes meilleures arnaques, je dois l'admettre. Mais Jerry est très dangereux. S'il imagine que quelqu'un me protège, il lui infligera le même traitement. Une mort douloureuse, très douloureuse.

– Il sait que vous êtes à Washington ?

– Non. Tony n'avait pas la moindre idée que je venais ici. Les autres ne savaient rien non plus.

– Ainsi, vous aviez des coéquipiers ? Bagger peut les trouver.

– Oui. Mais ils ignorent où je suis.

Stone hocha lentement la tête.

– C'est difficile d'être sûr de ce que Bagger sait ou pas. Après notre petite aventure à la Bibliothèque du Congrès, les médias n'ont révélé ni votre nom ni votre visage, ça, c'est une certitude. Cependant, on ne peut pas jurer que Bagger ne va pas dénicher une piste qui mènerait jusqu'à vous.

– Mon plan initial était d'aller dans le Pacifique sud.

– Les fugitifs se réfugient toujours dans le Pacifique sud. C'est probablement le premier endroit où Bagger cherchera.

– Vous vous moquez de moi, hein ?

– Un peu, oui. Mais juste un peu.

– Vous pensez réellement que je devrais rester ici ?

– Oui. Je suppose que vous avez bien effacé vos traces. Rien qui permette de vous localiser à Washington, des noms, des traces du voyage, des numéros de téléphone, des amis ?

Elle secoua la tête.

– J'ai débarqué ici sous une impulsion. Et sous un pseudo.

– Ce qui serait intelligent serait de découvrir, aussi discrètement que possible, ce que sait Bagger.

– Oliver, vous ne pensez tout de même pas aller voir ce type. Ce serait un suicide !

– Je sais comment chercher ; laissez-moi essayer…

– Je n'avais encore jamais demandé d'aide à personne.

– Moi, j'ai mis des dizaines d'années avant d'en être capable.

Elle parut étonnée.

– Et vous êtes content de l'avoir fait ?

– C'est grâce à ça que je suis en vie. Quittez votre hôtel et prenez-en un autre. Je suppose que vous avez de l'argent.

– Le liquide, ce n'est pas un problème. (Elle se leva et fit quelques pas vers la porte avant de se retourner.) Oliver, j'apprécie...

– Espérons que vous pourrez dire ça quand tout sera terminé.

# Chapitre 7

– Tu me prends pour un débile ? hurla Jerry Bagger.

Le patron du casino coinça son bras contre la trachée de l'homme tout en le plaquant au mur de son luxueux bureau situé au vingt-troisième étage du Pompeii. Les rideaux étaient tirés. Bagger fermait toujours les tentures quand il s'apprêtait à baiser une femme consentante sur le canapé ou à casser la gueule à quelqu'un qui le méritait. À ses yeux, il s'agissait d'une question d'honneur.

L'homme ne répondit pas à la question de Bagger, pour la simple raison qu'il ne pouvait plus respirer. Mais Bagger n'attendait pas de réponse. Son premier coup de poing s'abattit sur le nez du type et le brisa net. Le second lui fit sauter une dent de devant. L'homme tomba sur le sol en gémissant. Pour faire bonne mesure, Bagger lui fila un bon coup de pied dans le ventre, condamnant le pauvre type à vomir sur la moquette. Les gardes du corps de Bagger s'interposèrent ; ils attrapèrent leur patron en furie qui s'acharnait sur l'homme à terre et le tirèrent de toutes leurs forces en arrière avant qu'il y ait vraiment de la casse.

L'homme fut emporté hors du bureau, pleurant, saignant et gémissant qu'il était désolé. Bagger s'assit derrière sa table de travail et frotta ses jointures endolories. L'œil furibond braqué sur son chef de la sécurité, il grogna :

– Bobby, si tu m'amènes encore des connards pareils qui commencent par dire qu'ils ont des tuyaux sur Annabelle Conroy avant d'essayer de me faire cracher et de me refiler des infos de merde, je jure que je tuerai ta mère. J'aime bien ta vieille, mais je la buterai. Tu m'entends ?

L'imposant chef de la sécurité recula d'un pas et déglutit nerveusement.

– Plus jamais, monsieur Bagger. Je suis désolé, monsieur. Vraiment, vraiment désolé.

– Tout le monde est désolé, mais personne ne fait rien pour attraper cette salope, hein ? rugit Bagger.

– On pensait tenir une piste, une bonne.

– Vous pensiez ? Alors, vous feriez peut-être mieux d'arrêter de penser.

Bagger abattit son poing sur un bouton qui se trouvait sur son bureau et les rideaux s'ouvrirent. Il sauta sur ses pieds et alla se planter devant la fenêtre.

– Elle m'a piqué quarante millions. Ça aurait pu foutre en l'air toutes mes affaires, tu le sais, ça ? Je n'ai pas assez de réserves pour affronter la réglementation fédérale. Il y a en ce moment, dans la maison, un comptable du gouvernement à la noix qui inspecte mes comptes et peut me faire fermer la boutique ! Moi ! Avant, on pouvait graisser la patte à ces trous-du-cul, mais maintenant, avec leurs conneries d'éthique et de lois anticorruption, c'est fini. C'est moi qui te le dis, cette foutue transparence va détruire un grand pays.

– On va la retrouver, patron, et récupérer le fric, lui assura le chef de la sécurité.

Bagger ne sembla pas l'entendre.

– Je la vois partout, grogna-t-il, l'œil fixé sur la rue en contrebas. Dans mes rêves, dans ma bouffe ; quand je me rase, elle est dans la glace. Bon sang, même quand je pisse, son visage me regarde du fond de la cuvette. Ça me rend dingue !

Il se laissa tomber sur le canapé, un peu calmé.

– On a les dernières nouvelles de Tony Wallace ?

– On a quelqu'un sur le coup à l'hôpital, au Portugal. Il est toujours dans le coma. Mais, même s'il en sort, on n'obtiendra rien. D'après notre indic, le type est devenu un débile total.

– Il était débile avant qu'on mette la main dessus !

– Vous savez, patron, on aurait dû le tuer comme les autres.

– Je lui ai donné ma parole. Il m'a dit ce qu'il savait, donc, il devait vivre. C'était le deal. Selon mes règles personnelles, même avec un cerveau bousillé, on est toujours vivant. Plein de gens tiennent quarante ou cinquante ans comme ça. On te nourrit avec un tube, on te torche le cul tous les jours et tu joues avec des cubes. D'accord, c'est pas une vie, mais je ne renie jamais mes promesses. Les gens disent que je suis violent et que j'ai mauvais caractère, mais ils ne peuvent pas dire que je manque à ma parole. Tu sais pourquoi ?

Le chef de la sécurité secoua la tête prudemment. Il ignorait si son patron désirait une réponse ou pas.

– Parce que j'ai des exigences, voilà pourquoi. Maintenant, fiche le camp.

Quand il fut seul, Bagger s'assit derrière son bureau et plongea la tête entre ses mains. Il ne l'aurait jamais admis devant personne, mais la haine qu'il éprouvait pour Annabelle Conroy se teintait d'une sincère admiration bien involontaire.

– Annabelle, murmura-t-il. Tu es la plus grande arnaqueuse du monde, une artiste en la matière. J'aurais pris plaisir à travailler avec toi. Tu n'aurais pas dû faire la folie de t'en prendre à moi, car je vais te tuer. Je vais faire un exemple. C'est dommage, mais ça doit finir comme ça.

Ce n'était pas simplement le fait d'avoir perdu quarante millions qui mettait Bagger en rage. Depuis que l'histoire de cette escroquerie réussie avait filtré, la triche avait monté d'un cran dans le casino. Et ses concurrents et associés n'étaient plus aussi respectueux qu'auparavant ; ils sentaient que Bagger avait perdu la main, qu'il était vulnérable. On ne le rappelait plus immédiatement. Les performances sur lesquelles il pouvait compter jusque-là ne se réalisaient plus forcément.

– Un exemple, répéta Bagger, pour montrer à ces trous-du-cul que non seulement je suis toujours au top, mais que je suis de plus en plus fort. Je te retrouverai, je te retrouverai.

# Chapitre 8

Oliver Stone se proposait d'appeler un membre honoraire du Camel Club, Alex Ford, un agent des services secrets. Les deux hommes se faisaient entièrement confiance et Stone savait que Ford était le seul à pouvoir lui procurer des renseignements discrets.

– Est-ce que ç'a un rapport avec la femme avec laquelle tu travaillais ? Elle s'appelait Susan, n'est-ce pas ? interrogea Alex lorsque Stone lui téléphona.

– Ça n'a rien à voir avec elle, mentit Stone. En fait, elle va quitter la ville bientôt. Ça concerne une autre affaire dans laquelle je suis impliqué.

– Pour un gardien de cimetière, tu as une sacré activité.

– Ça conserve.

– Le bureau peut également te donner un coup de main. Après ce que tu as fait pour eux la dernière fois, ils te doivent bien ça. Quand veux-tu ces infos ?

– Dès que possible.

– Autant que tu le saches, j'ai entendu parler de ce Jerry Bagger. Ça fait longtemps que le département de la Justice essaie de dégoter quelque chose sur lui.

– Je suis sûr que cette attention est amplement méritée. Merci, Alex.

Un peu plus tard, ce soir-là, Reuben Rhodes et Caleb Shaw rendirent visite à Stone dans son cottage. Caleb paraissait très indécis.

– Ils me l'ont demandé, mais je ne sais pas si je dois accepter ou non, je ne sais pas quoi faire, gémit-il.

– Ainsi, la Bibliothèque du Congrès veut te nommer directeur de la division des livres rares, conclut Stone. Ça ressemble à une vraie promotion, Caleb. Qu'attends-tu pour te décider ?

– Si on considère que le poste n'est devenu vacant que parce que l'ancien directeur a été sauvagement assassiné dans les locaux et que son remplaçant a été victime d'une dépression nerveuse à la suite de cette histoire, ça donne à réfléchir, répliqua sèchement Caleb.

– Bon sang, Caleb, fonce ! Qui va vouloir s'en prendre à un charmant mec comme toi ? grogna Reuben.

Caleb, qui, avec sa cinquantaine d'années, sa taille moyenne et sa silhouette un peu enrobée, n'avait rien d'athlétique et de courageux, n'apprécia pas le commentaire.

– Tu disais que c'était mieux payé, lui rappela Stone. En fait, sacrément plus.

– Si c'est juste pour m'offrir des funérailles plus sympas, je ne suis pas sûr d'être intéressé.

– Mais tu mourras en sachant que tu peux en laisser davantage aux copains ! ajouta Reuben d'un ton bourru. Et si ça c'est pas une consolation, je me demande ce que c'est.

– Je ne vois pas pourquoi je vous demande votre avis, s'agaça Caleb.

Reuben tourna son attention vers Stone.

– Tu as vu Susan dernièrement ?

Seul Stone connaissait le véritable prénom d'Annabelle.

– Elle est passée l'autre jour, mais seulement quelques minutes. Elle a brillamment terminé sa mission avec Milton. L'objet a retrouvé sa place.

– Je dois reconnaître qu'elle a agi comme elle l'avait promis, concéda Caleb.

– Si je pouvais la convaincre de sortir avec moi, dit Reuben. Elle a toujours autre chose à faire. Je me demande si ce n'est pas une façon de m'envoyer promener. Mais c'est incompréhensible. Regardez-moi. Ne suis-je pas adorable ?

Reuben approchait des soixante ans. Il portait une barbe fournie et ses cheveux noirs bouclés mêlés de gris lui tombaient sur les épaules. Il mesurait près d'un mètre quatre-vingt-quinze et était charpenté comme un joueur de football américain. Vétéran du Vietnam, titulaire de nombreuses décorations, et ancien agent des renseignements militaires, il avait gâché de nombreuses occasions professionnelles et avait failli succomber à la drogue et à l'alcool avant qu'Oliver Stone le tire du gouffre. Désormais, il travaillait sur un quai de déchargement.

– J'ai vu que ton « ami » Carter Gray avait reçu la médaille de la liberté, fit observer Caleb après avoir jeté un regard incrédule à Reuben. Tu parles d'une ironie. Si cet homme avait pu agir comme il l'entendait, vous seriez morts tous les deux et, nous autres, on ferait trempette dans une salle de torture de la CIA.

– Pour la centième fois, on ne dit pas trempette, on dit simulacre de noyade, rugit Reuben.

– Ouais, peu importe, c'est un homme nuisible.

– En réalité, il est persuadé d'agir correctement et il n'est sans doute pas le seul dans ce cas-là, dit Stone. Je me suis rendu à la Maison-Blanche et je l'ai vu sortir après la cérémonie.

– Tu es allé à la Maison-Blanche ? s'exclama Caleb.

– Ouais, il m'a montré sa médaille et je lui ai rendu son salut. En quelque sorte…

– Quoi, maintenant, vous êtes les meilleurs amis du monde ? ajouta Reuben en reniflant. Ce type a quand même essayé de te tuer à plusieurs reprises.

– Il a également sauvé quelqu'un à ma place, dit Stone doucement.

– Ça t'ennuierait d'expliquer ? demanda Reuben avec curiosité.

– Oui.

Un coup retentit contre la porte d'entrée. Stone se leva, pensant qu'il pourrait s'agir d'Annabelle ou de Milton. L'homme planté sur le seuil était vêtu d'un costume sombre et dissimulait un pistolet sous sa veste, ce qui n'échappa pas à Stone. Il lui tendit un morceau de papier et s'en alla. Stone déplia la feuille.

Carter Gray voulait que Stone lui rende visite chez lui deux jours plus tard. Une voiture viendrait le chercher. Lorsqu'il dit cela aux autres, Caleb se récria :

– Oliver, tu ne vas pas y aller !

– Bien sûr que si !

# Chapitre 9

Tout en inhalant de l'oxygène, Finn scrutait les alentours derrière son masque spécialement conçu pour l'opération. Leur vitesse était telle qu'il n'y avait pas grand-chose à voir. La tempête faisait rage, et ceux qui se trouvaient sur le pont devaient être trempés et fortement secoués. La situation n'était pas meilleure là où se trouvait Finn. Démontrant une fois encore son attirance pour les moyens de transport inhabituels, il était arrimé au flanc d'un navire de guerre au moyen d'un dispositif de support qui n'était pas disponible dans le commerce. Il avait découvert une faille dans le système de surveillance extérieur. Pour l'heure, installé dans une boule minuscule à hauteur de la poupe, il ressemblait à une bosse invisible. L'endroit était moins confortable que la soute de l'avion. En fait, Finn avait failli être éjecté de son perchoir à deux reprises, prenant le risque d'être déchiqueté par les doubles hélices qui propulsaient le navire. Cette traversée avait démarré sur ce qui aurait dû être un dock militaire hautement sécurisé de la base navale de Norfolk. Cependant, le terme « hautement sécurisé » n'avait pas fait le poids lorsque Harry Finn s'y était présenté, vêtu d'un de ses multiples déguisements et arborant sa nonchalance coutumière.

Le bateau ralentit sa course et vira jusqu'au bâbord du vaisseau principal. Dès qu'il eut stoppé, Finn plongea tête la première et battit des pieds pour s'éloigner du navire. Il portait un sac à dos étanche sur les épaules et le brouilleur autour de sa taille le rendait invisible aux radars. Il piqua en profondeur et se glissa sous le porte-avions dont la ligne de flottaison était lourdement enfoncée dans l'eau. En effet, il pesait plus de quatre-vingt mille tonnes, transportait une centaine d'appareils, six mille membres d'équipage de l'armée de terre et de mer, et n'abritait pas moins de deux générateurs nucléaires. Ce fleuron avait coûté trois milliards de dollars aux contribuables américains.

Arrivé à l'endroit prévu, il ne lui fallut que deux minutes pour fixer son mécanisme sur la coque. Puis, tout en restant à distance des deux monstrueuses hélices, il repartit vers l'autre navire et s'y arrima de nouveau. C'était essentiellement en vue d'acquérir une expérience qui lui serait utile pour une future besogne plus personnelle qu'il avait accepté cette mission. Il profita d'ailleurs de ce que le navire auquel il était accroché prenait le chemin du retour pour réfléchir aux détails de ce travail.

Le navire à quai, il se glissa hors de sa cachette, nagea jusqu'à un endroit désert de la jetée, l'escalada et se débarrassa de son équipement. Il passa son coup de téléphone habituel et fit son rapport au cabinet militaire de l'officier de permanence dont les membres avaient parié en privé que personne ne parviendrait à faire ce que venait de réaliser Harry Finn : placer une bombe sous la coque du porte-avions *George-Washington*. La charge de plastic était suffisamment puissante pour couler à la fois le navire et ses occupants ainsi que l'équivalent de deux milliards de dollars d'avions.

Cette fois, l'amiral de la flotte de l'Atlantique et toute la chaîne de commandement reçurent une soufflante du chef d'état-major des armées des États-Unis, qui se trouvait être un général quatre étoiles. L'homme cacha mal sa satisfaction de pouvoir réprimander son collègue de la marine. La semonce fut d'ailleurs si violente qu'on raconta que les hurlements du quatre étoiles s'entendirent jusqu'au Pentagone, à quatre cents kilomètres de là. Cette « mise au point » publique prit une dimension supplémentaire en raison de la présence du secrétaire à la Défense qui, de son hélicoptère, avait attendu de voir si Harry Finn réussirait sa mission. Voyant que ce dernier avait triomphé haut la main, et ce, contre toute probabilité, le secrétaire à la Défense lui avait immédiatement proposé un poste parmi son personnel.

Mais le patron de la Sécurité intérieure n'était pas favorable à ce genre de cooptation, surtout quand il s'agissait d'un prestataire aussi précieux. Les deux membres du cabinet se comportèrent alors comme des gamins dans une cour de récréation et il fallut l'intervention du Président en personne, lors d'une conférence téléphonique par vidéo sécurisée, pour qu'il soit entendu que Harry Finn resterait là où il était, en tant que contractuel indépendant de la DHS. Vaincu et blessé, le secrétaire à la Défense grimpa dans son hélicoptère privé et retourna à Washington.

Harry Finn demeura à Norfolk, le temps de son briefing au personnel de la sécurité navale, un peu chagriné. Bien que courtois et immanquablement respectueux, il ne mâcha pas ses mots.

Sur le terrain, l'activité de Harry Finn était souvent baptisée Red Cells, pour globules rouges. Le terme avait été inventé par un ancien Navy Seal qui avait aidé à lancer le programme. Le projet Red Cells avait démarré après la guerre du Vietnam, à la demande d'un vice-amiral, afin de tester la sécurité des bases et des équipements militaires. Après le 11 septembre 2001, on l'avait étendu aux installations civiles pour lutter contre la pénétration des terroristes et autres organisations criminelles.

Les gens dotés de talents uniques, et comme Finn presque tous issus de l'armée, avaient pour mission de se faire passer pour des cellules terroristes et d'essayer de s'infiltrer dans une installation. Ces pénétrations étaient souvent conduites de façon peu orthodoxe, et dans le jargon on appelait cela « humaniser la mission ». En un mot, on demandait à Finn et aux membres de son équipe d'égaler autant que possible le niveau d'ingéniosité des terroristes qu'ils combattaient. Pour l'heure, on ne croyait pas à une attaque sophistiquée de la part des islamistes. Même depuis le 11 septembre, dans les cercles des services de renseignement américains, on ne jugeait pas crédible que de telles cellules puissent s'emparer d'une installation top secret ou piéger un porte-avions comme Harry Finn venait de le faire. Leur préférence était de se faire exploser dans des lieux publics ou de jeter des avions sur des gratte-ciel. Attaquer une centrale nucléaire ou une base militaire était une tout autre affaire.

Cependant, les hommes politiques et les gradés de l'armée avaient pris conscience que les islamistes n'étaient pas les seuls terroristes au monde capables de nuire aux États-Unis. La Chine, la Russie et d'autres pays de l'ancien bloc communiste, ainsi que plusieurs nations de l'hémisphère américain pouvaient fort bien nourrir de mauvaises intentions. Et ces États étrangers possédaient les infrastructures, le personnel et l'accès au renseignement leur permettant de réussir une attaque ciblée sur des installations américaines sécurisées. Voilà pourquoi on avait chargé Finn de sortir le grand jeu, de mettre à profit tous ses talents et son matériel de pointe pour percer les défenses de la Navy. Et il y était parvenu.

D'autres hommes que Harry Finn, y compris certains de ses anciens collègues des Red Cells, auraient sans doute passé la nuit à fêter leur succès. Mais Finn n'était pas comme la plupart des gens. Il n'était resté à Norfolk une journée supplémentaire que pour une raison capitale. Son fils aîné, David, se trouvait dans la région pour disputer un match avec son équipe de foot. Au lendemain de son briefing, Finn se rendit au stade avant de reconduire son fils victorieux – et de bonne humeur – à la maison. Sur le trajet, ils parlèrent de l'école, des filles et de sport.

– Qu'est-ce que tu faisais dans le coin ? demanda soudain David, qui, à treize ans, était presque aussi grand que son père. C'était lié à ton travail ?

Finn acquiesça.

– Certaines personnes avaient des problèmes de sécurité et m'ont demandé de venir les aider.

– Tu as trouvé la solution ?

– Ouais, tout le monde a accordé ses violons, maintenant. En fait, une fois les problèmes identifiés, ça n'a pas été très compliqué.

– La sécurité à quel niveau ?

– Oh ! dans plein de domaines. Rien de très excitant.

– Tu peux m'en parler ?

– Je doute que ça t'intéresse. Plein de gens font ce genre de choses à travers le pays. Le seul truc agréable, c'est que je ne suis pas obligé de rester assis derrière un bureau toute la journée.

– J'ai interrogé maman un jour à ce sujet. Elle m'a dit qu'elle ne savait pas exactement ce que tu faisais.

– Je pense qu'elle plaisantait.

– Tu n'es pas un espion, pas vrai ?

Finn sourit.

– Si c'était le cas, je ne pourrais pas te le dire.

– Ou si tu le faisais, tu serais obligé de me tuer, hein ? rigola David.

– Je me contente d'aider les gens à améliorer le fonctionnement de leurs systèmes en leur en montrant les failles.

– Comme un informaticien fait avec les bogues ? Alors tu es comme un débogueur ?

– Exactement. Comme je te l'ai dit, c'est très rasoir, mais ça paie bien et ça permet d'acheter de quoi manger, chose que tu sembles faire plusieurs fois par jour.

– Je suis grand, papa. Au fait, tu savais qu'avec sa voiture de police le père de Barry Waller a pourchassé un type qui avait cambriolé une banque et lui a arraché son arme ? Barry m'a dit que le mec avait failli le tuer.

– Les policiers font un travail souvent très dangereux. Le papa de Barry est un homme courageux.

– Je suis heureux que tu ne fasses pas des trucs comme ça.

– Moi aussi.

– Alors continue ton truc rasoir de débogueur, Pa. (David envoya une bourrade affectueuse à son père.) Et reste à l'écart des problèmes, O.K. ?

– Oui, fiston, je te le promets, répondit Harry Finn.

# Chapitre 10

Stone et Alex Ford se donnèrent rendez-vous au Lafayette Park, situé en face de la Maison-Blanche. Là où, du haut de son mètre quatre-vingt-quinze, Alex avait veillé durant des années sur l'occupant du bureau ovale, occupant que Stone avait combattu respectueusement au même titre que tous ses prédécesseurs.

Les deux hommes s'assirent sur un banc près de la statue d'un général polonais qui avait aidé les Américains au cours de la guerre d'Indépendance.

– Qu'est-ce que tu as pour moi ? demanda Stone en jetant un coup d'œil au dossier en papier kraft qu'Alex venait de tirer d'un bel attaché-case de cuir noir.

– Comme je ne savais pas vraiment ce que tu cherchais, j'ai élargi les recherches.

– C'est parfait, Alex, merci.

Tandis que Stone parcourait le dossier, Alex étudiait son ami.

– Comme je te l'ai dit au téléphone, le département de la Justice s'intéresse à Bagger depuis longtemps, sans arriver à rien. Kate m'a expliqué que le département n'a pas renoncé, mais que, s'ils ne parviennent pas à lui coller bientôt quelque chose sur le dos, ils vont devoir classer l'affaire. Même oncle Sam a des ressources limitées.

– Comment va Kate ? demanda Stone, faisant allusion à la juge Kate Adams, la petite amie d'Alex.

– Ça n'a pas marché entre nous. Elle voit quelqu'un d'autre.

– Je suis désolé de l'apprendre. C'est une femme merveilleuse.

– Oui, mais ce n'est pas une fille pour moi, ou disons plutôt que je ne suis pas un homme pour elle.

Stone referma le dossier et se leva.

– J'apprécie, ça va beaucoup m'aider.

Alex se leva à son tour.

– D'après ce que j'ai entendu dire, Bagger est un vrai psychopathe, du genre sadique. Ce n'est pas un type avec lequel il est bon de perdre son temps.

– Ce n'est pas mon intention.

– J'ai vu que ton pote préféré Carter Gray avait reçu la médaille de la liberté. Il m'a fallu beaucoup de volonté pour ne pas appeler ce con et lui dire d'aller au diable.

– Apparemment, ma volonté est moins solide que la tienne, rétorqua Stone avant de lui raconter sa réaction.

Le visage d'Alex s'éclaira.

– Tu n'as pas fait ça ?

– Si ! Et, pour couronner le tout, Gray m'a demandé de lui rendre visite chez lui ce soir.

– Et tu vas y aller ?

– Je ne manquerais ça pour rien au monde.

– Pourquoi ? Que peut-il avoir à te dire que tu aies envie d'entendre ?

– J'ai quelques questions à lui poser au sujet de… ma fille.

L'expression d'Alex s'adoucit.

– Je suis désolé. Vraiment désolé, dit-il en tapotant l'épaule de son ami.

– C'est la vie, Alex. Il faut l'accepter, on n'a pas le choix.

## Chapitre 11

Le navire auquel était accroché Harry Finn n'allait pas aussi vite que le porte-avions qu'il avait emprunté la fois précédente, mais il était plus qu'acceptable. Les personnes qui lui offraient la traversée n'avaient pas plus conscience de sa présence que ne l'avaient eue les militaires du *George-Washington*. Ils allaient dans la même direction que lui, c'est tout ce qui importait. Ensuite, il rentrerait à la maison par un autre moyen de transport, un moyen qu'il avait déjà trouvé. Il avait calculé le temps de trajet et ne cessait de consulter sa montre lumineuse en prévision de l'instant où il lui faudrait se déshabiller et nager en direction du rivage. La tempête qui se préparait offrait à la fois des avantages et des inconvénients. Mais, comme toujours, il se tenait prêt à toute éventualité.

Tandis que le bateau approchait de l'endroit où il allait devoir sauter à l'eau, Finn se remémora sa dernière conversation avec Mandy, sa femme. Il venait de tondre la pelouse et s'apprêtait à prendre une douche lorsqu'elle l'avait intercepté dans la chambre.

– David m'a raconté que vous aviez parlé de ton travail.

– C'est vrai. Il paraît que tu lui as dit que tu ne savais pas exactement ce que je faisais comme métier.

– C'est le cas.

– Tu sais bien qu'une fois que j'ai quitté l'armée je suis devenu contractuel pour la Sécurité intérieure.

– Et David n'a pas le droit d'en être informé ? Et moi, il m'est interdit d'en savoir plus ?

– C'est mieux comme ça. Je suis désolé. Mais, là-dessus, tu dois me faire confiance.

– Au moins, quand tu étais dans la Navy, je savais où je mettais les pieds. Quel genre de boulot on te demande, maintenant ?

Il glissa un bras autour de sa taille.

– Comme je te l'ai déjà dit, j'aide au renforcement de notre sécurité. Il y a un tas de failles dans le système. Mon boulot est de les combler, de nous rendre plus forts. Ce n'est même pas dangereux.

La tension se lisait sur le visage de Mandy.

– Si ce n'est même pas dangereux, pourquoi ne me dis-tu rien ?

– Je ne peux pas.

– Tu n'as jamais été très causant, n'est-ce pas ?

– Je pensais que c'était l'une des choses que tu appréciais chez moi.

La conversation s'était arrêtée là. Mandy ne saurait jamais qu'il avait voyagé dans la soute d'un avion de ligne, puis accroché au flanc d'un navire de guerre. Quelle épouse avait besoin de savoir une chose pareille ? Et elle n'entendrait jamais parler non plus de Dan Ross ni de Carter Gray.

Cependant, cette situation troublait Harry Finn ; homme scrupuleux et honnête, il n'était pas ravi d'avoir des secrets pour la femme qu'il aimait depuis leur rencontre, une quinzaine d'années plus tôt. Il était alors en permission et rendait visite à un ami de retour d'un déploiement à l'étranger. Sa timidité et sa nature introvertie lui avaient permis de prendre du galon dans sa carrière militaire. Son travail exigeait de lui de longues périodes d'intense préparation suivies de brusques influx d'adrénaline et de plongées brutales au sein d'un univers chaotique dans lequel il devait opérer avec un calme meurtrier. Il s'était montré excellent sur les deux tableaux.

Néanmoins, ce jour-là, en voyant la spendide Amanda Graham traverser le campus avec son short en jean et ses sandalettes, ses longs cheveux blonds descendant jusqu'à la taille, il s'était dirigé droit sur elle et l'avait invitée à dîner. Elle avait commencé par décliner son offre, sans doute offensée à l'idée d'être prise pour une fille facile. Mais Finn était du genre persévérant. Finalement, il avait décroché son rendez-vous puis une épouse. Il avait fait des pieds et des mains pour quitter l'armée et ils s'étaient mariés peu après l'obtention de son diplôme. Moins d'une année plus tard, David était né, suivi de Patrick et de Susie. Ils formaient un couple très heureux. Ils avaient réussi l'éducation de leurs enfants, des enfants qui participeraient à l'évolution du monde, peut-être modestement, mais dans le bon sens.

Finn ignorait pourquoi ses pensées prenaient toujours un tour profond lorsqu'il accomplissait les actes les plus fous, comme voyager accroché au flanc d'un navire croisant à toute vitesse.

Il vérifia sa montre, resserra la sangle de son sac à dos et se prépara à l'étape suivante. La phase était délicate, il fallait s'arracher à sa cachette et éviter les hélices directionnelles situées à l'avant.

Il replia les jambes contre le flanc du bateau et, comptant jusqu'à trois, balança ses pieds contre la coque puis plongea. Il sentait les pales le tirer en arrière. Revenu à la surface, il regarda disparaître les feux de poupe du navire puis évalua les environs. Ses repères pris, il nagea de toutes ses forces en direction des falaises.

## Chapitre 12

Jerry Bagger ne s'aventurait plus en dehors d'Atlantic City. Il avait beau posséder un jet privé, il l'utilisait rarement. Et il n'était plus monté à bord depuis sa virée meurtrière au Portugal auprès du malheureux Tony Wallace. Il avait même vendu son yacht. En réalité, il ne quittait quasiment plus son casino, le seul endroit dans lequel il se sentait bien ces derniers temps.

Ironiquement, Bagger n'était né ni à Vegas ni dans le New Jersey. Ce citadin hardi et rusé avait vu le jour dans un ranch du Wyoming où son père se tuait à la tâche. Sa mère était morte à sa naissance à la suite d'une complication liée à la grossesse, complication dont tout hôpital aurait pu facilement venir à bout. Mais comme il n'y avait aucun établissement de ce type dans un rayon de quatre cents kilomètres, elle n'avait pas survécu. Le père de Bagger l'avait rejointe dix-huit mois plus tard, après un accident impliquant une bouteille de whisky et un cheval hargneux.

Le patron du ranch, qui n'avait pas vu l'intérêt d'élever un bâtard – la mère et le père de Bagger n'ayant jamais pris la peine de se marier –, l'avait envoyé dans sa famille maternelle à Brooklyn. C'était là, dans les frontières étroites du melting-pot new-yorkais, et non pas dans les étendues désertes du Wyoming, que Bagger avait grandi et prospéré.

Finalement, il était reparti dans l'Ouest. Au bout de quinze années passées à bosser vingt heures par jour, à se dépenser sans compter, à jouer son va-tout au risque de tout perdre une bonne douzaine de fois, il était devenu propriétaire de son propre casino. Les affaires avaient rapidement si bien marché qu'il semblait posséder une planche à billets. Puis son tempérament avait repris le dessus et il s'était fait virer de Vegas avec l'interdiction d'y remettre les pieds. Il avait respecté cette sommation, même si à chaque fois qu'il survolait la ville en avion il regardait par le hublot et d'une chiquenaude éteignait avec solennité tout l'État du Nevada.

Bagger quitta son appartement du dernier étage et emprunta l'ascenseur privé qui débouchait directement dans le casino. Il traversa un océan de machines à sous, de tables de jeux, de salles consacrées aux paris sportifs où les joueurs, des plus novices au plus expérimentés, misaient plus d'argent qu'ils n'en récupéreraient jamais. Lorsque Bagger repérait un gamin qui s'ennuyait assis par terre pendant qu'à côté de lui ses parents nourrissaient les machines à coups de seaux de pièces de cinq cents, les mains noircies par l'opération, il ordonnait qu'on lui apporte à manger, des livres et des jeux vidéo et lui glissait dans la main un billet de vingt dollars. Puis il passait un coup de fil et on voyait dans l'instant un employé du Pompeii s'approcher des parents pour leur rappeler que, s'ils avaient le droit de venir avec leur progéniture, les zones dédiées au jeu leur étaient interdites.

Bagger broyait tous les adultes qui le contrariaient, mais il ne touchait jamais aux enfants. À ses yeux, les mômes étaient sacrés. « C'est déjà assez merdique d'être un adulte, alors mieux vaut les laisser prendre leur pied pendant qu'il en est temps », tel était son credo. Cette philosophie cachait sans doute le fait que Jerry Bagger n'avait jamais eu d'enfance. Pauvre comme un rat, il s'était lancé dans le racket dans un immeuble de Brooklyn à l'âge de neuf ans et n'avait jamais regardé en arrière.

La vie de chien qu'il avait menée expliquait en grande partie sa réussite, mais les cicatrices étaient profondes. Si profondes qu'il n'y pensait même plus. Elles étaient simplement constitutives de sa personnalité.

Jerry Bagger n'avait jamais misé un centime sur quoi que ce soit. Jouer était bon pour les gogos. Il avait plein de défauts, mais il n'était pas un pigeon. Il n'était pas comme tous ces idiots qui hurlaient et bondissaient après avoir gagné cent dollars, oubliant qu'ils en avaient jeté deux cents par les fenêtres pour avoir ce privilège. Néanmoins, cette étrange tournure psychique l'avait enrichi, alors il ne s'en plaignait pas.

Il fit halte devant l'un des bars et haussa les sourcils en direction de la serveuse, qui se hâta de lui apporter son habituel club soda citron. Il ne buvait jamais d'alcool dans les salles du casino, ses employés non plus. Il se percha sur un tabouret et observa le Pompeii. Tous les âges y étaient représentés. Et les cinglés se comptaient à la pelle. En vérité, Bagger se sentait plus d'atomes crochus avec ce genre de clientèle qu'avec les gens « normaux ».

Il lorgna un couple de jeunes mariés encore en habits de noces. Le Pompeii offrait un tarif promotionnel, pourboire non inclus, à ceux qui souhaitaient se passer la corde au cou. L'offre comprenait une chambre standard avec un nouveau matelas robuste, un bouquet de fleurs bon marché, les services d'un ministre du culte tout ce qu'il y a de plus officiel, un dîner, les boissons et un double massage… Et surtout cinquante dollars en jetons. Bagger ne cherchait pas à promouvoir l'amour. Il savait d'expérience que ces cinquante dollars offerts se transformaient irrémédiablement en deux mille dollars de profit pour l'établissement à la fin du week-end.

Le couple semblait faire de son mieux pour s'avaler mutuellement la langue. Bagger grimaça devant cette impudeur.

– Louez une chambre, murmura-t-il.

Bagger ne s'était jamais marié, essentiellement parce qu'il n'avait jamais rencontré de femme qui retienne son attention. Seule Annabelle Conroy y était parvenue. Elle était au-delà du fascinant et il avait rêvé de passer sa vie auprès d'elle. En fait, avant qu'il découvre comment elle l'avait berné, il s'était même demandé s'il n'avait pas enfin trouvé la femme qu'il pourrait conduire à l'autel. Cette perspective semblait loufoque aujourd'hui. La façon dont elle l'avait arnaqué aurait presque pu faire sourire. Quelle photo cela aurait fait ! Lui et Annabelle, mari et femme ? De quoi se faire huer !

Soudain, une idée géniale le frappa. Chez lui, l'inspiration arrivait toujours quand il ne la cherchait pas. Il termina son soda et se dirigea vers son bureau pour passer quelques coups de fil. Annabelle lui avait dit qu'elle n'avait jamais été mariée et n'avait pas d'enfants. Et si elle avait menti ? Si en réalité elle avait eu un mari ? C'était là un moyen en or de retrouver sa trace.

# Chapitre 13

Stone refusa le verre que lui proposait Gray. Les deux hommes étaient installés dans le confortable bureau de Gray qui contenait autant de livres que le cottage de Stone. Mais leur classement, ici, était beaucoup plus ordonné.

Stone leva les yeux en direction de la large baie vitrée qui faisait face aux falaises surplombant la mer.

– Fatigué de votre ferme en Virginie ? s'enquit-il.

– Lorsque j'étais jeune, j'ambitionnais d'être marin, de voir le monde du pont d'un bateau, répliqua Gray en berçant son verre de scotch.

Il avait un visage large, étrangement contrebalancé par des yeux étroits. Stone n'ignorait pas que sa tête était bien pleine. Gray n'était pas un type à sous-estimer.

– N'y a-t-il rien de plus éphémère que l'ambition d'un jeune homme ? répondit Stone d'un ton nonchalant.

Derrière les vitres, l'obscurité était totale. Ni lune ni étoiles, la tempête qui menaçait avait masqué le ciel.

– Je n'aurais jamais cru que John Carr serait du genre à s'abaisser à philosopher.

– Ça montre à quel point vous me connaissez mal. Et je ne me fais plus appeler John Carr. Il est mort. Je suis certain qu'on vous en a informé il y a des années.

Imperturbable, Gray poursuivit :

– Cette propriété appartenait à un ancien patron de la CIA qui est devenu vice-Président. Elle possède tout le confort et la sécurité indispensables à mon grand âge.

– J'en suis très heureux pour vous.

– Je suis surpris que vous soyez venu. Surtout après votre petit geste devant la Maison-Blanche.

– Comment va le Président, au fait ?

– Très bien.

– Avez-vous ressenti une nouvelle envie de meurtre quand il vous a épinglé cette médaille ? Ou l'idée de le tuer vous a-t-elle définitivement quitté ?

– Je ne répondrai pas directement à cette question ridicule, je préfère vous dire que les circonstances ont changé. Il ne s'agit jamais d'affaires personnelles. Vous devriez le savoir, vous qui êtes en vie.

– Je ne le serais pas si vous aviez pu en décider. (Avant que Gray ait eu le temps de répondre, Stone ajouta :) J'ai quelques questions à vous poser et j'apprécierais des réponses sincères.

Gray posa son verre.

– D'accord.

Stone se détourna de la fenêtre pour le regarder.

– Aussi simple que ça ?

– Pourquoi perdre le temps qu'il nous reste à jouer à des jeux qui n'ont plus d'importance ? Je devine que vous voulez des renseignements sur Elizabeth.

– Je veux que vous me parliez de Beth, ma fille.

– Je répondrai à vos questions si je le peux.

Stone s'assit face à lui et l'interrogea longuement pendant environ vingt minutes. La dernière question fut posée avec un rien d'agitation.

– A-t-elle jamais cherché à savoir des choses sur moi, sur son père ?

– Comme vous ne l'ignorez pas, le sénateur Simpson et sa femme l'ont élevée après l'avoir adoptée.

– Mais vous m'aviez dit que vous leur aviez amené Beth alors que Simpson était toujours à la CIA. Si elle a dit quelque chose, sûrement...

Gray leva la main.

– Elle l'a fait. En fait, elle est arrivée chez eux après le départ de Simpson de la CIA, quand il a démarré sa carrière politique. Il est possible qu'elle ait mentionné le sujet avant, mais je n'en ai rien su. Les Simpson l'ont mise au courant bien avant de l'adopter. Mais Beth ne semble pas s'être étendue là-dessus. En fait, je ne pense pas qu'elle ait parlé de ça avec beaucoup de gens.

Stone se pencha vers lui.

– Qu'a-t-elle cherché à savoir sur ses véritables parents ?

– En toute justice, je dois vous avouer qu'elle a d'abord évoqué sa mère. C'est normal pour une fille.

– Bien sûr, c'était légitime qu'elle veuille savoir des choses sur sa maman.

– Ils devaient se montrer prudents, étant donné les... euh... circonstances de la mort de sa mère.

– De son meurtre, vous voulez dire. Un meurtre commis par ceux qui cherchaient à me faire la peau.

– Comme je vous l'ai déjà dit, je n'ai pas été mêlé à ça. J'aimais sincèrement votre femme. Et, si vous voulez la vérité, elle serait encore en vie aujourd'hui si vous aviez...

Stone se leva d'un bond et fusilla Gray d'un regard qui le fit frissonner. Gray n'ignorait pas le nombre de techniques que John Carr connaissait pour tuer un être humain. Aucun des hommes qu'il avait employés ne s'était montré meilleur dans ce domaine.

– Je suis désolé, John – pardon, Oliver. J'admets que ce n'était pas votre faute. (Il se tut pendant que Stone se rasseyait lentement.) Ils lui ont parlé un peu de sa mère, en insistant sur les choses positives, je vous assure. Ils ont préféré lui laisser croire qu'elle était morte dans un accident.

– Et moi ?

– On lui a dit que son père était soldat et qu'il avait été tué en accomplissant son devoir. Je crois qu'ils l'ont même accompagnée sur votre tombe à Arlington. Pour votre fille, vous êtes mort en héros. (Gray s'interrompit puis reprit :) Êtes-vous satisfait ?

Le ton de la dernière phrase poussa Stone à vérifier un point.

– Est-ce la vérité, ou bien simplement une vérité à la Carter Gray, en un mot, un tas de conneries pour me calmer ?

– Pour quelle raison vous mentirais-je maintenant ? Ça n'a plus d'importance, n'est-ce pas ? Vous et moi, nous ne comptons plus.

– Pourquoi m'avez-vous demandé de venir ce soir ?

En guise de réponse, Gray passa derrière son bureau et sortit un dossier qu'il ouvrit. Il déposa devant Stone trois photographies en couleur représentant des hommes âgés d'une soixantaine d'années.

– Le premier s'appelle Joel Walker, le deuxième Douglas Bennett et le dernier Dan Ross.

– Ces noms ne me disent rien, ces photos non plus.

Gray tira du dossier trois autres clichés plus anciens, tous en noir et blanc.

– Je pense que ces portraits vont vous sembler beaucoup plus familiers. Les noms aussi : Judd Bingham, Bob Cole et Lou Cincetti.

Stone entendit à peine ces noms. Il ne pouvait détacher son regard de ces hommes avec lesquels il avait vécu, travaillé et frôlé la mort pendant plus de dix ans. Il leva les yeux sur Gray.

– Pourquoi me montrez-vous ça ?

– Parce que ces trois anciens camarades à vous sont décédés en l'espace des deux derniers mois.

– Morts comment ?

– Bingham est tombé dans sa piscine alors qu'il était ivre. Il s'est noyé. Cole s'est pendu. Du moins, ça y ressemble, et la police a officiellement clos l'affaire. Cincetti a été retrouvé dans son lit. Il était atteint de lupus. L'autopsie n'a rien révélé d'anormal.

– Donc, un accident pour Bingham, un suicide pour Cole et une mort naturelle pour Cincetti.

– Vous n'y croyez pas plus que moi… Trois hommes de la même unité qui meurent à deux mois d'intervalle ?

– Nous vivons dans un monde dangereux.

– Nous le savons fort bien tous les deux.

– Vous pensez qu'on les a tués ?

– Bien sûr.

– Et vous m'avez fait venir ici pourquoi ? Pour me prévenir ?

– Ça m'a semblé prudent.

– Mais, comme vous le disiez, John Carr n'est plus de ce monde. Qui pourrait vouloir tuer un mort ?

– Ces trois hommes avaient une excellente couverture. Particulièrement Cincetti, qui était sacrément bien planqué. Si on a pu le retrouver, je gage qu'on découvrira que John Carr n'est pas dans son cercueil à Arlington. Qu'il est en fait bien vivant et se fait appeler Oliver Stone.

– Et vous ? Vous avez été le grand stratège de notre petit groupe. Et vous n'avez bénéficié d'aucune couverture pendant toutes ces années.

– J'ai une protection. Pas vous.

– Ainsi, vous me mettez en garde, ricana Stone en se levant.

– Je suis désolé que les choses se soient terminées comme ça. Vous méritiez mieux.

– Vous étiez prêt à nous sacrifier, mes amis et moi, il n'y a pas si longtemps, pour le bien du pays.

– J'ai toujours agi pour le bien du pays.

– Du moins selon votre propre conception. Ce n'était pas la mienne.

– Admettons que nous soyons en désaccord sur ce point-là.

Stone fit volte-face et s'en alla.

# Chapitre 14

Le courrier de Carter Gray était filtré puis analysé dans un centre annexe du FBI et on le lui distribuait dans la soirée. À son arrivée, comme tous les jours, il fut remis à l'un des agents chargés de la protection de Gray. Ces hommes vivaient dans un cottage à environ cent mètres du bâtiment principal de la propriété.

Gray ouvrit les lettres et les paquets, sans s'intéresser particulièrement à aucun d'eux, du moins jusqu'à ce qu'il repère l'enveloppe rouge, postée à Washington. À l'intérieur, il n'y avait rien, à l'exception d'une photographie. Gray l'examina puis jeta un regard en direction du dossier posé sur son bureau. Son heure était venue, visiblement.

Il éteignit les lumières de la pièce et gagna sa chambre. Il embrassa les photos de sa femme et de sa fille trônant à la place d'honneur sur le manteau de la cheminée. Par un grotesque coup du sort, les deux femmes avaient péri au Pentagone le 11 septembre. Il s'agenouilla, récita ses prières habituelles et appuya sur l'interrupteur de la lampe.

Dehors, à environ cinq cents mètres de la maison, Harry Finn abaissa ses jumelles infrarouges longue portée. Il avait vu Gray ouvrir l'enveloppe rouge et avait clairement discerné l'expression de ce dernier lorsqu'il avait étudié la photo. Gray avait compris. Grimper la falaise escarpée avait constitué un véritable défi pour Finn. Mais cela lui avait permis d'arriver près de son objectif. Il ne lui restait que quelques pas à franchir.

Finn attendit encore une heure pour être sûr que Gray s'était endormi puis il se glissa jusqu'au régulateur de gaz naturel. Dix minutes plus tard, le butane s'infiltra dans la maison, soufflant les veilleuses et submergeant les systèmes de sécurité intégrés. En quelques secondes, toutes les pièces se remplirent de gaz mortel. Si Gray avait été encore debout, sans doute aurait-il pu repérer l'odeur, car la société de distribution veillait, par précaution, à « parfumer » son butane habituellement inodore. Il n'aurait rien pu faire de plus.

Finn glissa une cartouche dans sa carabine qui, à l'exception du canon de couleur verte, avait un aspect ordinaire. Il visa et tira dans la baie vitrée située à l'arrière de la maison. Le tir n'était pas compliqué. Il fit exploser la vitre et le mélange chimique de la balle incendiaire s'enflamma sous l'impact, projetant le toit à trente mètres au-dessus du sol et éparpillant les murs de tous côtés sur quarante mètres de distance. Ce qui restait de la toiture retomba au milieu de l'incendie qui venait de se déclarer. En quelques secondes, il ne resta plus rien de la maison. On avait du mal à croire qu'il y ait eu quoi que ce soit à cet emplacement.

Finn était sur le point de s'enfuir lorsqu'il entendit un cri. Il fit volte-face. L'un des gardes qui venait de sortir du cottage avait été atteint par un débris enflammé. Instinctivement, Finn courut vers l'homme qui se débattait au milieu des flammes, le plaqua au sol et le fit rouler par terre pour l'éteindre. Puis il bondit sur ses pieds et fila en direction de son équipement qu'il avait déposé près du régulateur de gaz. Il avait déjà remis la pression à la normale. Il reverrouilla la porte d'accès, attrapa son sac et son arme, courut vers les falaises et balança sa carabine et son matériel en bas. La marée les emporterait sous peu au large. Après avoir reculé de quelques pas, il s'élança dans le vide. Il atteignit la mer dans un plongeon impeccable, puis refit surface. Dans un crawl puissant, il rejoignit le rivage à cinq cents mètres de là.

Une petite moto l'attendait dans un sous-bois, recouverte d'un tas de feuilles. Empruntant une myriade de sentiers, il gagna la route principale et s'engagea sur un chemin latéral où il avait garé sa camionnette. Il déposa sa bécane dans le coffre du véhicule, sauta sur le siège du conducteur et démarra en hâte. Quelques instants plus tard, après avoir abandonné ses deux engins dans un garage privé qu'il louait à cinq kilomètres de chez lui, il reprit le chemin de son domicile au volant de sa Prius. Dans le garage, il se changea avant de pénétrer dans la maison, fourra ses affaires sales dans le tambour de la machine à laver et la mit en route.

À l'étage, il alla jeter un coup d'œil sur ses enfants. Mandy dormait, un livre ouvert posé sur la poitrine. Il referma l'ouvrage, le déposa sur la table de nuit et éteignit la lampe de chevet avant de se glisser dans le lit. Carter Gray était rayé de la liste. Il fallait s'occuper du suivant.

Son regard s'attarda sur ses mains. Malgré les gants qu'il avait pris soin d'enfiler, elles étaient légèrement roussies, sans doute à cause de l'épisode avec le garde. Pourquoi n'avait-il pas mis de la glace dessus et un peu de baume apaisant avant de monter se coucher ?

– Ne refais plus ça, Harry, murmura-t-il.

Mandy grogna et remua dans son sommeil. Il posa une main sur sa tête et lui caressa les cheveux. Le contraste entre ses doigts rougis et les magnifiques mèches blondes de sa femme lui donna soudain envie de s'enfuir le plus vite possible, comme pour échapper à la réalité. Sa jolie femme et ses trois merveilleux enfants. Une belle maison, un métier qu'il aimait et qu'il exerçait avec talent. Sa vie était remplie de tout ce qu'il avait toujours voulu posséder. Et d'une autre chose qu'il avait toujours refusé d'affronter. Cela semblait injuste. Cependant, comment pourrait-il jamais arrêter ? Du plus loin qu'il s'en souvenait, on lui avait enfoncé cette idée dans le crâne. Elle était devenue partie intégrante de lui-même, plus que tout le reste, même plus que son rôle de mari et de père. C'est la seule chose qui l'effrayait vraiment dans la besogne dont on l'avait chargé.

Finn dissimula ses mains sous les couvertures et essaya de trouver le sommeil.

# Chapitre 15

– Bagger a coincé Tony ! lança Annabelle.

Elle n'avait pas fermé l'œil de la nuit et avait appelé, à l'aube, son associé Leo Richter.

À l'autre bout de la ligne, Leo se redressa et sentit son dernier repas remonter dans sa gorge.

– Bon Dieu, tu parles de quoi ?

– Tony a merdé. Il a dilapidé le fric et Bagger l'a retrouvé. Bagger a tué trois personnes et a laissé Tony pour mort après lui avoir réduit le crâne en bouillie.

– Alors tu peux être sûre que la petite fouine nous a donnés. Pourquoi personne ne peut zigouiller Bagger ? C'est si dur que ça ?

– Et si Tony connaissait mon nom de famille ? Tu l'as dit à Freddy, peut-être que Freddy l'a répété à Tony. À moins que le gamin ait entendu.

– Je ne sais pas quoi te répondre, Annabelle. De toute façon, il n'y a pas beaucoup de gens qui s'appellent Annabelle et Leo parmi les arnaqueurs de haut niveau.

– Si tu sais où est Freddy, essaie de le prévenir.

– Je ferai de mon mieux. Tu veux que je te rejoigne ? Et que j'essaie de nous sortir de ce merdier ?

– Pour permettre à Jerry de mettre le grappin sur deux personnes au lieu d'une ? Reste où tu es, Leo, et fais-toi le plus discret possible.

Elle mit fin à la communication et s'assit sur son lit. Le moment était peut-être venu de dépenser le fric pour s'enfuir. Jet privé, île déserte, une flopée de gardes du corps. L'idée était tentante, cependant, son instinct lui disait que décamper équivaudrait à agiter un chiffon rouge sous le nez d'un taureau. Elle réfléchissait toujours à la question quand le téléphone sonna. Oliver Stone était au bout du fil.

– J'espère que je ne vous ai pas réveillée, dit-il.

– Je suis du genre matinal, mentit-elle.

– J'ai des nouvelles. On peut se retrouver chez moi, un peu plus tard dans la journée.

– Pourquoi vous ne venez pas, Oliver ? On prendra le petit déjeuner ensemble. Il y a un bar juste au coin de ma rue.

Elle lui donna l'adresse. Une demi-heure plus tard, ils s'installaient devant une table d'angle, dos aux autres clients. Après avoir passé la commande, Stone raconta à Annabelle ce qu'il avait découvert.

– Je ne vois pas en quoi c'est utile, grogna-t-elle en versant du sucre dans son café.

– La meilleure défense, c'est l'attaque. Le gouvernement rêve d'épingler Bagger. Si on peut lui faciliter le travail, je doute qu'il ait le temps de s'occuper de vous. En un mot, si on arrive à lancer contre Bagger une enquête gouvernementale, ça peut suffire à assurer votre sécurité.

Annabelle parut hésiter.

– Vous ne connaissez pas Jerry. Il a quarante millions de raisons de passer le reste de sa vie à essayer de me tuer.

Stone opina d'un air entendu.

– Je connais Jerry, du moins les types comme lui. Ce n'est pas qu'une question d'argent. Il tient à sauver la face, à inspirer le respect. Sinon, il n'est pas Jerry Bagger.

– Vous l'avez très bien analysé.

– J'ai fréquenté beaucoup d'hommes comme Jerry Bagger, j'ai même bossé pour certains.

– Alors, vous proposez quoi pour le coincer ? s'enquit-elle prudemment.

– Il faut trouver son talon d'Achille. Ce n'est pas le plus facile. Il a tué trois hommes au Portugal et plongé un autre dans le coma. Si on peut lui coller ça sur le dos, on s'en débarrassera pour toujours.

– Je sais qu'il a commis ces crimes, mais je n'ai aucune preuve. Et si je vais voir les flics, il faudra que j'explique tout. Je ne pense pas qu'ils me décerneront une médaille.

– Vous pourriez aussi rendre une partie de l'argent à Bagger… Peut-être que ça suffira…

– J'ai gagné ce fric jusqu'au dernier centime. Et comme vous l'avez dit, ce n'est pas qu'une question de blé. Il cherchera quand même à me tuer.

– Et si on arrivait à établir un lien entre Bagger et ces crimes sans que vous soyez obligée de témoigner ?

– Ça résoudrait tous mes problèmes, c'est sûr. Mais je ne vois pas comment faire.

– C'est à nous de trouver.

Stone allait ajouter quelque chose quand son portable sonna. C'était Alex Ford, la voix tendue.

– Oliver, as-tu vu Carter Gray la nuit dernière ?

– Oui.

– À quelle heure es-tu arrivé chez lui et quand en es-tu reparti ?

Stone lui donna l'information.

– Je suis sûr que le chauffeur peut le confirmer. Pourquoi ces questions ?

– Quelqu'un a fait exploser la maison de Carter Gray la nuit dernière. Il était dedans. Je sais que c'est gênant, mais je crois que le FBI aimerait discuter avec toi de ton rendez-vous avec Gray.

Stone raccrocha.

*Le FBI aimerait me parler. À propos de Gray.*

– Des problèmes ? s'enquit Annabelle, soudain en alerte.

– Oui, un peu, répondit Stone pendant que son cerveau fonctionnait à toute allure. Peut-être plus qu'un peu, en fait…

Elle heurta sa tasse de café contre la sienne.

– Bienvenue au club !

# Chapitre 16

Oliver Stone fixait le mur qui lui faisait face tandis que les deux types d'une trentaine d'années, en bras de chemise, avec leurs armes et leurs badges accrochés à leurs ceinturons noirs s'agitaient comme des vautours autour d'une carcasse. Bien que Stone fût accompagné d'Alex Ford, des services secrets, son apparition volontaire au Field Office du FBI de Washington n'avait pas suffi à le faire bien voir. Alex avait expliqué aux agents en charge de l'enquête sur l'assassinat de Carter Gray comment Stone avait réussi récemment à démanteler un réseau d'espionnage. Les policiers avaient évacué l'information d'un revers de main.

– Je m'occupe d'un meurtre, dit l'un d'eux, j'ai mon patron sur le dos et une énorme pression d'en haut pour arriver à des résultats.

Il se laissa tomber en face de Stone devant la petite table.

– Maintenant, reprenons cette histoire de nom. Comment vous vous appelez ?

– Oliver Stone. Ça fait quatre fois que vous me le demandez et quatre fois que je vous réponds.

– Montrez-moi une pièce d'identité.

– Comme je vous l'ai déjà dit à quatre reprises, je n'en ai pas.

– Comment c'est possible, au XXI<sup>e</sup> siècle, de n'avoir aucun papier ? demanda l'autre agent d'un ton incrédule.

— Je sais qui je suis, répondit Stone. Et je me fiche complètement que les autres l'ignorent.

— Et vous êtes venu jusqu'ici pour nous dire quoi ? Que vous êtes juste un réalisateur célèbre qui s'habille comme un clochard ?

— Je suis venu ici pour vous informer que je suis allé chez Carter Gray la nuit dernière, à sa demande. Je suis arrivé vers 21 heures et j'en suis reparti quarante-cinq minutes plus tard. Il m'a envoyé son chauffeur. L'homme peut certainement confirmer que lorsque je suis parti la maison était encore debout et que son occupant était toujours en vie.

Les deux flics échangèrent un regard.

— De quoi vous avez discuté, tous les deux ? demanda l'un d'eux à Stone.

— C'était une conversation privée. Je suis certain que ça n'a aucun rapport avec ce qui est arrivé à M. Gray.

Stone avait, bien sûr, toutes les raisons de croire que ce que Gray lui avait raconté de la mort de ses trois ex-collègues avait un lien étroit avec sa disparition.

— Je ne vous sens pas très coopératif, rétorqua l'agent.

— Et moi, je sens venir une inculpation pour obstruction à l'enquête, ajouta son collègue. Ça vous dirait d'aller attendre au mitard, monsieur Stone, pendant qu'on vérifie votre véritable identité ?

Stone répondit calmement :

— Si vous pensez avoir assez d'éléments pour m'inculper, alors faites-le. Dans le cas contraire, je suis en retard pour un autre rendez-vous.

— Vous êtes un homme occupé, monsieur Stone ? ricana l'un des flics.

— J'essaie d'être productif. Mais je vous propose un marché.

— On ne fait jamais de marchés.

— Je vais vous accompagner sur la scène de crime. Si quelque chose me paraît bizarre, je vous le signalerai.

— Bizarre ? Qu'est-ce que ça veut dire, bon sang ? s'énerva le premier agent.

— Exactement ce que je viens de dire.

— Il n'est absolument pas question qu'on vous trimballe sur la scène de crime.

— Si vous avez tué cet homme, vous allez essayer de faire disparaître des indices, renchérit l'autre.

Stone poussa un long soupir.

— Appelez le directeur du FBI, s'il vous plaît.

— Pardon ? aboya un flic, l'œil arrondi par l'incrédulité.

— Appelez le patron du FBI. Il m'a envoyé récemment un courrier de félicitations. Par une formidable coïncidence, j'en ai une copie avec moi. J'ai contacté son bureau avant de venir ici pour lui expliquer que si j'avais le moindre ennui je lui passerais un coup de fil.

Stone tendit la lettre aux agents. Les deux hommes la lurent dans son intégralité, l'un d'eux par-dessus l'épaule de son collègue. Quand ils eurent fini, ils jetèrent un coup d'œil à Alex, qui haussa imperceptiblement les épaules.

— Alors, vous lui téléphonez ou vous préférez ne pas le déranger et m'emmener sur la scène de crime ? Je n'ai pas toute la journée.

— Aucune raison d'embêter le directeur avec ça, concéda l'un des flics.

Stone se leva.

— Ravi de l'entendre.

## Chapitre 17

Stone déambulait près des ruines de la maison de Carter Gray en compagnie d'un des agents du FBI et d'Alex Ford.

– Une explosion de gaz ? demanda Alex au policier.

– On dirait bien, même si je ne vois pas comment c'est possible. La maison n'était pas si vieille. Et elle était dotée de tous les systèmes de sécurité dernier cri.

Stone contemplait ce qui restait de la demeure dans laquelle il se trouvait assis la veille au soir.

– Où a t-on trouvé le corps ?

– Désolé, je ne peux pas vous le dire. On a découvert des restes humains dans la chambre à coucher.

– L'identification s'est révélée positive ?

– Suffisamment pour dire qu'un homicide a été commis sur le propriétaire de cette maison.

– Le chauffeur a-t-il confirmé la version d'Oliver ?

L'agent secoua la tête.

– L'homme a disparu. Il bossait avec la CIA. Ça signifie que nous n'avons que votre parole pour affirmer qu'il vous a ramené chez vous, déclara-t-il sans quitter Stone du regard.

– Si j'avais eu l'intention de faire sauter ce bonhomme, je n'aurais dit à personne que j'avais rendez-vous avec lui, surtout pas à un agent des services secrets des États-Unis. Et je ne l'aurais pas tué le soir où je lui rendais visite.

– C'est parce que la maison a explosé après votre rendez-vous que vous êtes considéré comme suspect, le contredit le flic.

– C'est aussi la raison pour laquelle je suis ici, rétorqua Stone. Plus tôt vous trouverez le véritable assassin, plus vite je serai rayé de votre liste.

– Personne d'autre dans le coin ? demanda Alex.

Le policier hocha la tête, le regard toujours braqué sur Stone.

– Un garde. En sortant du cottage, il a reçu des débris et a pris feu. Il se souvient que quelqu'un l'a projeté au sol pour éteindre les flammes. Puis il s'est évanoui. La dernière chose qu'il se rappelle, c'est quand on l'a mis dans l'ambulance. Il est au service des grands brûlés à l'hôpital d'Annapolis. Il s'en sortira.

– Donc, il y avait quelqu'un d'autre ici, la nuit dernière ! s'écria Alex.

Devant le regard insistant de l'agent, Stone leva les mains.

– Si vous voulez, vous n'avez qu'à vérifier si j'ai des brûlures, dit-il.

– Ce n'était pas le chauffeur ? s'empressa de demander Alex en gratifiant Stone d'un regard qui semblait dire « Stop, ça suffit ».

– Le garde souffrait tellement qu'il a simplement vu la silhouette d'un homme, admit le flic. Mais pourquoi le chauffeur, si c'était lui, se serait enfui ?

– S'il avait quelque chose à voir avec l'explosion, c'est normal, fit remarquer Stone. Et sa disparition, elle vous inspire quoi ? Ce n'est pas à moi de vous dire comment mener votre enquête, mais ça mérite réflexion.

– Nous y avons pensé, répliqua l'agent d'un ton bourru.

– Quelque chose d'intéressant dans la maison ? demanda Stone.

– Si c'était le cas, vous ne faites pas partie des gens à qui nous en parlerions.

En souriant, Stone s'écarta de quelques pas et aperçut l'objet. Il prit la parole calmement.

– Puisque je suis persona non grata, ça ne vous gêne pas si je fais un tour au bord de la falaise ? Faites gaffe à me garder en ligne de mire au cas où je m'enfuirais…

Pendant qu'il s'éloignait, l'agent se tourna vers Alex.

– Bon, de fédéral à fédéral, qui est cet homme ?

– Un homme à qui je confierais ma vie. Un homme à qui j'ai déjà confié ma vie.

– Ça vous ennuie d'expliquer ?

– Non, c'est un truc qui concerne la sécurité nationale, et de toute façon vous ne me croiriez pas.

L'agent détailla la mise fripée de Stone.

– Sécurité nationale ! Ce type a l'air d'un SDF.

– En fait, il travaille dans un cimetière, précisa Alex avec obligeance.

En dodelinant de la tête, le policier rejoignit Stone, planté au bord de la falaise. Son attention avait été attirée par le régulateur de gaz. En le voyant s'en approcher, l'agent cria :

– Nous l'avons déjà examiné. Ça allait de soi.

– Et alors ?

– Il fonctionnait à la perfection et l'entrée n'a pas été forcée.

– Si le type connaissait son affaire, il n'y a pas trace d'effraction. Mais est-ce qu'on peut modifier la pression du gaz d'ici ?

– Sûrement. Mais on a vérifié, rien n'a été changé.

Stone se rappela la longue baie vitrée de la maison, celle qui donnait sur les falaises. Un souvenir le titillait. Il se tourna de nouveau vers le policier du FBI.

– Mais si on peut augmenter la pression, on peut aussi la remettre à la normale.

– D'accord, rien d'autre ne vous paraît étrange ?

– Imaginons qu'on élève considérablement le niveau du gaz qui pénètre dans la maison, du coup, ça fait sauter l'électro-vanne de sécurité. En quelques secondes, l'endroit se charge de vapeurs toxiques.

– Mais il faut quelque chose pour l'enflammer.

– Il suffirait d'allumer la lumière, ça ferait une étincelle suffisante.

– Exact. On attend des chiens renifleurs de bombe. À moins qu'ils découvrent de la dynamite ou du C4, faudra peut-être regarder cette histoire de gaz d'un peu plus près.

Stone se remémora soudain ce qui le tourmentait. Il quitta l'agent et rejoignit Alex.

– Tu as pensé à quelque chose ? lui demanda ce dernier.

– Tu remplis la maison de gaz en modifiant la pression. Il suffit d'une lumière pour l'enflammer, mais, si Gray s'est endormi, tu ne peux pas compter dessus. Et tu n'as pas envie qu'il renifle l'odeur et prenne la tangente. Alors c'est un homme caché à deux cents mètres à l'arrière de la maison, près des falaises, qui fait le boulot. Il tire une balle incendiaire sur la fenêtre. La balle traverse la vitre, prend feu sous l'impact et déclenche l'explosion. S'ils trouvent là-dedans un bout de métal coloré, ça sera peut-être l'ogive. Les balles incendiaires sont généralement peintes pour éviter qu'on les confonde.

Alex opina d'un air pensif.

– Mais comment est-il reparti ? Par le devant de la maison, c'était impossible. À moins que le garde qui était en feu se soit évanoui et n'ait pas vu le type.

Stone et Alex retournèrent auprès de l'agent.

– Aucun indice de quelqu'un qui se serait enfui par les bois dans cette direction ? lui demanda Stone.

– Non, on a tout passé au peigne fin. Aucune trace. En plus, il n'y a pas réellement d'accès pour rejoindre la route principale.

– Alors le type aurait pu partir directement par la route principale…

– J'crois pas. J'ai oublié de préciser que le garde affirme que le mec qui est venu à son secours a fait demi-tour par là, pas en direction de la route.

Stone s'approcha de la falaise, suivi du policier, qui ne le quittait pas d'une semelle.

– Alors il s'est enfui par là ! Il est probablement arrivé par le même chemin.

L'agent regarda en contrebas.

– C'est très abrupt. Ça fait au moins quatre-vingt-dix mètres.

– Si on sait où regarder, il y a plein de prises.

– Soit, admettons qu'il grimpe, comment redescend-il ?

– Comme je ne vois pas où on peut attacher une corde, j'imagine qu'il a sauté.

Le flic considéra, stupéfait, la mer qui tourbillonnait sous leurs pieds.

– C'est impossible.

– Pas vraiment.

*J'ai fait la même chose, il y a trente ans. Mais j'ai plongé d'une hauteur de cent cinquante mètres alors qu'on me tirait dessus.*

Stone regagna Washington en voiture avec Alex.

– On n'a pas perdu notre temps, fit observer Alex d'un air connaisseur.

– Savoir comment le crime a été commis et découvrir le coupable sont deux choses très différentes. Carter Gray avait beaucoup d'ennemis.

– Soit, mais tu as une idée ? Il devait bien avoir un motif pour vouloir te rencontrer.

Stone hésita. Il n'aimait pas cacher des informations à Alex, mais il arrivait qu'en se montrant trop franc, même pour de bonnes raisons, on prenne une mauvaise décision.

– Je ne pense pas que ce soit lié.

Il aurait pu parier qu'Alex ne le croyait pas, mais il préféra ne rien ajouter.

Stone tourna son regard vers la vitre. Trois hommes avec lesquels il avait travaillé trente ans plus tôt étaient morts brusquement. Carter Gray l'avait invité chez lui pour l'avertir de cette série d'évènements étranges. Le même soir, il avait été assassiné. Le responsable de ce crime avait retrouvé la trace de trois hommes dotés d'une sacrée couverture, trois anciens tueurs de talent, et les avait éliminés. Puis il était parvenu à buter Carter Gray, un type qui ne connaissait aucun rival dans l'art de déjouer les intentions de ses adversaires.

Un type assez malin pour réussir ce genre d'exploit pouvait fort bien découvrir qui était réellement Oliver Stone. Et venir le tuer lui aussi.

*Peut-être le mériterais-je, au fond*, pensa Oliver.

Car le seul élément qu'il avait en commun avec ces morts était son passé de tueur professionnel.

# Chapitre 18

Annabelle se tenait devant le portail du cimetière où Stone travaillait comme gardien. Après sa communication téléphonique avec Leo et sa discussion avec Stone, elle avait pris sa décision. Ce n'était pas le combat d'Oliver Stone. Ami ou pas, elle n'avait pas le droit de le mêler à cette affaire. S'il était tué par Bagger, jamais elle ne supporterait de vivre avec cette culpabilité.

Les grilles étaient fermées, mais une pince de traction et un crochet en vinrent à bout. Arrivée sous le porche d'entrée du cottage, Annabelle glissa la lettre sous la porte, une lettre qu'en dépit de sa brièveté elle avait mis près d'une heure à écrire. Une minute plus tard, elle regagnait sa voiture, et trois heures après elle volait en plein ciel à bord d'un avion de l'United Airlines. Tandis que l'appareil survolait le Potomac, Annabelle se tourna vers le hublot. Georgetown se trouvait juste en dessous. Si elle le voulait, elle pouvait apercevoir le petit cimetière bien entretenu, *son* cimetière. Peut-être était-il là quelque part, sur cette terre sanctifiée, travaillant sur les tombes, s'occupant des défunts qui y étaient enterrés, expiant les péchés du passé.

– Au revoir, Oliver Stone, murmura-t-elle.
*Au revoir, John Carr.*

– J'adore cette connerie d'Internet, hurla Bagger en fixant les papiers qu'un informaticien lui tendait.

– C'est très étonnant, monsieur Bagger…, commença le jeune homme à lunettes sur un ton arrogant. Et franchement…

– Barrez-vous ! rugit Bagger.

Terrifié, le type ne se le fit pas dire deux fois.

Bagger s'installa à son bureau et examina de nouveau les documents. Il avait engagé une équipe d'enquêteurs Internet. Il ne connaissait pas leurs sources et il s'en fichait. Seule comptait leur info : Annabelle Conroy avait convolé en justes noces quinze ans auparavant avec un individu nommé Jonathan DeHaven. Ils s'étaient unis à Las Vegas, ce qui était plutôt drôle si on y pensait. Malheureusement, il n'y avait pas de photographies de l'heureux couple dans le dossier, seulement leurs patronymes. Mais il devait s'agir forcément de la même Annabelle Conroy… Combien de personnes portant ce nom-là s'étaient mariées à Sin City, la ville du péché ? Mais Bagger devait s'en assurer.

Il décrocha son téléphone et appela une agence de détectives privés à laquelle il avait déjà fait appel dans le passé. Ces types-là frôlaient les lignes blanches et savaient les franchir. Il les appréciait pour cette raison ; en outre, ils obtenaient des résultats. S'il avait pu, il leur aurait confié le dossier Annabelle bien plus tôt, mais il préférait leur fournir quelques éléments pour commencer les recherches. Désormais, il avait ce qu'il fallait. Quand les gens se mariaient, ils signaient un tas de documents. Et il fallait bien qu'ils vivent quelque part, souscrivent une assurance, signent peut-être un testament ou un crédit auto à leurs deux noms.

Il émit un gloussement.

– Salut, Joe, c'est Jerry Bagger, j'ai un boulot pour vous ! lança-t-il dans le combiné. Un boulot très, très important. Je dois retrouver une vieille amie et j'ai besoin que ça aille vite, parce que j'ai très envie de la serrer dans mes bras.

# Chapitre 19

Stone trouva la lettre d'Annabelle en rentrant chez lui. Même s'il savait instinctivement ce qu'elle contenait avant de l'ouvrir, il prit néanmoins son temps pour la lire. Quand il eut terminé, il s'assit et poussa un profond soupir. Puis la colère le gagna. Il convoqua Reuben, Milton et Caleb à une réunion du Camel Club le soir même au cottage. Face aux tergiversations de Caleb qui gémissait qu'il était coincé par un travail urgent à finir, Stone insista.

– C'est important, Caleb. Ça concerne notre amie.

– Quelle amie ? demanda l'autre, soupçonneux.

– Susan.

– Elle a des ennuis ?

– Oui.

– Alors, je serai là, répondit Caleb sans hésiter.

Stone passa les heures suivantes dans le cimetière, à stabiliser de vieilles tombes que les orages semblaient sans cesse arracher du sol, quoi qu'il fasse pour les redresser et les consolider. Il ne cherchait pas simplement à tuer le temps, il voulait retrouver quelque chose enfoui depuis longtemps, à la fois dans le sol et dans son esprit.

La vieille sépulture était couronnée d'une statue représentant un aigle. Faisant mine de redresser la pierre tombale pour le cas où on le surveillerait, Stone la laissa retomber comme par inadvertance. Un petit trou creusé dans la terre apparut juste en dessous. Dedans se trouvait un écrin métallique étanche de forme rectangulaire. Stone le souleva et le déposa dans le sac-poubelle dans lequel il entassait les mauvaises herbes. Laissant la stèle affalée sur le flanc, il s'essuya les mains et regagna le cottage avec son butin.

Arrivé à son bureau, il ouvrit la boîte avec la clé qu'il conservait derrière le compteur électrique de sa minuscule salle de bains et en étala le contenu devant lui. Il s'agissait de sa police d'assurance, des papiers qui pourraient lui être utiles si on lui cherchait des noises.

Stone avait eu assez de jugeote pour comprendre que ce que son pays lui demandait pouvait fort bien être perçu comme des crimes. On l'avait averti à de nombreuses reprises : s'ils étaient pris, lui ou l'un des membres de son groupe, au cours d'une mission, ils ne pourraient pas compter sur l'oncle Sam pour les tirer d'affaire. Ils étaient seuls. Mais pour ces jeunes gens talentueux, pétris d'une confiance en eux frôlant l'inconscience, l'aventure s'apparentait à un défi impossible à refuser.

Avec Lou Cincetti et Bob Cole, ils aimaient à faire preuve d'humour noir, se disant qu'à l'instant où leur capture serait imminente ils s'abattraient les uns les autres, histoire de quitter ce monde dignement, en équipe. Cependant, les années passant et les assassinats se succédant, Stone avait commencé à regrouper des informations et de la documentation sur leurs « missions ». Il ne pourrait peut-être pas compter sur l'Oncle Sam, mais il lui restait la possibilité de forcer son agence à endosser ses responsabilités.

Au final, ses efforts n'avaient servi à rien. Sa femme était morte, il avait perdu sa fille, et ceux qui avaient ordonné son élimination, pour la simple raison qu'il ne voulait plus tuer, n'avaient jamais payé.

Stone se plongea dans la contemplation d'une vieille photographie. Elle avait été prise au Vietnam lorsqu'il était encore soldat, un soldat d'élite. Il avait reçu l'ordre d'éliminer un politicien nord-vietnamien, un homme auquel s'était rallié l'ennemi. Généralement, tous les tirs longue distance étaient exécutés par une équipe. Il fallait des guetteurs et des observateurs chargés de prendre en compte tous les paramètres météo, vent, conditions climatiques...

Pourtant, Stone avait été envoyé seul et la mission qu'on lui avait confiée lui avait semblé impossible, même à lui. Il serait héliporté dans la jungle au milieu des Viêt-cong et devrait, à pied, parcourir sept kilomètres sur un terrain hostile avant d'abattre sa cible au cours d'un rassemblement auquel assisteraient des dizaines de milliers de gens, dont une importante force de sécurité militaire. Il devrait ensuite revenir sur ses pas et couvrir la même distance en sens inverse jusqu'à un endroit précis, difficile à trouver en plein jour et encore plus de nuit. L'hélicoptère s'y poserait quatre heures exactement après l'avoir déposé. Il ne ferait qu'un passage. Si Stone n'était pas rentré à temps, il serait une cible idéale pour les Viêt-cong.

On l'avait prétendument choisi pour ce qui semblait une mission suicide, parce qu'il était le meilleur : un sniper de génie, imbattable sur le terrain. Tout le monde partageait cet avis. À l'époque, Stone avait tout du robot. Il pouvait courir une journée et une nuit entières. Un jour, un hélicoptère l'avait lâché au beau milieu de la mer de Chine du Sud où il avait été obligé de nager sur plusieurs milles marins dans les flots déchaînés afin de tuer un ennemi potentiel des États-Unis. À cinq cents mètres de distance, Stone avait logé une balle dans le crâne de l'homme qui lisait son journal en fumant une cigarette devant sa table de cuisine, avant d'être recueilli par un sous-marin.

Cependant, Stone avait vu dans cette mission au Vietnam le signe que ses supérieurs prenaient note de son opposition grandissante à la guerre. Certains d'entre eux espéraient sans doute ardemment qu'il échoue. Et se fasse tuer. Il ne leur avait pas accordé ce plaisir. Il avait abattu le politicien à une distance qu'on pouvait qualifier de record, même pour un sniper d'élite équipé d'un appareil à longue portée qui paraîtrait démodé aujourd'hui.

Puis il avait réussi à rejoindre la clairière au moment où l'hélicoptère quittait le sol. Les pilotes l'avaient repéré mais n'avaient pas l'intention de revenir le chercher. Il avait alors tiré une balle de gros calibre à travers la porte ouverte de l'appareil pour leur montrer l'inanité de leur attitude.

L'hélicoptère avait atterri le temps qu'il saute sur les patins. Des tirs venus de la jungle avaient accompagné leur décollage. À la suite de cette mission, la CIA lui avait proposé d'intégrer l'« équipe d'honneur » des assassins du gouvernement, connue sous le nom de division Triple Six, dont la plupart des membres de l'agence ne connaissaient même pas l'existence.

Le regard de Stone s'arrêta sur une feuille de papier à laquelle était accrochée une photographie. Il y avait là Bob Cole, Lou Cincetti, Roger Simpson, Judd Bingham, Carter Gray et lui-même. À sa connaissance, il s'agissait de la seule photo existante du groupe des six. En contemplant ses traits juvéniles, son visage confiant de meurtrier encore ignorant de l'épreuve personnelle et des deuils qui l'attendaient, Stone sentit sa poitrine se serrer.

Il loucha sur Roger Simpson. À l'époque, ce dernier était déjà un homme élégant. Simpson n'avait jamais été agent sur le terrain. Aux côtés de Gray, il orchestrait les activités de Stone et des autres, planqué dans les coulisses. Il s'était lancé dans l'arène politique où il promenait toujours sa belle silhouette élancée. Mais son ambition dévorante, qui s'apparentait à une qualité lorsqu'il était plus jeune, l'avait transformé en un intrigant vicieux, un revanchard qui n'oubliait jamais le moindre affront. Non content d'être devenu sénateur, il lorgnait le poste de chef de la Maison-Blanche et ne ménageait ni sa peine ni son temps pour l'obtenir. Lorsque le mandat de l'actuel Président toucherait à sa fin, Simpson serait l'un des favoris.

Sa femme, une ancienne Miss Alabama, lui apportait la touche glamour que sa raideur ne pouvait lui offrir. On racontait dans les cercles autorisés que Mme Simpson n'aimait pas la compagnie de son mari. Cependant, elle avait suffisamment envie de devenir First Lady pour coopérer.

Stone avait toujours considéré Simpson comme un faible, un con machiavélique. Qu'un tel homme puisse, en quelques années, s'emparer du poste le plus honorifique du pays n'avait fait que renforcer la mauvaise opinion qu'il avait des hommes politiques américains.

Il remit les objets dans la boîte, la déposa à nouveau au fond du trou et repositionna la tombe. Peut-être serait-il bientôt un homme mort, mais en attendant il allait veiller à ce qu'Annabelle Conroy demeure parmi les vivants. Qu'elle le veuille ou non. Il avait perdu sa fille. Il n'était pas question qu'il perde aussi Annabelle.

## Chapitre 20

Ce soir-là, le Camel Club se réunit dans le cottage de Stone. Comme à son habitude, Milton s'installa devant son ordinateur portable tandis que Caleb prenait place, l'air anxieux, dans un fauteuil rachitique. Reuben préféra s'adosser contre le mur.

Stone leur annonça le départ de Susan et le problème qui la rongeait.

– Zut ! lança Reuben, je n'ai même pas bu un verre avec elle.

– Jerry Bagger a probablement tué ces gens au Portugal et laissé son associé pour mort, expliqua Stone. Elle a besoin de notre aide, mais elle pense que ça nous mettrait en danger.

Caleb bomba le torse.

– Elle ignore visiblement que notre petit groupe adore le danger.

Stone s'éclaircit la voix.

– J'ai pensé qu'on devrait enquêter sur ce Jerry Bagger pour voir si on peut le coller en prison.

– Ton plan n'est pas mauvais en théorie, mais en pratique comment on fait ? rétorqua Reuben.

– Je me suis dit que ça pourrait valoir le coup d'aller jusqu'à Atlantic City et de mener notre enquête.

– Voilà une photo de lui ! s'écria Milton. Le casino Pompeii possède son propre site Internet.

Caleb jeta un coup d'œil sur Bagger, qui lui souriait sur l'écran d'ordinateur, et gémit, terrorisé.

– Grand Dieu ! Vous avez vu cette tête, ces yeux. C'est visiblement un gangster, Oliver. On n'enquête pas sur les gangsters !

Reuben scruta le visage de Stone.

– C'est peut-être un peu risqué de se pointer sur son territoire.

– C'est seulement pour réunir des informations, expliqua Stone. Il n'y aura pas de confrontation. On se contentera d'observer et peut-être de causer avec quelques personnes utiles.

– Mais si ce Bagger s'en aperçoit ? Il risque de s'en prendre à nous ! s'exclama Caleb.

– Qu'est-il arrivé à ton amour du danger, Caleb ? lui rappela Reuben.

– Ce type doit prendre un plaisir sadique à tuer, répliqua Caleb.

– La bonne nouvelle, c'est que tu n'auras pas à y aller, Caleb, coupa Stone. (Il se tourna vers les deux autres.) J'ai pensé que Milton et Reuben pourraient se charger de la reconnaissance.

– Ça me paraît bien, fit simplement Milton.

– Bien ? s'écria Caleb, Milton, cet homme est dangereux ! C'est un patron de casino, pour l'amour de Dieu ! (Il ajouta, dans un souffle :) Il tire son argent de l'addiction des gens. Je parie qu'il gère des réseaux de stupéfiants. Et de prostitution !

Il ponctua sa tirade d'un grand geste.

– Tu dois être prudent, l'avertit Stone. Pas de risques inutiles.

– Compris, répondit Reuben. J'irai chercher Milton en camion demain matin.

– Pendant ce temps, je vais essayer de retrouver Susan. Elle a quitté son hôtel, mais j'ai ma petite idée.

– Et moi, qu'est-ce que je suis censé faire pendant que vous partirez tous les trois en vadrouille ? demanda Caleb.

– Comme d'habitude, Superman ! ricana Reuben. Veiller à ce que la capitale du pays conserve son idéal de vérité, de justice et son *american way of life*.

– Oh, Caleb, j'ai besoin de t'emprunter ta voiture, intervint Stone. Ça m'étonnerait que Susan soit encore en ville, alors je vais devoir partir en voyage.

Caleb lui jeta un regard horrifié.

– Tu veux m'emprunter ma voiture ? Ma voiture ! C'est impossible !

Le véhicule de Caleb était une vieille Nova couleur gris étain affublée d'un pot d'échappement branlant. Elle était plus rouillée que du fer-blanc, plus défoncée qu'un vieux fauteuil, n'avait ni chauffage ni climatisation, mais il la traitait comme une Bentley de collection.

– Contente-toi de lui filer les clés, grogna Reuben.

– Mais comment vais-je rentrer chez moi ce soir ?

– Je te raccompagnerai à moto.

– Je refuse de monter sur cet engin de mort.

Reuben le gratifia d'un regard si féroce que Caleb sortit son trousseau en hâte et le tendit à Stone.

– Finalement, il n'y a pas de mal à tenter de nouvelles expériences, dit-il, avant d'ajouter brusquement : Oliver, as-tu seulement le permis de conduire ?

– Oui, mais malheureusement il est périmé depuis plus de vingt ans.

Le visage de Caleb changea de couleur.

– Ça veut dire que tu n'as pas le droit de prendre le volant…

– C'est exact. Mais étant donné la gravité de ce que nous nous apprêtons à faire, je savais que tu comprendrais.

Stone planta Caleb sur place, bouche ouverte, et se dirigea vers Reuben, qui s'approchait pour le prendre à part.

– La maison de Carter Gray a explosé, il était dedans, chuchota Reuben.

– Je suis au courant.

– Pas trop, j'espère.

– Le FBI m'a déjà dans le collimateur. Je me suis rendu chez Gray, du moins ce qu'il en reste, avec deux agents et Alex Ford et je leur ai part de mes réflexions.

– Un crime ?

– De toute évidence.

– Ç'a un rapport avec… tu sais… ton passé ?

Reuben était le seul membre du Camel Club à connaître vaguement les anciennes activités de Stone.

– J'espère que non. On se verra à ton retour d'Atlantic City. Souviens-toi, adopte un profil bas.

– Pendant que je serai là-bas, tu veux que je mise au craps pour toi ?

– Je ne joue jamais, Reuben.

– Comment ça se fait ?

– Un, parce que je n'ai pas d'argent, deux, parce que je n'aime pas perdre.

# Chapitre 21

Le lendemain matin, Bagger avait rendez-vous avec Joe, le patron de l'agence de détectives. D'apparence soignée, l'homme avait des yeux gris et sereins. Même s'il s'exprimait d'une voix douce, il n'était pas du tout intimidé par le roi du casino. Cette qualité était celle que Bagger préférait chez lui. Joe s'assit en face de lui et ouvrit un dossier.

– Nous avons obtenu rapidement quelques premiers résultats, monsieur Bagger. (Il parcourut les pages du regard et releva la tête.) J'ai ici un rapport rédigé à votre intention, mais laissez-moi vous en donner les grandes lignes. (Il lui tendit une photographie.) Un de nos collègues de Vegas a mené son enquête auprès de la chapelle où Conroy et DeHaven se sont mariés. Après un petit geste financier, ils nous ont laissés jeter un œil sur leurs registres ; c'est là que nous avons trouvé une copie de la photo. Ils prennent des clichés de tous leurs clients et les accrochent aux murs. D'après votre expression, monsieur Bagger, je suppose que c'est bien la fille qu'on cherche.

Un sourire aux lèvres, Bagger dodelinait de la tête en contemplant l'image d'une Annabelle Conroy beaucoup plus jeune et de son nouvel époux, Jonathan DeHaven.

– C'est effectivement ma petite copine. Bon travail, Joe. Vous avez trouvé autre chose ?

— Eh bien, ceci va peut-être nous faciliter le travail. Mais je n'en suis pas encore sûr.

Bagger leva les yeux du cliché.

— Vous parlez de quoi ?

En guise de réponse, Joe tendit à Bagger une coupure de presse.

— Le nom de DeHaven me disait quelque chose, mais je ne savais pas pourquoi. Alors, j'ai creusé. Et bingo !

— Il a été assassiné ! s'exclama Bagger en lisant le titre du papier.

— Très récemment. On a retrouvé son corps dans une chambre forte de la Bibliothèque du Congrès, à Washington. Le crime était lié à un réseau d'espionnage qui sévissait à Washington.

— On est sûrs qu'il s'agit du même DeHaven ?

Joe tendit à Bagger un autre portrait de DeHaven découpé dans un article qui relatait les détails de l'affaire.

— Vous voyez bien que c'est le même type, en plus vieux.

— Ainsi, le bonhomme d'Annabelle était espion et s'est fait buter ?

— Son ex-mari. On a également découvert que le mariage avait été annulé un an plus tard.

— Annulé ? Ça voudrait dire qu'ils n'ont pas baisé ou quoi ? Pendant toute une année ?

Bagger baissa le nez sur la photographie de mariage d'Annabelle. Elle était superbe. Il avait beau la détester, il n'arrivait pas à comprendre comment son mari avait pu se retenir de lui sauter dessus dès la fin de la cérémonie.

— Ce DeHaven, il était homo ou quoi ?

— Je ne connais pas les dessous de cette annulation ni ses raisons, mais c'est un fait. Le document a été enregistré à Washington où le couple s'était visiblement installé. Et DeHaven n'appartenait pas à ce réseau d'espionnage. Certains détails ont été révélés, mais d'autres sont enterrés pour des questions de sécurité nationale. Il semblerait qu'il était totalement innocent et qu'il a été tué parce qu'il a été témoin de quelque chose qu'il n'aurait pas dû voir.

Bagger était pensif. Annabelle l'avait berné en lui laissant croire qu'elle était membre de la CIA et que l'argent qu'il lui avait donné serait utilisé par le gouvernement pour blanchir des capitaux étrangers. Et si en réalité elle travaillait réellement pour la CIA ? S'était-il fait avoir par le gouvernement ? On ne pouvait pas attaquer ce dernier en justice. On ne pouvait pas assassiner l'oncle Sam.

Il planta son regard dans celui de Joe.

– Bon travail, Joe. Continuez de creuser.

Joe se leva.

– On s'y emploie, monsieur Bagger.

Après le départ du détective, Bagger étudia attentivement la photo d'Annabelle jeune. Elle paraissait heureuse, même si son bonhomme avait l'air... d'un bibliothécaire.

Il se leva et s'approcha de la fenêtre : son empire occupait presque un bloc entier du Boardwalk. Soudain décidé, il décrocha son téléphone et appela son chef de la sécurité.

– Fais chauffer le jet, on s'en va.

– Où, monsieur Bagger ?

– Dans ma ville préférée. Washington.

# Chapitre 22

Le lendemain matin, pendant que Reuben et Milton roulaient vers Atlantic City, Harry Finn était déjà au travail. En compagnie de deux membres de son équipe, il inspectait une parcelle de terrain près du Capitole. Leurs uniformes étaient impeccables, leur équipement au point. Plus important, ils respiraient l'assurance de ceux qui ont légitimement le droit de se trouver là. Quand deux officiers de police s'approchèrent d'eux, Finn sortit calmement une feuille de papier de sa poche et leur montra son ordre de mission, qui paraissait parfaitement officiel.

– Je vais là où on m'envoie, les gars, dit-il sur un ton d'excuse. On ne va pas rester longtemps. C'est à cause de cette putain de construction du Visitor Center.

– Vous voulez dire ce gouffre à fric pour les contribuables, grogna l'un des flics.

Ce projet était devenu pour Washington l'équivalent du Big Dig de Boston, surnom donné au Central Artery/Tunnel Project, programme autoroutier souterrain en construction depuis 1985. Finn hocha la tête.

– Vous savez que dans cette ville tout le monde pense que c'est l'autre qui a la compétence territoriale. Alors on doit vérifier

94

dix fois les mêmes choses sous prétexte que quelqu'un a fait dans son froc.

– Très juste ! répondit l'autre policier. Mais magnez-vous.

– Bien reçu ! dit Finn en retournant à son travail.

En réalité, sous couvert de mesures d'arpentage, Finn s'était muni d'une caméra vidéo pour filmer les deux entrées menant au Capitole, détailler le nombre de rotations des vigiles et contrôler certains paramètres qui leur permettraient aisément de s'introduire par la suite dans les lieux. Depuis qu'un homme avait franchi sans trop de difficultés le périmètre du Capitole, plusieurs hommes politiques de premier plan avaient réagi. Discrètement, ils avaient confié à la société de Finn la mission de vérifier si les mesures de sécurité renforcées récemment mises en place étaient suffisantes. D'après le premier constat de Finn, elles ne l'étaient pas.

Finn passa les deux heures suivantes à son bureau à faire ce qu'on nommait dans son jargon de l'« hameçonnage téléphonique ». Cet exercice complexe visait à appeler une série de personnes, les unes après les autres, et à accumuler des renseignements, chaque appel permettant de préciser l'information récupérée auprès du précédent interlocuteur.

Grâce à cette méthode, Finn avait ainsi découvert le lieu de stockage aux États-Unis d'un vaccin contre un épouvantable virus bioterroriste. En se faisant passer pour un étudiant en marketing préparant une thèse sur les techniques de distribution commerciale, il avait réussi à discuter avec huit personnes différentes, y compris finalement avec le vice-président du laboratoire fabriquant le vaccin, qui, sans le savoir, avait confirmé l'adresse du fameux lieu de stockage tout en répondant à des questions a priori étrangères au sujet.

Aujourd'hui, Finn rassemblait des renseignements pour deux futures missions : l'opération au Capitole et un accident majeur sur le Pentagone.

Bien qu'on ait eu malheureusement la preuve qu'un avion de ligne pouvait s'écraser sur le quartier général de l'armée américaine, il existait d'autres moyens de l'endommager plus gravement que ne l'avait fait un Boeing 757. Il y avait plusieurs scénarios possibles : déposer un engin piégé dans le système de commandement et de contrôle de défense militaire ; saboter son système de filtration d'air, tuer ou empoisonner plusieurs milliers de figures clés parmi le personnel gouvernemental, ou même faire exploser le bâtiment de l'intérieur.

Tout en avançant dans son travail, Finn gardait un œil sur Internet, attentif aux informations relatives à la mort de Carter Gray. Comme il s'y attendait, les autorités avaient tout verrouillé. Aucune fuite. La plupart des articles se contentaient de revenir de long en large sur la glorieuse carrière de feu Carter Robert Gray et sur les services qu'il avait rendus à sa patrie. Bientôt, Finn en eut assez. Il partit faire une promenade. Puis, impulsivement, il décida d'aller voir sa mère. Il prendrait l'avion le soir même, quand les enfants seraient couchés. Il la rencontrerait le lendemain et serait de retour chez lui en fin de journée. Il aimait et détestait tout à la fois rendre visite à sa mère. Leur face-à-face se déroulait toujours de la même manière ; comment aurait-il pu en être autrement ? Cependant, depuis qu'ils avaient entamé leur association, Finn avait l'obligation de lui rendre des comptes de temps en temps. Il ne s'agissait pas à proprement parler de lui faire son rapport, même si au fond cela y ressemblait.

Il réserva une place sur le vol du soir et téléphona à Mandy pour l'informer de sa décision. Après avoir quitté son bureau de bonne heure, il conduisit ses deux plus jeunes enfants respectivement à la piscine et à l'entraînement de base-ball, puis alla les rechercher. Dès qu'ils furent endormis, il gagna l'aéroport en vue d'affronter l'une des plus longues journées de sa vie.

# Chapitre 23

Stone composa le numéro de téléphone d'Annabelle. Après quatre sonneries, alors qu'il imaginait déjà que personne n'allait décrocher, il entendit le son de sa voix.

– Allô ?

– Où êtes-vous ? dit-il.

– Oliver, je vous ai laissé un message.

– Ce message est une connerie. Où êtes-vous ?

– Je ne veux pas que vous soyez impliqué, alors oubliez-moi.

– J'ai envoyé Reuben et Milton à Atlantic City pour enquêter sur Bagger.

– Vous avez fait quoi ? hurla-t-elle dans le combiné. Vous êtes cinglé !

– Voilà enfin l'Annabelle que j'ai appris à connaître et à admirer.

– C'est du suicide de les envoyer sur le territoire de Bagger.

– Ils savent prendre soin d'eux.

– Oliver, j'ai quitté la ville pour que vous ne soyez pas mêlé à ça.

– Alors revenez, parce que c'est déjà fait.

– Je ne peux pas revenir. Et je n'en ai pas la moindre envie.

– Vous voulez bien au moins répondre à une question ?

– Laquelle ? demanda-t-elle prudemment.

– Que vous a fait Jerry Bagger pour que vous lui voliez plusieurs millions ?

– Je n'ai fait que mon travail. Je suis une arnaqueuse.

– Si vous continuez à me mentir, je vais être très contrarié.

– Pourquoi vous prendre la tête avec ça ?

– Vous nous avez aidés, maintenant, c'est à notre tour.

– Je n'ai agi que dans mon intérêt. Tous les trois, vous vous êtes trouvés là, c'est tout.

– D'accord, mais vous avez encore besoin de nous. Et nous perdons du temps. Si Bagger est aussi doué que vous le dites, il ne vous reste peut-être plus longtemps à vivre.

– Merci pour votre optimisme.

– Je me montre réaliste. Où êtes-vous ?

– Laissez tomber.

– Alors, je vais deviner. Mais si je trouve la réponse, il faudra me dire où vous êtes. Marché conclu ?

– Si ça peut vous rendre heureux.

– J'ai dit marché conclu ?

– Bien. Marché conclu.

– Je suppose donc que vous avez suivi mon conseil et que vous essayez de coller un truc sur le dos de Bagger. Et ce truc explique pourquoi vous l'avez dépouillé. Je parie qu'en ce moment vous êtes dans l'endroit où il vous a fait du mal, à vous ou à vos proches, tellement de mal que vous avez eu envie de vous venger. J'ai raison ?

Annabelle resta muette.

– Maintenant, puisque j'ai gagné mon pari, vous devez me dire où vous vous trouvez.

– Vous ne m'avez pas donné le lieu exact.

– Je n'ai pas dit que je vous donnerais le lieu exact. J'ai fait bien mieux que ça. Mais si vous voulez revenir sur votre parole…

– J'assume toujours mes paris.

– Alors, dites-moi.

Il y eut un très long silence.

– Je suis dans le Maine.

– Où, dans le Maine ?

– Un peu au sud de Kennebunk, sur la côte.

– C'est là que ça s'est passé ?

Stone attendit qu'elle reprenne la parole.

– Oui.

– Et qu'est-ce qui s'est passé ?

– C'est mon affaire, rétorqua-t-elle.

– Je crois avoir prouvé que vous pouviez me faire confiance. Je vais aller à Atlantic City et tenter le coup moi-même avec le vieux Bagger.

– Oliver, vous ne pouvez pas faire ça. Il va vous tuer. Vous ne comprenez pas ?

– Alors, vous aurez ma mort sur la conscience, plaisanta-t-il.

– Ne vous foutez pas de moi. Je n'ai pas besoin de ça en ce moment.

– Exactement, reprit Stone d'une voix tendue. Vous n'avez aucun besoin de mes plaisanteries stupides ; il vous faut un plan pour vous tirer des griffes de Bagger. Et un moyen de l'exécuter.

Il y eut un long silence. Stone pensa qu'elle avait raccroché.

– Annabelle ?

– Il a tué ma mère. Voilà, vous êtes courant, maintenant.

– Qu'est-ce que votre mère avait fait à Bagger ?

– Rien. C'est à cause de mon père, Paddy. Il a piqué dix mille dollars à Jerry et ça a coûté la vie à ma mère.

– Il a aussi buté votre père ?

– Non, j'ignore comment, mais mon vieux s'est barré et il a oublié de prévenir maman que cette ordure de Bagger arrivait en ville.

Stone laissa échapper un profond soupir.

– C'est un lourd bagage à porter. Je suis désolé, Annabelle.

– Je n'ai pas besoin de compassion, Oliver. J'ai simplement besoin de trouver le moyen d'éliminer ce salaud une bonne fois pour toutes, parce que, pour parler franchement, lui voler quarante millions de dollars n'a rien réglé du tout.

– Dites-moi exactement où vous vous trouvez. Je peux être là-bas dès ce soir.

– Comment ? En avion ?

– Je n'en ai pas les moyens.

– Je peux vous acheter le billet.

– Malheureusement, je n'ai pas de pièce d'identité. On ne me laissera jamais monter à bord.

– Vous auriez dû me le dire, j'aurais pu vous fournir un truc auquel même le FBI se laisserait prendre et encore plus la TSA, dit-elle en faisant allusion à la Transportation Security Administration, l'agence de sécurité des transports.

– Je vous prendrai peut-être au mot un de ces jours. En attendant, je vais venir en voiture.

Annabelle lui donna son adresse précise.

– Vous êtes sûr de vous ? Vous pouvez encore prendre la tangente, oublier qu'on s'est parlé. Je suis habituée à faire les choses dans mon coin.

– Aucun ami du Camel Club ne se débrouille tout seul. On se voit dans le Maine, Annabelle.

# Chapitre 24

Planté derrière les joueurs à une table de black-jack, Milton observait l'action, ses yeux allant et venant comme un rayon laser sur les cartes qui sortaient du sabot.

Reuben apparut à ses côtés.

– Comment ça va ?

– Ce jeu a l'air sympa, répondit Milton en souriant.

– Notre boulot est de nous fondre dans la masse. Alors joue si tu veux, mais ne perds pas ta chemise. Il faut pouvoir payer l'essence pour rentrer.

Reuben déambula dans la salle, l'œil aux aguets, cherchant quelqu'un ou quelque chose qui pourrait leur être utile. Après avoir combattu au Vietnam, il avait traîné ses guêtres pendant des années à la DIA, l'agence de renseignements de la Défense, l'équivalent militaire de la CIA. Bien qu'il fût hors jeu depuis fort longtemps, il n'avait pas oublié les techniques de base. La première étape consistait à gagner le bar pour prendre un verre.

Il cala son postérieur sur un tabouret, commanda un gin-tonic, consulta sa montre et laissa errer son regard sur la serveuse, une femme entre deux âges, encore séduisante, mais qui affichait la mine terreuse et fatiguée de ceux qui ont passé trop d'années sous les néons d'un casino.

– Qu'est-ce qui cartonne en ce moment ? lui demanda-t-il en mâchonnant ses cacahuètes et en sirotant paresseusement son verre.

Elle donna un coup de torchon sur le bar.

– Ça dépend de ce que vous cherchez.

– Tout, sauf les machines à sous, les dés et ce qui coûte de l'argent.

– Alors vous vous êtes trompé d'endroit.

– C'est l'histoire de ma vie, rétorqua Milton dans un éclat de rire. Je m'appelle Roy.

– Moi, c'est Angie, dit-elle en serrant la main qu'il lui tendait. Vous êtes d'où ?

– D'un peu plus au sud. Vous êtes originaire d'ici ?

– Je suis née dans le Minnesota, mais je vis là depuis assez long-temps pour être considérée comme quelqu'un du coin. Depuis que les casinos se sont implantés ici, qui peut prétendre qu'il est d'Atlantic City ? C'est une ville où l'on va, pas d'où l'on vient, du moins aujourd'hui.

Ruben leva son verre.

– Je porte un toast à votre éloquence. (Il évalua du regard la décoration luxueuse des salles.) Ça doit appartenir à une grosse boîte. À côté, le Bellagio ou le Mandalay Bay ont l'air miteux.

Angie secoua la tête.

– Ce n'est pas à une entreprise, mais à un homme.

– Vous rigolez, Angie ! Je croyais que tous les casinos étaient dirigés par des multinationales friquées.

– Pas celui-là. Il appartient à Jerry Bagger.

– Bagger ? Ce nom me dit quelque chose.

– Il est du genre dont on se souvient. Quand on l'a vu une fois, on ne peut pas l'oublier.

– Vu la façon dont vous dites ça, je devine qu'il ne fait pas dans l'humanitaire ni dans la tendresse.

– On ne monte pas un empire pareil en restant humain. (Elle regarda soudain Reuben avec suspicion.) Ce n'est pas un piège, hein ? Vous ne travaillez pas pour M. Bagger, au moins ? Je ne dis pas de mal de lui. C'est un bon patron.

– Du calme, Angie. Je suis exactement ce que j'ai l'air d'être, un pauvre gogo étranger qui a perdu son fric aux craps et qui a décidé de s'amuser un peu le dernier soir avant de reprendre la route, la queue entre les jambes. (Il regarda derrière lui.) Mais merci pour le tuyau. Je n'ai pas envie de tomber sur ce type et de faire une gaffe. Il a l'air du genre brutal.

– Pas la peine de vous inquiéter, il n'est pas en ville. Je l'ai vu partir hier avec ses gars.

– Oh, il voyage beaucoup ?

– Pas vraiment, même s'il a son propre jet.

– Il est sûrement parti à Vegas voir les concurrents.

– Il a été expulsé de Vegas il y a longtemps. En fait, je sais où il est allé parce que ma meilleure amie sort avec son pilote.

– Alors, il est parti où, le grand manitou ? laissa tomber Reuben d'un ton faussement las en avalant une pleine poignée de cacahuètes.

– À Washington.

Reuben s'étouffa si violemment qu'Angie dut lui taper dans le dos.

– Sacré reflux, souffla-t-il, une fois remis.

– Seigneur, vous m'avez fait une peur bleue. Même si je n'ai jamais vu quelqu'un mourir à côté de moi… (Elle lança un coup d'œil autour d'elle et baissa la voix.) Je ne pourrais pas en dire autant de tout le monde dans le coin.

– Quelqu'un d'ici a passé récemment l'arme à gauche ?

– Disons que deux types qui ont des fonctions importantes ont été hospitalisés. On nous a dit qu'ils avaient la grippe. J'ai une amie qui travaille à l'hôpital où on les a emmenés. Depuis quand la grippe donne-t-elle des bleus et des coupures ? Hein ?

– Ils sont toujours en vie ?

– Oui, mais il y a un autre gars d'ici, une bête en informatique. Il a disparu. Ils disent qu'il a changé de boulot. Mais il n'a pas prévenu sa famille et a oublié de nettoyer son appartement.

— Merde, qu'est-ce qui a pu lui arriver ?

Angie considéra la silhouette massive de Reuben d'un air appréciateur.

— Je quitte le boulot à 21 heures, Roy. Offrez-moi à dîner et je vous en dirai plus. D'accord ?

Après avoir quitté le bar, Reuben appela Stone sur son téléphone portable et l'avertit que Bagger se trouvait à Washington.

— Bon travail, Reuben, dit Stone. Je suis en route pour rendre visite à Susan.

— Je croyais t'avoir entendu dire qu'elle était partie.

— Disons que je l'ai convaincue de nous donner une autre chance. Tu n'as pas découvert pourquoi Bagger est à Washington ?

— J'essaierai de faire parler la serveuse ce soir. Je n'ai pas voulu y aller trop fort. Tu vois ce que je veux dire ?

— Absolument. Continue de me tenir au courant.

— Et dis à Susan que j'attends toujours un rendez-vous avec elle.

# Chapitre 25

Reuben continua d'arpenter la salle du casino en s'efforçant de mémoriser le plus de détails possible. Comme il n'avait pas la moindre idée du genre de renseignements que Stone cherchait, il décida qu'il valait mieux en recueillir trop que pas assez.

Après un moment, il se résolut à retourner auprès de Milton à la table de black-jack. Le spectacle qui l'y attendait lui coupa le souffle. Devant Milton s'entassaient d'immenses colonnes de jetons soigneusement empilés.

– Que s'est-il passé, bon Dieu ? s'exclama-t-il.

– La réponse, c'est que votre copain a gagné près de quatre mille dollars, répondit le joueur assis à côté de Milton.

Reuben le regarda avec stupéfaction, puis se tourna vers le superviseur grassouillet qui fusillait Milton et ses gains du regard.

– Crénom de nom, Milton, quatre mille dollars ! s'écria Reuben.

L'employé du casino se pencha en avant jusqu'à toucher le visage de Milton.

– Vous êtes un tricheur.

– C'est faux, se récria Milton, indigné.

– Vous comptez les cartes, espèce de petite ordure. C'est comme ça que vous prenez votre pied ? Vous avez un problème avec les femmes ? Vous avez besoin de venir tricher au casino pour pouvoir les baiser ? C'est ça ?

Le visage de Milton vira au cramoisi.

– C'est la première fois que je mets les pieds dans une salle de jeu.

– Vous croyez que je vais avaler cette connerie ?

– Écoutez, s'interposa poliment Reuben, je suis sûr que…

– Qu'est-ce que ça peut vous faire si je compte les cartes ? l'interrompit Milton. C'est interdit, dans le New Jersey ? Je ne crois pas, parce que j'ai vérifié. À Vegas, vous pourriez dire que je viole la loi, et faudrait me lire les textes et m'interdire l'entrée des casinos pendant des années, mais on n'est pas à Vegas, pas vrai ?

Le superviseur à cou de taureau paraissait sur le point de sauter par-dessus la table pour empoigner Milton, mais Reuben s'interposa.

– Je pense que mon ami va maintenant encaisser ses gains, dit-il.

– Mais, Reuben, protesta Milton, j'ai la chance avec moi.

– Il va encaisser immédiatement, répéta Reuben d'un ton ferme.

Un peu plus tard, Milton demanda à Reuben :

– Pourquoi tu n'as pas voulu me laisser continuer ?

– Tu tiens à la vie ?

– Oh, on est au XXI$^e$ siècle. Ils ne font plus ce genre de chose.

– Tu crois ? Oublie les textes de loi… Un casino peut te foutre dehors dès qu'il le veut. Tu as eu de la chance que le superviseur ait mis du temps pour arriver à ta table. Sinon, des gros bras nous seraient déjà tombés dessus.

Milton tourna la tête de tous côtés.

– Où sont-ils ?

– Ils sont planqués ! (Reuben se tut un instant.) Comment tu as fait pour gagner tout cet argent ?

Milton dit à voix basse :

– J'ai commencé par un système Hi-Lo multiniveaux avec un *side count* basé sur la technique Zen Count. Bien sûr, j'ai utilisé une méthode entièrement à compte réel qui m'a permis de prendre en compte les multiples talons. Ensuite, j'ai appliqué la méthode de comptage Uston SS en faisant bien attention d'optimiser mes mises, et j'ai mis en place un scénario de jetons trois couleurs pour planquer mes paris.

– Bon sang, comment tu connais tous ces trucs ? souffla Reuben, bouche bée.

– J'ai lu quelques articles sur le sujet sur Internet. C'était très intéressant. Et un jour, j'ai vu que…

– Je sais, je sais, tu n'oublies jamais rien. (Reuben soupira. Les dons intellectuels de son ami semblaient n'avoir aucune limite.) Ainsi, le superviseur avait raison, tu comptais les cartes. Heureusement que tu as fait ça sans ordinateur…

– Mais j'en ai un ! Mon cerveau.

– D'accord, monsieur Matière grise ! Maintenant, comme tu le sais, la règle veut que dans les missions de reconnaissance les équipiers partagent tout à égalité.

– À égalité ?

– Ouais, tu me dois deux mille dollars. Allez, file-les !

– Tu vas devoir payer des impôts là-dessus, grogna Milton en lui tendant les billets.

– Je ne paie pas d'impôts. L'oncle Sam n'a qu'à trouver sa fraîche ailleurs. Au fait, pendant que tu ruinais le casino, j'ai récolté quelques tuyaux intéressants.

Il lui relata sa discussion avec Angie.

– Ça semble très prometteur, Reuben. Bon travail.

– Mais vu la façon dont Angie me dévorait des yeux, ça risque de me coûter très cher.

– Où est le problème ? Tu viens de gagner deux mille dollars !

Reuben jeta un regard affligé à son ami en se contentant de secouer la tête.

# Chapitre 26

Carter Gray descendit lentement le long corridor qui, pour une raison inconnue, s'ornait d'une peinture rose saumon. *Peut-être en vue d'apaiser les esprits !* se dit-il.

Pourtant, le bâtiment n'inspirait pas la sérénité, mais plutôt un état de crise. À l'extrémité du couloir souterrain, une porte blindée masquait une petite pièce de confinement. Il tapa le code secret et les lecteurs biométriques se mirent en action. Le passage s'entrouvrit sans bruit. Ce système de sécurité digne de James Bond avait coûté des millions de dollars aux contribuables. *Après tout, ils sont faits pour ça*, pensa Gray. Ils consommaient beaucoup trop, payaient trop d'impôts pendant que leur gouvernement dépensait beaucoup plus qu'il ne le fallait en trucs généralement stupides. Au moins, cela faisait un équilibre !

Gray se dirigea vers le mur tapissé de coffres-forts et glissa sa clé électronique dans l'un d'eux tout en frottant son pouce sur le lecteur digital. Une fois le battant ouvert, il en sortit un dossier, s'installa dans un fauteuil et commença sa lecture.

Une demi-heure plus tard, il avait terminé. Il tira la photographie qu'il avait reçue au courrier et la compara avec celle du fichier. Il s'agissait du même homme, comme il s'y attendait. Il l'avait bien connu jadis. Par bien des façons, il avait été son plus proche confident. Pendant des dizaines d'années, Gray avait redouté le jour où cette malheureuse affaire Rayfield Solomon reviendrait le hanter. Ce moment était arrivé.

Cole, Cincetti, Bingham, tous étaient morts. Et Carter Gray les aurait rejoints sans l'existence de cette chambre forte construite sous la maison par son ancien occupant, le vice-Président, ancien directeur de la CIA.

Cette pièce souterraine avait été conçue pour être à l'épreuve du feu et des bombes. Lorsque Gray avait précisé à Oliver Stone qu'il se sentait en sécurité dans sa nouvelle propriété, il parlait au sens littéral du terme. Sa demeure abritait un tunnel fortifié qui l'avait conduit sans difficulté à proximité de la nationale où l'attendait la voiture d'un de ses gardes du corps. Lorsque la maison avait explosé, Gray l'avait quittée depuis plus d'une heure. Il s'était enfui quelques minutes après avoir reçu la photographie. Cependant, il s'en était fallu de peu.

Le FBI avait ouvert une enquête pour homicide, certifiant publiquement qu'on avait retrouvé un corps dans les ruines de la maison. Gray avait tiré les ficelles en coulisses. Il fallait qu'on le croie mort.

L'assassin avait fait une erreur tactique en lui envoyant cette photo : il avait éveillé ses soupçons. Pourquoi prendre le risque de le prévenir ? De toute évidence, le tueur tenait à ce que Gray comprenne pourquoi il allait mourir, et cela en disait long sur sa personnalité. Il s'agissait indubitablement de quelqu'un qui aimait beaucoup Rayfield Solomon. L'un de ses proches, sans doute.

*Ses futures cibles sont désormais évidentes*, pensa Gray, toujours assis dans son fauteuil, trente mètres au-dessous du quartier général de la CIA, à Langley, en Virginie, un empire qu'il avait autrefois dirigé.

Seuls les actuels et anciens directeurs de l'agence avaient l'autorisation d'entrer dans cette pièce. On y stockait des fichiers secrets dont l'opinion publique américaine ignorerait toujours l'existence. Il y était question d'affaires dont même les

Présidents ne savaient rien. Ces dossiers contenaient bien plus que de simples feuilles de papier. Ils étaient faits de chair et de sang. Comme celui de Ray Solomon. Gray n'avait pas été informé de l'exécution programmée de Solomon. S'il l'avait su, il l'aurait empêchée par tous les moyens. Pendant des années, il avait regretté la disparition de son ami. Mais ce chagrin ne lui coûtait pas grand-chose puisque lui était toujours en vie.

Gray remit les dossiers à leur place et verrouilla le coffre. Nombre de gens influents ne voulaient pas que l'affaire Ray Solomon resurgisse. Ils mettraient tout en œuvre pour abattre celui qui avait essayé de tuer Gray avant qu'il frappe de nouveau. Désormais, Gray était dans leur camp. Et il s'était montré bon joueur en avertissant John Carr.

# Chapitre 27

Alors que la voiture conduite par son chauffeur traversait Washington, Jerry Bagger avisa le bâtiment qui abritait le ministère de la Justice.

– Ça ferait une bonne cible pour une attaque nucléaire, siffla-t-il en faisant un doigt d'honneur en direction de l'agence fédérale. Pendant qu'on y est, on pourrait aussi détruire le FBI. Qui a besoin de tous ces flics et de ces avocaillons ? Pas moi. (Il se tourna vers l'un de ses hommes.) Mike, t'as b'soin d'eux ?

– Non, monsieur Bagger.

– Bien vu.

En arrivant à Washington, Bagger avait reçu un rapport plus détaillé du détective ; voilà pourquoi il entrait maintenant dans une bibliothèque. Mais il ne s'agissait pas de n'importe quelle bibliothèque. Aux yeux de nombreux érudits, c'était la plus célèbre du pays, la Bibliothèque du Congrès.

Sur la foi des renseignements glanés par ses hommes, Bagger et sa petite troupe firent irruption dans la salle de lecture des livres rares dont feu Jonathan DeHaven, l'ex-mari d'Annabelle, avait autrefois été le directeur. C'est aussi là que travaillait Caleb Shaw. L'homme en question émergeait justement de la chambre forte à l'instant où Bagger arrivait.

En reconnaissant ce dernier d'après la photographie que Milton lui avait montrée, Caleb sentit son ventre gargouiller. Il resta planté sur place, le visage étiré en un large sourire. Il ignorait pourquoi il souriait. *Peut-être est-ce la première étape avant la crise d'hystérie*, pensa-t-il, brusquement horrifié. Il devait agir, et vite.

– Puis-je vous aider ? demanda-t-il en se dirigeant vers les six hommes jeunes, grands et solidement bâtis, vêtus de costumes sombres, qui encadraient Bagger.

À soixante-six ans, ce dernier paraissait en excellente forme physique. Il avait les épaules larges, les cheveux blancs et le teint hâlé. Outre son nez cassé, une hideuse cicatrice courait sur l'une de ses joues.

*Il ressemble à un pirate*, se dit Caleb.

– Je l'espère, commença Bagger poliment en regardant autour de lui. C'est le truc des livres rares, ici ?

– Oui, la salle de lecture.

– Les bouquins, ils sont rares à quel point ?

– Ils ont tous une immense valeur, mais nous n'avons pas que des ouvrages. Il y a des codex, des incunables, une bible de Gutenberg, une copie de la Déclaration d'indépendance, la bibliothèque personnelle de Jefferson et quantité d'autres merveilles. Certaines d'entre elles sont uniques au monde. Ce sont des exemplaires inestimables.

– Ah ouais ? dit Bagger, qui ne semblait pas impressionné. Moi, j'ai trouvé un truc encore plus rare que ça.

– Vraiment, de quoi s'agit-il ?

– Du livre que je viens de lire. C'est nul de chez nul.

Il éclata de rire, imité par ses hommes. Caleb émit un petit gloussement poli en s'agrippant au dossier d'une chaise pour ne pas tomber.

Bagger glissa son bras autour de ses épaules.

– Vous avez l'air d'un homme qui va m'être utile. Comment vous vous appelez ?

– Caleb Shaw, bredouilla Caleb après avoir vainement tenté de trouver un pseudonyme.

– Caleb ? Ouah, c'est pas un nom qu'on entend tous les jours. Z'êtes amish ou quoi ?

– Non, je suis républicain, dit Caleb d'une petite voix tandis que la poigne musclée de Bagger se resserrait autour de lui.

*Est-ce avec ce bras qu'il a tué tous ces gens ?*

– D'accord, monsieur Républicain, il y a un endroit où on peut causer en privé ?

Voilà exactement ce qu'avait redouté Caleb. En quittant la salle de lecture, il se priverait de témoins potentiels qui, à défaut de le sauver, verraient au moins ce monstre le mettre en pièces.

– Euh… Je suis très occupé en ce moment (Le bras de Bagger se crispa instantanément.) Mais je peux certainement vous consacrer quelques minutes.

Caleb les guida vers un petit bureau situé près du couloir menant à la salle de lecture.

– Asseyez-vous, ordonna Bagger à Caleb, qui s'empressa de se laisser tomber dans l'unique fauteuil de la pièce. Bon, si je comprends bien, on a crevé le type qui dirigeait cet endroit…

– Effectivement, le directeur de la division des livres rares et des collections particulières a été tué.

– Jonathan DeHaven ?

– C'est exact, ajouta Caleb d'une toute petite voix. Il a été assassiné. Dans ce bâtiment.

– Ouh, là, là ! s'écria Bagger en lançant un regard à ses hommes. Dans une bibliothèque ? On vit dans un monde violent ou quoi ? (Il se tourna de nouveau vers Caleb.) Il se trouve que j'ai une amie qui connaissait ce DeHaven. Elle était mariée avec lui.

– Vraiment ? Je ne savais pas que Jonathan était marié, parvint à mentir Caleb.

– C'était le cas. Ça n'a pas duré longtemps. C'était un accro des livres. Sans vous vexer, la femme était différente. C'était une sorte de… Comment dire ?

– Un mélange de tornade et d'ouragan, proposa Caleb.

Bagger le gratifia d'un regard soupçonneux.

– Ouais, pourquoi vous dites ça ?

Comprenant qu'il venait de donner à Bagger une bonne raison de le torturer afin de lui soutirer d'autres renseignements, Caleb répondit d'un ton suave :

– J'ai été marié moi aussi et ma femme est partie au bout de quatre mois. C'était à la fois une tornade et un ouragan, et je suis un accro des livres, comme vous dites…

Il était impressionnant de voir à quel point il mentait facilement.

– Parfait, vous avez pigé. Mais je n'ai pas vu cette nana depuis longtemps et j'ai envie de renouer avec elle. J'ai pensé qu'elle était peut-être au courant de la mort de son ex et qu'elle était venue aux funérailles.

Il ne quittait pas Caleb des yeux.

– J'ai assisté aux obsèques, mais je n'ai remarqué aucune personne que je ne connaissais pas. À quoi ressemble cette femme ? Quel est son nom ?

– Grande, jolies courbes, une belle pépé. Une petite cicatrice sous l'œil droit. Ses cheveux et son style changent avec les jours de la semaine, vous voyez ce que je veux dire. Elle s'appelle Annabelle Conroy, mais ça aussi ça dépend du jour de la semaine.

– Je ne vois vraiment pas.

C'était une demi-vérité. Caleb ne connaissait Annabelle que sous le patronyme de Susan Hunter, en revanche, il avait reconnu la description.

– Je suis sûr que j'aurais remarqué une femme comme ça. La plupart des gens présents étaient normaux. Un peu dans mon genre.

– Ouais, je vois, grommela Bagger.

Il claqua des doigts et l'un de ses hommes sortit un bristol qu'il tendit à Caleb.

– Si vous vous rappelez quelque chose, appelez-moi. Je paie bien. Très bien, même. Avec cinq chiffres.

Les yeux écarquillés, Caleb s'empara de la carte.

– Vous avez vraiment très envie de la retrouver !

– Vous n'avez pas idée à quel point, monsieur Républicain.

## Chapitre 28

Harry Finn entra doucement dans la chambre, s'assit sur une chaise et la regarda. La femme le jaugea à son tour d'une façon qui donna à Finn l'impression qu'elle voyait à travers lui. Autrefois, elle s'exprimait dans un anglais fluide, sans aucune trace d'accent. Mais cette linguiste accomplie avait décidé, peut-être à cause de sa paranoïa croissante, de fondre quatre langues en une, ce qui produisait un ensemble confus difficile à décoder. Mais, à son grand étonnement, Finn parvenait à la comprendre.

Sa mère murmura quelques mots dans sa direction et il répondit brièvement à son bonjour maladroit. Cette entrée en matière sembla lui plaire. Elle hocha la tête d'un air approbateur, un sourire étirant ses joues affaissées. Elle avait deviné sa présence avant qu'il pénètre dans la pièce. Ce phénomène, lui avait-elle expliqué, venait de son aura chaleureuse mais si particulière, ce qui avait grandement inquiété Finn. Il n'aimait pas laisser de traces derrière lui.

Dans ses souvenirs d'enfant, il revoyait le grand corps solide de sa mère, ses mains de pianiste. Aujourd'hui, elle était ratatinée, fanée. Il étudia son visage. Elle avait été une femme d'une rare beauté, une beauté fragile qu'il avait associée en grandissant aux exquises belles-de-jour parce que la nuit sa grâce s'enfuyait et qu'elle devenait sombre et parfois violente – jamais envers lui, mais envers elle-même. Il devait alors intervenir et s'occuper d'elle. Cela avait commencé lorsqu'il avait sept ans. Cette expérience l'avait fait mûrir rapidement, plus vite qu'il n'aurait dû. Désormais, la beauté avait déserté ses traits, son corps s'était tassé et ses mains, autrefois magnifiques, reposaient, ridées et balafrées, sur ses genoux. Elle n'avait que soixante-dix ans ; néanmoins, elle paraissait au bord de la tombe.

Mais elle savait encore le dominer de son indignation, de sa volonté farouche de redresseuse de torts. En dépit de sa déchéance physique, ses paroles avaient gardé le pouvoir de lui faire ressentir à la fois le chagrin et l'injustice qu'elle avait subis.

– J'ai entendu les nouvelles, baragouina-t-elle. C'est fait et c'est bien. Tu es un bon garçon.

Il se leva et, s'approchant de la baie vitrée, contempla les jardins de l'établissement, que dans son souvenir on appelait encore un sanatorium. Les quatre journaux qu'elle disséquait tous les jours, page après page, mot après mot, étaient empilés sur le rebord de la fenêtre. Quand elle avait fini de les lire, elle écoutait la radio, regardait la télévision avant de s'endormir à une heure tardive. Le matin lui apportait d'autres informations à dévorer. Rien ou presque de ce qui se passait dans le monde ne lui échappait.

– Maintenant, tu vas t'occuper du prochain, dit-elle en haussant la voix comme par crainte que ses paroles ne lui parviennent pas à l'autre bout de la pièce.

Il opina.

– Oui.

– Tu es un bon fils.

– Comment va ta santé ?

– Quelle santé ? demanda-t-elle avec un sourire, en balançant la tête.

Elle avait toujours eu cette mimique. Comme si elle entendait une chanson inaudible pour les autres. Petit, il avait aimé ce geste, cette mystérieuse qualité que tous les enfants recherchaient chez leurs parents. Aujourd'hui, il lui plaisait beaucoup moins.

– Je n'ai plus de santé. Tu sais ce qu'ils m'ont fait. Ne crois pas que c'est normal. Je ne suis pas si vieille que ça. Je passe mon temps, assise, à pourrir tous les jours un peu plus.

À l'entendre, on l'avait empoisonnée plusieurs années auparavant ; ils avaient fini par l'avoir, même si elle ignorait comment. On avait voulu la tuer, mais elle avait survécu. Cependant, le poison continuait de la dévorer de l'intérieur, réclamant ses organes les uns après les autres jusqu'au dernier. Elle était persuadée qu'un jour elle disparaîtrait tout simplement de la surface de la terre.

– Tu peux partir, si tu veux.

– Pour aller où, dis-le-moi ? Où irais-je ? Ici, je suis en sécurité. Alors je reste jusqu'à ce qu'on m'emporte dans un linceul pour me brûler. Ce sont mes dernières volontés.

Finn leva les mains en faisant mine de se rendre. Chacune de ses visites donnait lieu à la même conversation avec le même résultat. Elle pourrissait sur place, elle avait peur, et c'est ici qu'elle mourrait. Il connaissait si bien ses arguments qu'il aurait pu mener le dialogue à lui tout seul.

– Comment vont ta femme et tes merveilleux enfants ?

– Ils vont bien. Je suis certain que ça leur manque de ne pas te voir.

– Il n'y a plus grand-chose à voir. Ta fille, Susie… Elle a toujours l'ours en peluche que je lui ai donné ?

– C'est son préféré. Elle ne le quitte jamais.

– Dis-lui de ne jamais s'en séparer. Il est le symbole de l'amour que je lui porte. Elle ne doit jamais s'en séparer. Je n'ai pas été une bonne grand-mère pour eux. Je le sais. Mais cela me tuerait si elle perdait cet ours.

– Je sais. Et elle le sait aussi. Je te l'ai dit, elle l'adore.

Elle se redressa sur ses jambes tremblantes, se dirigea vers une commode d'où elle sortit une photo, que ses doigts noueux agrippèrent.

– Prends-la, dit-elle. Tu l'as bien méritée.

Il lui ôta doucement le cliché des mains et observa le portrait que Judd Bingham, Bob Cole et Lou Cincetti avaient regardé avant de mourir. Carter Gray l'avait lui aussi contemplé avant d'être expédié dans l'autre monde.

Finn caressa de l'index le tracé délicat de la joue de Rayfield Solomon. Le passé resurgit en un éclair : la séparation, l'annonce de la mort de son père, l'obligation de s'inventer une nouvelle vie, de nouveaux souvenirs, les révélations dévastatrices de sa mère.

– Maintenant, c'est au tour de Roger Simpson, dit-elle.

– Oui, c'est le dernier, concéda Finn, un soupçon de soulagement dans la voix.

Il avait mis des années avant de retrouver la trace de Bingham, de Cincetti et de Cole. Ce travail enfin accompli, les assassinats avaient commencé quelques mois plus tôt. Traquer Carter Gray et Roger Simpson lui avait donné moins de mal puisqu'ils étaient des personnalités publiques. Néanmoins, leur célébrité en faisait des cibles plus difficiles à atteindre. Finn avait pris en compte ces données. En quittant le gouvernement, Gray avait vu sa protection réduite, et Finn avait réussi à le tuer. Simpson était le prochain sur sa liste. Finn avait confiance. Il triompherait de cette dernière mission.

Quand il songeait à la vie qu'il menait aujourd'hui en tant que père d'une famille nombreuse installée dans un faubourg ordinaire de Virginie, une vie ponctuée de cours de musique, de matchs de foot et de base-ball, de concours de natation, et qu'il la comparait avec son enfance, l'effet était presque apocalyptique. Voilà pourquoi il évitait de réunir dans son esprit ces deux aspects de son existence. Et pourquoi il était devenu un as dans l'art de compartimenter les problèmes. Il avait appris à bâtir dans son cerveau des murs infranchissables.

– Laisse-moi te raconter une histoire, Harry, lui dit soudain sa mère.

Il se renfonça dans son fauteuil et lui accorda son attention. Bien qu'il ait déjà entendu mille fois ce récit, il l'écouta discourir avec ses mots fracturés et discordants qui le prenaient aux tripes ; son habileté à faire surgir des souvenirs vieux de plusieurs dizaines d'années était à la fois merveilleuse et terrifiante. On avait l'impression que l'univers qu'elle convoquait encombrait la chambre dans laquelle ils se tenaient, chagrinés, angoissés, comme cernés par un bûcher en flammes. Lorsqu'elle aurait terminé et dilapidé son énergie, il lui dirait au revoir, l'embrasserait et reprendrait le périple qu'il entreprenait pour elle. Et peut-être aussi pour lui.

# Chapitre 29

– Calme-toi, Caleb ! ordonna Stone. Et raconte-moi exactement ce qui s'est passé.

Lorsqu'il avait reçu l'appel paniqué de Caleb, Stone s'était garé sur le bord de la route qui le conduisait dans le Maine. Durant dix minutes, il écouta son ami lui relater, le souffle court, son face-à-face avec Jerry Bagger.

– Caleb, tu es certain qu'il n'a pas compris que tu mentais ? Tu es vraiment sûr ?

– J'ai été super bon, Oliver, tu aurais été fier de moi. Il m'a donné sa carte de visite et a demandé que je l'appelle si j'avais d'autres informations. Il m'a proposé une somme à cinq chiffres. (Caleb fit une pause.) Et j'ai découvert que son véritable nom était Annabelle Conroy.

– Ne dis ça à personne !

– Je fais quoi, maintenant ?

– Rien. Ne contacte pas Bagger. Je t'appellerai plus tard.

Stone raccrocha et téléphona aussitôt à Reuben, à Atlantic City, pour lui faire part de la communication de Caleb.

– Ton renseignement était exact. Bagger est bien à Washington.

– Espérons que cette fille, Angie, me donnera d'autres tuyaux, ce soir. Au fait, tu es où, Oliver ?

– Je suis en route pour le Maine.

– Pourquoi le Maine ?

– Disons que notre amie a un travail à finir là-bas.

– En rapport avec ce connard de Bagger.

– Oui.

Stone reprit la route. Bien que vieille et délabrée, la voiture de Caleb s'était montrée à la hauteur, même s'il n'avait jamais pu la pousser au-delà des soixante kilomètres-heure. Quelques heures plus tard, alors que la nuit était tombée depuis longtemps, Stone quitta l'État du New Hampshire pour pénétrer dans le Maine. Après avoir vérifié sa carte routière, il sortit de l'autoroute et roula vers l'est, en direction de l'océan Atlantique. Vingt minutes plus tard, il ralentit et traversa la ville où Annabelle s'était installée. L'endroit était pittoresque, encombré de boutiques offrant une gamme variée de marchandises, des souvenirs touristiques au matériel nautique, à l'exemple de nombreuses villes côtières de Nouvelle-Angleterre. Cependant la saison étant terminée, la plupart des visiteurs étaient repartis depuis longtemps, peu désireux de s'exposer à l'hiver qui arrivait.

Stone dénicha le B&B où était descendue Annabelle, se gara dans le petit parking et entra, son sac de marin sur l'épaule. Elle l'attendait dans le petit salon, dos au feu qui dansait plaisamment derrière elle dans la cheminée. Les planchers et les portes craquaient ; le fumet d'un dîner récemment servi se mêlait à l'odeur du bois plusieurs fois centenaire et à la morsure salée de l'air venant de l'Océan.

– J'ai demandé au propriétaire de nous garder de quoi dîner, lança Annabelle.

Ils prirent leur repas dans la petite salle à manger. Affamé, Stone engloutit la soupe épaisse de palourdes, les grosses tartines généreusement beurrées et la morue croustillante tandis qu'Annabelle picorait dans son assiette.

– Où pouvons-nous discuter ? demanda Stone, enfin restauré.

– Je vous ai pris une chambre à côté de la mienne.

– Euh, je suis un peu à court en ce moment.

– Oliver, pas de ça ! Venez.

Elle alla chercher une cafetière et deux tasses dans la cuisine puis guida Stone à l'étage. Après avoir déposé son bagage, ce dernier la rejoignit dans sa chambre, qui disposait d'une petite salle de bains attenante. Là aussi, un feu crépitait dans la cheminée. Ils s'assirent et burent le café bouillant.

Annabelle repêcha dans son sac une pièce d'identité, une carte de crédit et une liasse de billets qu'elle donna à Stone. Les renseignements inscrits sur les papiers présentaient Stone comme un citoyen du district de Columbia.

– Un travail rapide réalisé par un type que j'ai trouvé. J'ai utilisé la photo de vous que j'avais avec moi. La carte de crédit est parfaitement réglementaire.

– Merci, mais pourquoi vous avez fait ça ?

– S'il vous plaît, ne recommencez pas…

Annabelle garda les yeux rivés sur les flammes pendant que Stone l'observait, hésitant à lui apprendre les dernières nouvelles.

– Annabelle, posez votre tasse.

– Quoi ?

– J'ai quelque chose à vous dire et je n'ai pas envie que vous renversiez du café bouillant.

Une expression de peur assez inhabituelle envahit fugacement le visage d'Annabelle tandis qu'elle obéissait.

– Reuben ? Milton ? Merde, je vous avais dit de ne pas les envoyer à Atlantic City !

– Ils vont très bien. Ça concerne Caleb, qui est en pleine forme lui aussi. Mais il a reçu aujourd'hui une visite inattendue à la Bibliothèque.

– Jerry ? demanda Annabelle, le regard dans le vague comme si elle voyait à travers lui.

Stone hocha la tête.

– À première vue, Caleb a bien joué son rôle. Bagger lui a offert beaucoup d'argent en échange d'informations sur vous.

– Comment il a eu l'idée d'aller à la Bibliothèque ?

– Il a découvert que vous aviez été mariée à DeHaven. Les registres sont accessibles au public, et, si on sait où chercher, c'est un renseignement facile à dénicher sur Internet.

Annabelle s'abattit contre le dossier du canapé.

– J'aurais dû suivre mon plan et me barrer. Putain, je suis stupide.

– Non, vous êtes humaine. Vous êtes venue rendre hommage à votre ancien mari pour qui vous aviez de l'affection. C'est normal.

– Pas quand on vient de voler des millions à un serial killer comme Jerry Bagger. C'est tout simplement idiot, ajouta-t-elle d'un ton amer.

– D'accord, mais il faut vous faire une raison. Vous n'êtes pas allée dans le Pacifique sud, votre associé a foutu la merde, Bagger est à vos trousses et il se rapproche dangereusement. Ce sont des faits que nous devons accepter. Il est trop tard pour vous enfuir, maintenant… Même si vous courez vite, vous laisserez des indices derrière vous. Et il vous talonne de trop près pour les rater. Si vous vous réfugiez sur votre île, il y a fort à parier que Bagger se pointera devant votre porte et que vous serez seule quand il vous tuera.

– Merci, Oliver, vos paroles me réconfortent beaucoup.

– J'espère bien, parce qu'il y a des gens prêts à risquer leur vie pour vous aider.

L'expression d'Annabelle se radoucit.

– Je le sais.

Stone regarda par la fenêtre.

– C'est vraiment une petite ville tranquille. On a du mal à croire qu'on puisse assassiner quelqu'un ici. Où ça s'est-il passé ?

– Dans la périphérie. J'ai l'intention de m'y rendre demain matin.

– Vous voulez qu'on en discute ce soir ?

– Vous avez fait un long trajet en voiture et vous devez être fatigué. Je n'ai pas envie de parler de ça maintenant. Si je veux pouvoir affronter les choses demain, j'ai besoin de dormir un peu. Bonne nuit.

Stone la regarda fermer la porte de sa chambre puis regagna la sienne, en se demandant ce que le lendemain matin allait apporter.

# Chapitre 30

Reuben avait dépensé plus de cent dollars pour les boissons et son dîner avec Angie, mais c'était un bon retour sur investissement. Finalement, il avait appris des choses intéressantes. Les deux types qui avaient échoué à l'hôpital et l'autre dont on était sans nouvelles avaient de toute évidence déplu à leur patron, Jerry Bagger. Angie n'en était pas certaine, mais il s'agissait visiblement d'une question d'argent. Malheureusement, elle ignorait les raisons du départ de Bagger pour Washington, à part que la décision avait été soudaine.

*Je l'aurais parié*, pensa Reuben.

En sirotant son troisième Dark and Stormy, un cocktail de rhum et de bière au gingembre auquel Reuben avait goûté avant de manquer le recracher, Angie lui dit :

– Y a eu des drôles de magouilles dans le coin, récemment. Un de mes copains travaille au service financier du casino. Il m'a raconté qu'on lui a ordonné de tout faire pour retarder une inspection de routine des comptes du casino par la commission de contrôle.

– Ce Bagger a des problèmes de fric ?

Elle secoua la tête.

– J'vois pas comment. Le Pompeii est aussi solide que le département du Trésor. C'est une mine d'or, et M. Bagger est le directeur le plus futé de la ville. Pour lui, un cent est un cent, et il sait les transformer en dollars.

— Alors, il a dû se passer quelque chose, conclut Reuben. Peut-être que ces trois types ont fait une connerie avec le blé du casino… Peut-être l'ont-ils volé et, quand il s'en est aperçu, Bagger les a amochés.

— M. Bagger n'est pas débile. On ne tabasse plus les tricheurs, on leur envoie les flics ou les avocats. Non, j'imagine qu'il s'est passé quelque chose de très grave dont il s'est occupé personnellement.

— Une enquête des flics ?

Angie afficha un air incrédule.

— M. Bagger sait acheter les bonnes personnes. Vous savez combien le Pompeii paie d'impôts à l'État du New Jersey ?

Pensif, Reuben hocha la tête.

— Il a probablement graissé la patte des deux types à l'hôpital. Et l'autre gars n'ira sûrement pas se plaindre à la police.

— Vous avez raison, les morts ne parlent pas. (Angie se rapprocha de Reuben et, après avoir tapoté sa cuisse du bout des doigts, y posa la main.) Assez discuté boutique, parlez-moi de vous. Vous avez été professionnel de foot ? Vous avez un sacré gabarit.

Elle lui pinça la jambe et se pencha vers lui.

— Oui, un peu, pendant mes études. Puis j'ai fait un ou deux tours au Vietnam. J'y ai gagné quelques médailles et des éclats d'obus.

— Vraiment ? Où ? Ici ?

Comme pour s'amuser, elle glissa un doigt dans sa chemise.

— Disons simplement que je ne pourrai plus avoir d'enfants.

Reuben se demanda comment il avait pu mentir à cette femme, qui cherchait de toute évidence à coucher avec lui, mais il avait d'autres soucis en tête.

La mâchoire d'Angie se décrocha au risque de dégringoler sur la table.

— L'addition, s'il vous plaît ! s'écria Reuben en voyant le serveur passer à côté d'eux.

# Chapitre 31

Tandis que Reuben décevait les aspirations d'Angie, Milton testait une nouvelle technique à la table de craps. Pour l'instant, les évènements ne se déroulaient pas aussi bien qu'il l'avait espéré. Certes, il était monté jusqu'à huit mille dollars en tout début de partie, mais son niveau d'exigence était plus élevé que celui de la majorité des gens. Groupés autour du rail, une vingtaine de joueurs l'encourageaient à grands cris et prenaient des paris dans son sillage, espérant désespérément de gros gains ou du moins récupérer un peu de ce qu'ils avaient déjà perdu chez Jerry Bagger.

Des femmes aux seins jaillissant de leurs débardeurs se pressaient autour de lui, un cocktail à la main, enfonçant leurs poitrines dans ses épaules et éclaboussant sa chemise de liqueur, sans cesser de le harceler à propos de sa technique. Milton ignorait qu'il s'agissait d'employées du casino qui avaient pour mission de nuire à sa concentration et de gêner le déroulement du jeu. Cependant, cela ne le dérangeait pas. Il fallait plus que des rafales de questions stupides et des paires de seins siliconés pour perturber Milton Farb.

Les deux croupiers et le superviseur surveillaient l'action et comptabilisaient les paris sans perdre des yeux les curieux qui se pressaient autour du rail et les joueurs attendant d'intégrer la partie. Les places libres se comptaient sur les doigts d'une main, mais il suffisait de croiser le regard d'un des croupiers et de brandir assez de jetons pour faire partie des heureux élus. Tout le monde rêvait de venir jouer à cette table.

Le superviseur, visage de marbre, se tenait dans le fond, guettant le moindre incident. Il était le dernier recours en cas de problème et son boulot consistait à veiller aux intérêts du Pompeii tout en se montrant juste envers les joueurs. L'univers du casino n'était pas un monde de Bisounours. Il n'y avait qu'un dieu ici, l'argent. À la fin de la journée, le Pompeii devait avoir en caisse plus qu'il n'en avait sorti.

Pour l'heure, le chef de table était passablement contrarié ; il exerçait ce métier depuis assez longtemps pour reconnaître un shooter hors pair quand il en voyait un – il avait un mauvais pressentiment.

La table proposait des paris à cinquante dollars minimum et dix mille maximum. Milton construisait les siens avec une précision chirurgicale. Il avait calculé toutes les probabilités possibles et mettait ces connaissances théoriques en pratique. Il avait tiré un 7 au premier lancer de dés, remportant cinq cents dollars grâce à un pari agressif, et ne s'était pas arrêté en si bon chemin. Il soupesait maintenant l'idée de jouer derrière la *pass line*, en maximisant en priorité les 5, les 6 et les 8, puis les 9 et les 5, et plus rarement les 10 et les 4. Tout cela avec la finesse d'un joueur de craps expérimenté. Il avait bénéficié d'un lancer gagnant grâce au 4, au 8 et au 10. Il avait tiré le point à six reprises et l'ambiance devenait de plus en plus électrique.

Nerveux, le superviseur ordonna un changement d'équipe, provoquant l'amertume des croupiers. Les pourboires étant placés pour le casino à la fin du *run* du *shooter*, ils ne verraient pas un cent des gains de Milton. Cependant, le chef de table avait pris la bonne décision. C'était le seul moyen de calmer Milton et les autres joueurs. Néanmoins, cette action, bien qu'autorisée dans le règlement, était impopulaire : des cris de protestation s'élevèrent autour du rail.

Deux agents de sécurité, prévenus dans leurs oreillettes par le superviseur, s'approchèrent de la table. En les voyant débarquer, silhouettes massives et rebutantes, la foule se calma aussitôt.

Le stratagème du chef de table échoua, car Milton tripla bientôt ses points grâce à une succession de paris élaborés. Il avait dépassé les vingt-cinq mille dollars. À moins que les dés ne roulent sous la table, le croupier n'avait pas le droit de les changer, et le superviseur ne pouvait rien faire, à part regarder Milton plumer le casino Pompeii.

Un silence médusé s'empara des spectateurs lorsque Milton plaça cinq cents dollars sur un *horn bet* gagnant avec un 3. La combinaison 1-2 apparut sur les dés, maximisant son pari à 15 contre 1. Il en était maintenant à trente-cinq mille dollars de gains.

Dégoulinant de sueur, le superviseur joua sa dernière carte, en adressant un signe de tête discret à l'employé à la table. L'homme plaça immédiatement un pari sur le 7. Cette démarche avait pour but de parier sur Milton. S'il sortait un 7 maintenant, ou un craps, tous les paris sur la table seraient perdus. Dans le monde du jeu, on estimait généralement que parier sur le lanceur créait un mauvais karma, siphonnait l'énergie ambiante et contribuait à « dégonfler » ce dernier. Des protestations s'élevèrent dans la salle à l'encontre de l'employé. On le bouscula, mais la sécurité intervint, calmant le début d'émeute.

Devant la tentative évidente de le déstabiliser, Milton resta impassible. Imperturbable, il plaça mille dollars en jetons sur le 12, la combinaison de deux 6. On ne pouvait pas faire plus agressif à une table de craps, à l'exception du *snake eyes*, car cela rapportait du 30 contre 1. Cependant, comme il s'agissait d'un unique jeter de dés, Milton devait sortir un double 6 au prochain lancer, faute de quoi il verrait s'envoler tous ses gains. En un mot, parier mille dollars sur un 12 était une folie.

Un silence absolu régnait autour de la table. Il n'y avait plus un centimètre de libre autour du rail et les curieux s'entassaient sur plusieurs rangées derrière les joueurs, les yeux plissés pour ne rien rater de l'action. Rien n'enflamme autant le public dans un casino que d'apprendre qu'un lanceur de dés a la baraka.

Milton lança un regard en coin au superviseur.

– Vous vous sentez en veine ? Moi, oui, en tout cas !

Avant que l'homme ébahi ait pu répliquer, Milton envoya voltiger les dés. Les deux cubes roulèrent sur le feutre, manquant télescoper les piles de jetons entassés sur la table, et rebondirent près du rail.

Un calme immense s'abattit sur la salle, puis un cri s'éleva de la foule, résonnant dans tout le casino. Double 6 ! Milton Farb venait de doubler sa mise et de gagner soixante-cinq mille dollars. Son voisin hurlait en lui filant des grandes tapes dans le dos. Mais, quand Milton ouvrit la bouche, des grognements d'incrédulité succédèrent aux hourras.

– J'encaisse, dit-il au croupier.

Autour du rail, les visages affichaient une expression désolée qui n'aurait pas déparé à des funérailles ou lors d'un crash d'avion.

– Multipliez le pari par deux ! hurla un homme. Vous êtes chaud bouillant. Multipliez par deux !

– Ça paierait les études de mon fils, s'égosilla un autre.

– Je suis plus malin que chanceux, répliqua Milton. Je sais quand je dois m'arrêter.

Une vérité toujours mal perçue dans un casino.

– Va te faire foutre ! s'exclama un gros homme qui fonça sur Milton en abattant sa grosse paume charnue sur son omoplate. Continue de jeter les dés, tu m'entends, espèce de petit connard ! J'ai perdu toute la nuit jusqu'à ce que tu arrives. Continue de lancer, tu m'entends !

– Il t'a entendu, gronda soudain une voix.

Une main encore plus large empoigna l'épaule de l'homme et le tira en arrière.

– Putain, cracha le type en pivotant sur lui-même, les poings serrés.

Levant les yeux, il découvrit le visage de l'imposant Reuben Rhodes. Ce dernier attrapa la baguette sur la table et la brandit dans sa direction.

— Il a fini de jouer, alors je vous suggère de le laisser ramasser ses jetons et de partir avant que je fracasse ce truc sur vos grosses fesses.

# Chapitre 32

Un peu plus tard, alors qu'ils buvaient un verre dans un bar, Reuben réprimanda Milton.

— Nom de Dieu, d'abord le black-jack et maintenant le craps ! Je t'ai dit de te fondre dans la masse, Milton, pas de te faire remarquer. Tu compliques notre mission en te transformant en requin de casino.

— Je suis désolé, Reuben, murmura Milton, l'air contrit. Tu as raison. Je me suis laissé entraîner. Ça n'arrivera plus.

— Comment tu vas faire pour récupérer ton argent sans révéler ton identité ? Quand on gagne gros dans un casino, on doit remplir une déclaration fiscale, avec son nom, son adresse et son numéro de Sécurité sociale. Tu veux que Bagger ait ces infos ?

— Je me suis renseigné sur cette obligation légale, Reuben. Je vais donner un faux nom. Ils ne verront pas la différence.

— Et s'ils vérifient dans une banque de données ?

— Mes papiers me présentent comme citoyen britannique. Et je doute que le casino soit de mèche avec une banque de données anglaise.

Un peu rassuré, Reuben raconta à Milton ce qu'il avait appris grâce à Angie.

– Donc, si on peut coller ces crimes sur le dos de Bagger, Susan pourra revenir à la maison, commenta Milton.

– Plus facile à dire qu'à faire. Un type comme Bagger sait brouiller les pistes.

– Je peux peut-être les remonter.

– Comment ?

– Oliver nous a parlé de cet Anthony Wallace. Quand Bagger l'a retrouvé, il a failli le tuer. La question est : comment l'a-t-il retrouvé ?

– Je l'ignore.

– Je sais qu'il est tard, mais appelle Oliver et Susan. Demande à Susan le maximum de renseignements sur Wallace. Où il habitait, ce qu'il faisait, ce genre de chose…

Reuben partit téléphoner et rejoignit bientôt son ami.

– Oliver l'a réveillée et lui a posé la question. Wallace était descendu à l'hôtel qui se trouve en face du Pompeii. Il se faisait appeler Robby Thomas, originaire du Michigan. Un mètre quatre-vingts, élancé, cheveux bruns, un vrai beau gosse. Sa chambre donnait directement sur le bureau de Bagger.

– C'est ce que j'avais besoin de savoir, dit Milton en se levant.

– Où vas-tu ?

– De l'autre côté de la rue. Bagger a sans doute découvert que Wallace l'espionnait.

Milton finalisa les détails de son plan en traversant la rue.

– Je cherche un M. Robert Thomas, dit-il, arrivé devant le bureau de la réception. Il se fait appeler Robby. Il est censé être descendu dans cet hôtel. Pourriez-vous appeler sa chambre ?

Après avoir rapidement vérifié sur son ordinateur, l'employé secoua la tête.

– Nous n'avons pas de client de ce nom-là.

Milton le gratifia d'un regard stupéfait.

– C'est très étrange. Lui et mon fils sont partis ensemble dans le Michigan. Nous devions dîner tous les trois.

– Je suis désolé, monsieur.

– J'aurais mal compris la date ? C'est ma secrétaire qui s'est occupée de ça et il lui arrive de s'emmêler les pinceaux. Je serais vraiment très ennuyé de poser un lapin à Robby.

L'employé tapa sur quelques touches.

– Nous avons eu un Robert Thomas du Michigan, mais c'était il y a quelques semaines.

Milton eut un hoquet.

– Oh, mon Dieu, je vais virer ma secrétaire à mon retour. Cette idiote !

L'homme lui adressa un regard empreint de sympathie.

– Eh bien, j'espère que Robby s'est bien amusé pendant son séjour, hasarda Milton.

Le réceptionniste jeta un coup d'œil à son écran.

– Il semblerait qu'il s'est offert un massage. Si vous avez raté votre dîner avec lui, au moins, il s'est relaxé.

Milton éclata de rire.

– Seigneur, un massage ! Je n'en ai pas eu depuis une éternité.

– Nous avons un excellent personnel.

– Faut-il être client de l'hôtel ?

– Non, je peux vous prendre un rendez-vous immédiatement si vous le souhaitez.

– Pourquoi pas ? S'il vous plaît, donnez-moi la même masseuse que mon ami. Comme ça, elle et moi, on pourra discuter de Robby. C'est un personnage, je suis sûr qu'elle se souviendra de lui.

L'employé sourit.

– Voilà, monsieur. Laissez-moi téléphoner.

L'homme composa le numéro du spa, mais après avoir parlé pendant deux minutes son visage s'assombrit.

– Oh, bien sûr, je n'avais pas réalisé qu'il s'agissait d'elle. O.K., je vous rappelle.

Il raccrocha et se tourna vers Milton.

– J'ai bien peur que vous ne puissiez avoir la même masseuse, monsieur.

– Ah, elle ne travaille plus ici ?

– Ce n'est pas ça ! (Il baissa la voix.) Elle… euh… Elle est morte.

– Oh, mon Dieu ! Un accident ?

– Je ne saurais le dire, monsieur.

– Je comprends parfaitement. C'est si triste. Elle était jeune ?

– Oui. Et Cindy était vraiment gentille.

– C'est atroce.

– Voulez-vous quand même un massage avec quelqu'un d'autre ? Nous avons un créneau libre.

– Oui, oui, bien sûr. Cindy, c'est bien le nom que vous avez dit ?

– C'est exact. Cindy Johnson.

Une heure plus tard, Milton avait eu droit à un massage vigoureux grâce aux mains expertes d'une femme très enthousiaste prénommée Helen. Quand il orienta la conversation sur la mort de Cindy, le visage de Helen se durcit.

– C'est affreux. Un jour, on est là et le lendemain, plus personne.

– J'ai cru comprendre qu'il s'agissait d'un accident, dit Milton en s'asseyant dans le salon, vêtu d'un peignoir, un verre d'eau de source à la main.

Helen renifla.

– Un accident ?

– Vous n'y croyez pas ?

– Je ne me prononce pas, ni dans un sens ni dans l'autre. Ce ne sont pas mes affaires. Mais sa pauvre maman en a été bouleversée, je peux vous le dire.

– Sa mère ? Pauvre femme. A-t-elle été obligée de venir en ville reconnaître le corps ?

– Quoi ? Non, Dolores vit ici. Elle travaille à une table de craps au Pompeii.

– Pauvre Mme Johnson. Perdre une fille comme ça.

– Je sais. Elle s'appelle Mme Radnor maintenant. Elle s'est remariée. Cindy aimait bien son beau-père, enfin, c'est ce qu'elle disait.

Milton termina son verre d'eau.

– Bon, merci pour ce merveilleux massage. Je me sens un homme neuf.

– À votre service, monsieur !

## Chapitre 33

– Bon sang, Milton ! Susan a vraiment déteint sur toi.

Vingt minutes plus tard, Milton et Reuben se dirigeaient vers la table de craps de Dolores Radnor. Tout en observant cette dernière, Milton plaça un pari sur un lanceur qui semblait en veine. Dolores était mince et son visage ridé semblait empreint d'une tristesse diffuse. Une heure plus tard, lorsqu'elle prit sa pause, Milton la suivit jusqu'à une table, à l'extérieur de la partie bar. Elle sirotait une tasse de café, une cigarette éteinte pendouillant encore au bout de ses doigts.

– Madame Radnor ?

Effrayée, la femme jeta à Milton un regard circonspect.

– Comment savez-vous mon nom ? Il y a un problème ?

– C'est très délicat, commença Milton tandis que Dolores le dévisageait, interrogatrice. Lorsque je suis venu en ville, il y a quelques mois, votre fille m'a fait le meilleur massage de ma vie.

Les lèvres de Mme Radnor se mirent à trembler.

– Ma Cindy était sacrément douée. Elle a appris dans une école, elle a eu un diplôme et tout…

– Je sais, je sais. Elle était géniale. Je lui avais promis de la demander la prochaine fois que je viendrais à Atlantic City. J'étais à l'hôtel tout à l'heure et on m'a dit ce qui était arrivé. Ils ont accepté gentiment de me donner votre nom et l'endroit où vous travaillez.

– Pourquoi ? demanda-t-elle, bien que son regard fût plus triste que soupçonneux.

– Elle a été tellement gentille avec moi que je lui avais promis, à ma prochaine visite ici, de placer un pari au craps pour elle.

Dolores l'étudia plus attentivement.

– Hé, ce n'est pas vous le lanceur qui a fait exploser la table numéro 7 ? J'y ai fait un saut pendant ma pause parce que tout le monde en parlait.

– C'est moi, effectivement. (Il sortit son portefeuille.) Je voulais vous donner la part de Cindy.

– Monsieur, c'est inutile.

– Une promesse est une promesse.

Milton lui tendit vingt billets de cent dollars.

– Oh, mon Dieu ! s'exclama Dolores.

Elle tenta de les rendre à Milton, mais ce dernier insista jusqu'à ce qu'elle les range dans sa poche.

Elle éclata brusquement en sanglots.

Milton prit quelques serviettes en papier rangées dans le présentoir de table et les lui tendit. Elle s'essuya les yeux et se moucha.

– Merci.

– Puis-je faire quelque chose pour vous, madame Radnor ?

– Vous pouvez m'appeler Dolores. Vous venez d'avoir un geste merveilleux.

– Helen, au spa, m'a informé qu'elle était morte dans un accident. C'était un accident de voiture ?

Le visage de la femme se durcit.

– Overdose accidentelle, qu'ils ont dit. Ce sont des conneries. Cindy n'a jamais pris de drogue de toute sa vie. Je le sais, parce que je me suis camée, à un moment. Et je sais reconnaître les gens qui se défoncent.

– Pourquoi ont-il pensé qu'il s'agissait d'une overdose ?

– Elle avait des trucs dans le sang. Et un flacon près de son lit. Du coup, hop, ils ont décidé qu'elle était accro au crack. Mais je connais ma Cindy. Elle a été témoin de ce que m'a fait la came. Finalement, je me suis reprise, j'ai trouvé un bon boulot et maintenant ça… Aujourd'hui, mon bébé est parti.

Elle se remit à renifler.

– Encore une fois, je suis désolé.

Milton partit rejoindre Reuben.

– Voilà le tableau, dit-il, Cindy fait un massage à Tony Wallace, alias Robby Thomas. Wallace est tabassé par Bagger et Cindy meurt d'une overdose accidentelle même si elle ne se droguait pas.

– Ça ne peut pas être une coïncidence, reconnut Reuben.

– Le plus probable, c'est que Bagger l'a tuée. Je vais essayer de fouiner un peu sur le site Internet du Pompeii. Et de trouver une *backdoor* que je peux exploiter.

Ils quittèrent le casino sans remarquer l'homme en costume qui avait observé Milton et Dolores. Il sortit son talkie-walkie.

– On va au-devant d'un gros problème. Prévenez M. Bagger.

# Chapitre 34

L'enquête en était à son dernier stade et la phase d'infiltration avait commencé. Voilà pourquoi, malgré l'heure matinale, Finn avait pris place dans cette file d'attente, quelques heures à peine après avoir regagné Washington. Tout en écoutant discourir l'homme en tête du groupe, il ne cessait de songer à sa mère, une créature à la fois si frêle et si déterminée.

Comme à d'innombrables reprises, elle lui avait raconté l'histoire de son père, Rayfield Solomon. Solomon s'était toujours montré d'une insatiable curiosité intellectuelle et d'une intégrité totale. Pendant des dizaines d'années, il avait œuvré pour son pays, se bâtissant à la fois la réputation d'un patriote sincère et d'un homme ingénieux, inventif, capable de trouver les solutions aux problèmes les plus insolubles. Plus tard, il était tombé amoureux de la mère de Harry Finn et l'avait épousée. Après la naissance de Harry, la situation avait commencé à changer, plus précisément à se détériorer.

Puis il était mort ; il s'était prétendument suicidé dans un accès de culpabilité. La mère de Harry réfutait cette soi-disant vérité.

– Tout ça ce sont des mensonges, lui répétait-elle en boucle. Rien de ce qu'on dit sur lui ou sur moi n'est vrai. Ils l'ont éliminé pour des raisons qui n'appartiennent qu'à eux.

Ces raisons, Finn les connaissait bien car sa mère les lui avait enfoncées dans le crâne depuis sa plus tendre enfance. Le parcours exemplaire de Rayfield Solomon avait été oublié, son nom souillé. Ce n'était pas tant cette honte imméritée qui blessait la mère de Harry. Elle ne parvenait pas à accepter l'idée d'avoir perdu prématurément l'homme qu'elle aimait.

– Il ne méritait pas tout ça, disait-elle. Maintenant, c'est l'heure de la vengeance.

L'histoire de son père, Finn l'avait entendue pour la première fois alors qu'il n'avait que sept ans. Cette révélation l'avait profondément choqué et avait mis à mal l'idée qu'il se faisait à l'époque de la justice. Aujourd'hui encore, il ne parvenait pas à admettre qu'on puisse détruire aussi complètement et injustement la réputation d'un homme.

Il chassa ces pensées lugubres et se concentra sur la mission qui l'attendait. Trois autres membres de son équipe avaient pris place dans la foule. Parmi eux, deux étudiants que son bureau avait décidé d'envoyer faire un tour sur le terrain et une femme, presque aussi professionnelle que lui.

Grâce au système D et à pas mal de ruse, ils s'étaient procuré des tickets d'entrée pour une visite VIP du Capitol Visitor Center, en voie d'achèvement. Ce complexe de trois étages s'étendait sur six cent mille mètres carrés, derrière la partie est du Capitole, de façon à ne pas nuire à la structure et à l'aspect de l'édifice historique. Le Visitor Center abritait des boutiques de souvenirs, des supermarchés, un immense hall, une salle d'exposition, un auditorium et divers espaces à la fois fonctionnels et officiels, dont un spécialement dévolu aux opérations de la Chambre des représentants et du Sénat. Il était prévu pour accueillir chaque année des millions de visiteurs venus des quatre coins du monde. Cependant, le projet accusait déjà un retard de plusieurs années et était en passe d'exploser le budget prévu. Deux éléments intriguaient particulièrement Finn : le tunnel qui reliait le Visitor Center au Capitole proprement dit et le souterrain de service réservé aux livraisons.

Chaque membre de l'équipe était nanti d'une caméra numérique à la boutonnière, afin de photographier discrètement tous les recoins du site. De nombreux passages et couloirs encore en construction partaient dans de multiples directions, ce qui pourrait se révéler précieux pour Finn et ses coéquipiers.

Finn posa plusieurs questions au guide, des questions assez innocentes en apparence. À son signal, les autres membres du groupe entrèrent dans la danse, s'intéressant à des points de détail. Mis bout à bout, tous ces renseignements fournis par le guide sans méfiance suffisaient presque à faire exploser le Capitole et tous ses occupants.

*Vous êtes sans le savoir le meilleur ami des terroristes,* dit Finn intérieurement à leur aimable cicérone.

En compagnie de son équipe, il arpenta les cent dix hectares de parc, recueillant de nouvelles données. Un peu plus tard, ils se retrouvèrent dans un delicatessen désert sur Independence Avenue, le temps de passer en revue les résultats de la matinée et de planifier la suite des évènements.

– J'ai l'impression que les congressistes aiment être protégés, dit l'un des membres du groupe. L'opération que nous montons va coûter un max à l'oncle Sam.

– Ce n'est qu'une goutte d'eau dans le budget fédéral, répliqua la femme. Harry, nous, on retourne au bureau. Il faut que je fasse du piratage téléphonique pour le Pentagone.

– Vous pouvez rentrer, dit Finn. J'ai autre chose à faire.

Après les avoir laissés au deli, il dirigea ses pas vers le Hart Senate Office Building, l'un des trois plus récents et plus importants complexes qui abritaient les cent sénateurs américains et leur personnel pléthorique. Finn était sidéré qu'une centaine de personnes soient incapables de travailler dans les cent quatre-vingt-six mille mètres carrés que leur offraient le Hart Office Building, le Russel et le Dirksen Senate réunis. Les hommes politiques réclamaient sans cesse de nouveaux bâtiments, alourdissant chaque jour un peu plus les impôts.

Le Hart Senate Building, situé au coin de la 2e Rue et de Constitution Avenue, devait son nom à Philip Aloysius Hart, un sénateur du Michigan mort en 1976. Ainsi que le disait l'inscription au-dessus de l'entrée principale, ce dernier était un homme d'une grande intégrité.

*Aujourd'hui, il se sentirait bien seul*, pensa Finn.

Il déambula dans l'édifice, admirant au passage l'atrium central haut de trente mètres et sa principale curiosité, un stabile baptisé *Mountains and Clouds*, œuvre du célèbre sculpteur Alexander Calder.

Bien qu'il y eût cinquante sénateurs dans le Hart Building, Finn ne s'intéressait qu'à l'un d'eux : Roger Simpson, représentant du gigantesque État de l'Alabama.

Les mesures de sécurité dans le bâtiment avaient tout d'une vaste plaisanterie. Malgré la tragédie du 11 septembre, après un passage par le détecteur de métaux, on pouvait se rendre où l'on voulait. Finn emprunta l'ascenseur jusqu'au bureau de Simpson. Il était difficile de le rater : le drapeau de l'État de l'Alabama flottait au-dessus du chambranle. Debout près de la porte vitrée, Finn photographia l'intérieur de la pièce à l'aide de sa caméra miniaturisée, concentrant en apparence son attention sur la jeune réceptionniste. Il s'apprêtait à repartir, après avoir repéré la topographie de l'étage, quand la porte s'ouvrit, laissant le passage à Roger Simpson en personne et à son imposante escorte.

Roger Simpson mesurait près d'un mètre quatre-vingt-quinze et arborait une forme insolente. Ses cheveux tirant sur le blond étaient parsemés de mèches grises ; il affichait l'attitude distante et réfléchie du type habitué à être obéi et respecté dans son intimité.

L'ascenseur s'ouvrit de nouveau et une femme blonde en sortit. En l'apercevant, Simpson eut un sourire et s'avança vers elle pour la serrer brièvement dans ses bras. Elle le gratifia à son tour d'un baiser sur la joue, dénué de sincérité. Il s'agissait de Mme Simpson, ancienne Miss Alabama, diplômée d'un MBA d'un établissement sélect de l'Ivy League. Ce curriculum vitae était plutôt inhabituel pour une future Première Dame.

Finn remarqua les deux hommes qui entouraient Simpson. Leurs oreillettes et les armes qu'ils portaient à leurs ceinturons les désignaient assez naturellement comme des agents des services secrets. Depuis la mort des ex-Triple Six et de Carter Gray, Simpson semblait avoir pris des précautions supplémentaires.

Le plan de Finn ne prévoyait pas une attaque directe contre lui. La seule chose qui le préoccupait était la photographie de Rayfield Solomon. Simpson avait le droit de savoir pourquoi il était condamné. Finn se tranquillisa : il trouverait bien un moyen, il en trouvait toujours.

Il quitta calmement le bâtiment.

# Chapitre 35

Stone se leva de bonne heure, mais Annabelle l'avait devancé : elle était déjà dans le salon et buvait une tasse de thé devant la cheminée. Il lui adressa un rapide signe de tête.

– Nous y voilà ! lâcha-t-elle. Vous voulez prendre votre petit déjeuner ?

Ils mangèrent dans une pièce glaciale attenante à la kitchenette. Annabelle regardait à peine son assiette tandis que Stone mâchonnait ses œufs et ses toasts en lui lançant des regards à la dérobée.

– Vous avez eu des nouvelles de Milton et de Reuben depuis leur dernier coup de fil ? demanda-t-elle. Ils ont découvert autre chose ?

– Pas encore, mais je suis sûr qu'ils nous préviendront.

Dès qu'il eut fini sa tasse de café, elle se leva.

– Vous êtes prêt ?

– On va voir la maison ?

– C'est impossible. Elle a été détruite et on a reconstruit un truc monstrueux à la place. Mais on peut quand même visiter le quartier.

Ses joues étaient rouges, et son regard hagard. Stone se demanda si elle était malade.

– Je vais bien, dit-elle brusquement comme si elle lisait dans ses pensées. Simplement, je n'ai pas beaucoup dormi.

Une demi-heure plus tard, ils se trouvaient à l'endroit où la mère d'Annabelle avait été assassinée.

– C'est là, signala-t-elle. Du moins le lieu où ça s'est passé. Maman habitait un minuscule cottage.

L'habitation qui l'avait remplacé n'avait rien de minuscule. Au contraire, la maison en bardeaux, agrémentée d'immenses tourelles qui donnaient sur l'Océan, semblait aspirer à faire la une du magazine *Architectural Digest*.

– Quand a-t-on détruit le cottage ? demanda Stone.

– Il y a six ans. Peu de temps après son assassinat. Les crimes brutaux ne sont pas de taille à rivaliser avec une vue sur l'Océan.

– Bon, comment on procède ?

– Sans vous faire injure, je suggère qu'on se fasse passer pour un père et sa fille, à la recherche d'un endroit pour votre retraite. On trouve un agent immobilier dans le coin et on lui pose des questions.


Quelques heures plus tard, dans l'après-midi, Annabelle et Stone arpentaient, en compagnie d'une femme aux cheveux bruns et courts, bâtie comme une chope de bière, le jardin d'une propriété en vente. La bâtisse se trouvait à quatre numéros du cottage où la mère d'Annabelle avait reçu une balle dans la tête, grâce à Jerry Bagger.

– C'est adorable, papa, roucoula Annabelle tandis qu'ils contemplaient l'endroit délabré. Je n'arrive pas à comprendre pourquoi personne n'a encore sauté sur cette bonne affaire.

– D'abord, parce que c'est immense. Et puis, ça a visiblement besoin de travaux, répliqua fermement Stone.

– Allez, papa, minauda Annabelle. C'est face à l'Océan. Ça fait longtemps que tu cherches et tu n'as encore rien trouvé qui en vaille la peine. Tu ne t'imagines pas à la retraite ici ? Admire cette vue.

Stone se tourna vers l'agent immobilier.

– La maison au bout de la rue sur la droite est de toute beauté et en excellent état. Est-ce que les propriétaires seraient susceptibles de vendre ?

– Les MacIntosh ? Non, je ne pense pas.

– Les MacIntosh ? répéta Annabelle. Ce nom ne me dit rien. Mais j'ai connu les gens qui vivaient là avant. Enfin, je ne les connaissais pas intimement, c'étaient des amis d'amis. Je leur ai rendu visite une fois. C'est d'ailleurs pour ça que nous sommes là. J'ai souvenir que c'était très joli.

– Ça fait longtemps que je suis dans la région. Vous rappelez-vous leurs noms ?

Annabelle fit mine de réfléchir.

– Connor ou Conway. Non, Conroy ! C'est ça. Conroy !

– Vous ne voulez pas dire Tammy Conroy ? s'enquit brusquement l'agent immobilier.

– Si, je crois que c'est ça. Maintenant, je me souviens. Une grande femme mince avec des cheveux roux.

L'employée de l'agence paraissait sous le coup de l'émotion.

– Tammy Conroy ! Oh, mon Dieu ! Vous êtes sûre ?

– Pourquoi ? Il y a un problème ?

– Vous la connaissiez bien ?

– Comme je vous l'ai dit, c'était l'amie d'une amie. Pourquoi ?

– Je suppose que vous l'apprendrez tôt ou tard. Il y a quelques années, Tammy Conroy a été tuée dans le petit cottage qui se trouvait à l'emplacement de la maison des MacIntosh.

– Tuée ! s'exclama Annabelle en agrippant le bras de Stone.

– Vous voulez dire qu'elle a eu un accident, s'interposa Stone.

– En fait, non, elle a été… euh… assassinée. (Elle ajouta en hâte :) Mais il n'y a plus jamais eu de meurtre dans le quartier. C'est un endroit très sûr.

– Ont-ils arrêté le meurtrier ? demanda Annabelle.

L'agent immobilier sembla encore plus mal à l'aise.

– En fait… Non, on n'a jamais pris le coupable.

– Seigneur ! s'écria Stone. Si ça se trouve, il est encore dans les parages, prêt à tuer de nouveau. Il fait peut-être une fixation sur son voisinage. On a vu des choses plus bizarres.

– Je ne crois pas que c'était le cas, intervint la femme. La propriétaire qui habitait là avant Mme Conroy était une vieille veuve. Elle est morte de vieillesse et son fils a vendu la maison à Mme Conroy. C'est moi qui me suis occupée de la transaction.

– C'était peut-être le mari le coupable, suggéra Annabelle. Enfin, si elle était mariée… Il y a beaucoup de crimes domestiques. C'est affreux !

– Elle avait effectivement un époux, mais je ne me souviens plus de son nom. Il était absent le jour où on l'a assassinée, je crois. Du moins, la police ne l'a jamais considéré comme suspect. J'ai toujours pensé que c'était l'œuvre d'un étranger. Tammy vivait seule. Je ne suis même pas sûre qu'elle avait des enfants. Ça s'est passé il y a des années et, comme je vous l'ai dit, le quartier est vraiment très sûr. Bon, ça vous dirait de voir la maison ?

Après une rapide visite de l'intérieur de la propriété, ils notèrent les coordonnées de l'employée de l'agence en disant qu'ils la rappelleraient. Alors qu'ils s'éloignaient en voiture, Annabelle tira une écharpe marron de sa poche et la caressa doucement.

– C'est quoi ?

– Un fichu que ma mère m'a donné. C'était pour mon anniversaire. C'est la dernière chose qu'elle a pu m'offrir.

– Je suis désolé, Annabelle.

Elle se renfonça dans son siège et ferma les yeux.

– Je n'ai même pas pu assister à son enterrement. Dans le monde de l'arnaque, certains ont dit que Bagger était dans le coup et que mon père s'en était tiré à bon compte comme d'habitude. Comme je savais que Bagger risquait de m'espionner, je ne suis jamais allée sur sa tombe.

– Et vous pensez que votre père est mort ?

– On peut le dire comme ça. En tout cas, si mon vœu est exaucé, il l'est !

Au bout de la rue, le feu passa au rouge, et Stone s'arrêta. Annabelle jeta un regard nonchalant à un homme grand et mince qui sortait d'un bar. Son visage se figea.

– Que se passe-t-il ? s'écria Stone, qui avait remarqué son changement d'expression.

– Le type qui vient de sortir du bar de l'autre côté de la rue, murmura-t-elle, les yeux rivés sur l'individu en question.

– Eh bien ? demanda Stone en suivant son regard.

– C'est mon père, Paddy Conroy.

# Chapitre 36

— Garez-vous, Oliver ! aboya Annabelle.

— Qu'est-ce que vous allez faire ?

— Pour l'instant, je me retiens de vomir.

Elle laissa tomber son menton sur le tableau de bord sans quitter son père des yeux.

— Bon Dieu, c'est comme si je voyais un fantôme.

Elle se rassit lentement sur son siège et épongea la sueur qui lui coulait sur le front.

— Qu'est-ce que vous voulez faire ? répéta Stone.

— Je ne sais pas. Je suis à court d'idées.

— D'accord, c'est moi qui décide. On le suit. Ça nous apportera peut-être des informations utiles.

— Ce salaud a laissé mourir ma mère.

Stone vit qu'Annabelle agrippait si violemment son accoudoir que ses doigts en devenaient blancs. Il posa une main rassurante sur son épaule.

— Je comprends, Annabelle. Je sais que les gens vivent et meurent pour de mauvaises raisons. Et j'imagine que c'est un choc pour vous de découvrir, un, que votre père est vivant, deux, qu'il habite dans cette ville. Mais nous devons garder notre sang-froid. J'ai du mal à croire que sa présence ici soit une coïncidence. Et vous ?

Elle secoua la tête.

– Alors, on va le suivre, redit-il. Vous êtes d'accord ? Ou vous préférez que je vous dépose ? Je peux le faire seul.

– Non, je veux vous accompagner, répliqua-t-elle sèchement. (Elle ajouta plus calmement :) Je me sens bien, maintenant, Oliver. Merci.

Elle lui pressa la main avec gratitude. Par la vitre, ils virent Paddy Conroy grimper dans un pick-up déglingué stationné dans la rue. Le trajet ne dura que dix minutes. Juste le temps de sortir du centre-ville et d'arriver en pleine campagne. Quand le véhicule de Paddy franchit un portail en fer forgé, Annabelle retint son souffle.

Stone attendit quelques minutes, puis à son tour pénétra dans le cimetière Mount Holly. Quelques instants plus tard, ils descendirent de voiture et se faufilèrent furtivement derrière une rangée d'arbres. De leur cachette, ils virent Paddy se diriger en traînant les pieds vers une pierre tombale, extraire quelques fleurs de son pardessus élimé, s'agenouiller et les déposer sur la terre meuble.

Il ôta son chapeau, révélant une épaisse crinière de cheveux blancs, et joignit les mains comme pour prier. Un long gémissement bruyant jaillit de ses lèvres. Il sortit un mouchoir de sa poche et s'essuya le visage.

– La tombe de votre mère ? s'enquit Stone.

Elle opina sèchement de la tête.

– Il a l'air d'avoir du chagrin, observa Stone.

– C'est pour se donner bonne conscience, le salaud ! Il n'a pas changé. (Voyant Stone quitter sa cachette, elle le retint par la manche.) Où allez-vous ?

– Vérifier votre théorie.

Avant qu'elle ait pu l'arrêter, Stone émergea du bosquet et se dirigea vers Paddy. Puis il ralentit l'allure et fit mine de déchiffrer les inscriptions sur les pierres tombales avant de s'arrêter à quelques mètres de l'endroit où Paddy était agenouillé, pleurant en silence.

– Je ne veux pas vous déranger, murmura Stone. Ça fait des années que je ne suis pas venu sur la tombe de ma tante. Je voulais lui rendre hommage.

Paddy releva la tête et frotta sa large figure avec son mouchoir.

– C'est un cimetière public, mon pote.

Stone se laissa tomber à genoux devant la stèle qu'il avait choisie au hasard tout en gardant Paddy dans sa vision périphérique.

– Les cimetières nous pompent toute notre énergie, pas vrai ?

Paddy acquiesça.

– C'est une pénitence pour les vivants. Et un avertissement pour nous tous.

– Un avertissement ?

Stone se tourna vers lui. Il comprit. Paddy Conroy en était au stade terminal. Les ombres autour de son visage pâle et creusé, son corps émacié et ses mains tremblantes le révélaient.

Paddy hocha la tête.

– Regardez ces tombes ! (Il leva un bras tremblant.) Tous ces défunts qui attendent que le Tout-Puissant descende leur dire où on va les emmener. Ils patientent dans la terre en attendant le purgatoire, si vous préférez. Ils attendent l'annonce de Dieu. Pour l'éternité.

– L'enfer ou le paradis, dit Stone en hochant la tête.

– Vous êtes joueur ?

Stone eut un geste de dénégation.

– J'ai passé toute ma vie à parier. À votre avis, combien d'entre eux vont monter et combien vont descendre ?

– Espérons qu'ils seront plus nombreux à monter, reconnut Stone.

– Vous perdriez votre argent.

– Vous voulez dire qu'il y a plus de gens malfaisants ?

– Prenez mon cas. Je ferais aussi bien de choisir tout de suite un bon coin ensoleillé au fond de l'enfer. Pas besoin de se demander où je vais finir…

– Vous regrettez certaines choses ?

– Si je regrette ? Monsieur, si les regrets étaient des dollars, je serais Bill Gates en personne.

Paddy se pencha et embrassa la stèle.

– Au revoir, ma Tammy chérie. Repose-toi, maintenant.

Il se releva sur ses jambes caoutchouteuses et remit son chapeau.

– Celle-là, elle va monter droit au paradis, dit-il en se tournant vers Stone. Vous savez pourquoi ? (Stone fit non de la tête.) Parce que c'est une sainte. Faut être une sainte pour supporter quelqu'un comme moi. Rien que pour ça, le jour du jugement dernier, le vieux saint Pierre l'accueillera les bras ouverts. J'aimerais être là pour voir ça.

# Chapitre 37

C'étaient les premières heures du jour. Assis dans la suite d'un hôtel chic, Jerry Bagger réfléchissait sérieusement à augmenter le prix des chambres au Pompeii. Selon lui, la vue sur la Maison-Blanche ne valait pas mille dollars la nuit. Alors qu'il regardait par la fenêtre, songeur, la demeure du Président, Mike, l'un des hommes de son équipe de sécurité, entra dans la pièce.

— On a reçu un coup de fil du casino tard hier soir, mais on n'a pas voulu vous réveiller. Il y avait un type qui parlait à Dolores.

Bagger se leva et se retourna.

— Qui parlait de quoi à Dolores ?

— D'après ce qu'on a entendu, il a été question une ou deux fois de sa fille.

— Cette vieille Cindy, énonça lentement Bagger. Visiblement, Dolores pleure toujours sa môme. C'est qui, le type ? Un flic ? Un fédéral ?

— On cherche. Et il se balade avec un mec énorme. On les a pris en filature. Ils habitent une espèce de taudis à la sortie de Boardwalk.

— Bon, trouvez-moi ça vite.

— Et si c'est un flic ?

– Prévenez-moi. Ensuite, on verra. Dégommer un flic, c'est une sacrée paire de manches. T'en tues un, y en a un paquet qui rapplique. C'est pareil avec les féd'. Garde le contrôle. Vérifie où ces types sont allés. (Bagger se rassit tandis que Mike s'éloignait.) Attends une minute, Mike ! Il a rappelé, ce branleur de républicain amish ?

– Non, monsieur.

– Son histoire avait l'air réglo… Pourquoi est-ce que je pense qu'il mentait ?

– Vous avez un instinct infaillible, monsieur Bagger.

*Pas assez. Annabelle m'a chopé par les couilles et m'a séché sur place.*

– Vous voulez qu'on cause avec lui ?

Bagger secoua la tête.

– Pas maintenant. Mais suivez-le. J' veux voir où il va le soir, ce bibliothécaire des livres rares.

– Alors on va rester en ville un moment ?

Bagger regarda par la fenêtre.

– Pourquoi pas ? Plus ça va, plus ça me plaît, ici. (Il pointa un index sur la Maison-Blanche.) Regarde, Mike. C'est la baraque du Président, le fils de pute le plus puissant du monde. Un hochement de tête, et il atomise tout le pays. Quand il a le moral, la Bourse monte de mille points. Il a une super armée. Tout ce qu'il veut, il l'a. (Bagger claqua des doigts.) Comme ça. Une pipe dans le bureau ovale, supprimer les impôts des riches, envahir d'autres pays, il a tout… Parce qu'il est le chef. Je respecte ça. Il ne se fait que quatre cent mille dollars l'année, mais il a de sacrés avantages et il se balade gratuitement dans un jet beaucoup plus gros que le mien. Cependant, tu sais quoi, Mike ?

– Oui, monsieur Bagger ?

– Dès qu'il n'est plus au pouvoir, il n'est plus rien. Moi, je serai toujours Jerry Bagger.

# Chapitre 38

Harry Finn vit son plus jeune fils, Patrick, tournoyer sur lui-même et rater la balle qui arrivait à la hauteur de ses yeux. Les parents installés dans la tribune voisine poussèrent un grognement. La troisième prise fut annoncée et la partie s'acheva. Le gamin de dix ans regagna tristement son abri de touche, en traînant sa batte derrière lui, tandis que l'autre équipe commençait à célébrer la victoire. L'entraîneur de Patrick gratifia ses jeunes joueurs d'un petit discours enthousiaste, les gamins avalèrent leurs goûters – pour beaucoup, le point fort de la soirée – et les parents commencèrent à regrouper leurs futures vedettes pour les ramener à la maison.

Patrick était toujours assis dans l'abri de touche avec son casque et ses gants de batteur aux mains comme s'il espérait un autre tir pour envoyer la balle par-dessus la clôture. Finn trouva quelque chose à grignoter et s'assit à côté de lui.

– Tu as très bien joué, Pat, dit-il en lui tendant un sachet de chips et une boisson énergisante à l'orange. Je suis fier de toi.

– J'ai fait perdre le match à mon équipe.

– Tu as marqué à deux reprises. Et tu as rattrapé une balle qui était passée, en fait, au-dessus de la clôture avec deux types dessus et deux dehors. Ils ont gagné trois points à ce moment-là.

(Il frictionna l'épaule de son fils.) Tu as bien joué. Mais tu ne peux pas tous les battre.

– C'est pour ça que perdre, ça forge le caractère, comme tu dis ?

– Ouais, c'est ça. Mais n'en prends pas l'habitude. Les gens détestent les losers. (Il tapota d'un geste espiègle le casque de son fils.) Et si tu ne manges pas ces chips, je les prends.

Il s'empara du sac.

– Hé, ce sont les miennes. Je les ai gagnées.

– Je croyais que tu avais fait perdre le match à ton équipe.

– On ne l'aurait pas remporté, de toute façon, même sans moi.

– Ah, enfin, tu t'en rends compte ! Je savais bien que le cerveau des Finn se trouvait là (Il frotta ses phalanges contre le casque.) Enlève ça, tu as la tête bien assez dure.

– Merci pour ton soutien, papa.

– Que dirais-tu de manger quelque part sur le chemin du retour ?

Patrick sembla agréablement surpris.

– Juste toi et moi ?

– Juste toi et moi.

– Ça ne va pas foutre David en rogne ?

– Ton frère a treize ans. Il n'aime plus beaucoup se balader avec son vieux père. Je ne suis pas assez cool et branché. Ça changera dans dix ans, lorsqu'il aura ses dettes d'université sur le dos et sera au chômage. Alors là, je redeviendrai un type brillant.

– Je te trouve cool et branché.

– C'est ce que j'aime chez toi.

Tandis qu'ils retournaient vers la voiture, Finn hissa Patrick sur ses épaules et courut. Arrivé dans le parking, il reposa son fils par terre pour reprendre son souffle.

– Papa, pourquoi tu continues de me porter comme ça ? demanda Patrick en riant.

Le visage de Finn se détendit dans un sourire et ses yeux s'embrumèrent.

– Parce que bientôt je ne pourrai plus le faire, fiston. Tu pèseras trop lourd. Et même si tu ne grossis pas, tu n'en auras plus envie.

– C'est si important que ça ? dit Patrick en croquant ses chips.

Finn déverrouilla la portière du véhicule et jeta le sac de son fils à l'intérieur.

– Ouais. Tu comprendras vraiment le jour où tu seras père.


Ils dînèrent dans un burger du coin.

– J'adore cette nourriture ! s'exclama Patrick.

– Apprécie pendant qu'il en est encore temps. Quand tu auras mon âge, tu verras que ce n'est pas bon pour la santé.

Patrick se fourra une frite dans la bouche.

– Comment va mamie ? (Finn se raidit légèrement.) Maman dit que tu es allé la voir. Comment elle va, alors ?

– Ça va. Non, en fait, elle n'est pas en grande forme.

– Pourquoi on ne va plus la voir ?

– Je ne suis pas sûr qu'elle aimerait qu'on la voie dans l'état où elle est.

– Je m'en fiche. Je la trouve rigolote, même si elle parle un peu bizarrement.

– Oui, c'est vrai, répondit Finn en regardant son cheeseburger à moitié mangé. (Son appétit s'était soudain envolé.) Peut-être irons-nous la voir bientôt.

– Tu sais, papa, on ne dirait pas une Irlandaise.

Finn pensa à la femme de haute stature aux épaules carrées et aux traits aigus, presque émaciés, une caractéristique commune à tant d'Européens de l'Est de cette génération. Il peinait à réconcilier cette image avec la petite silhouette rétrécie qu'était devenue sa mère. Son fils avait raison, elle ne faisait pas très irlandaise. Normal, elle ne l'était pas.

– Elle n'est pas irlandaise, s'empressa-t-il de préciser. C'est ton grand-père qui l'était.

Il n'aimait pas mentir à son fils, mais sur ce sujet la vérité était impossible à dire. Oui, son père, le juif irlandais.

– Tu disais qu'il était sympa.

– Très sympa.

– J'aurais aimé le connaître.

*Moi aussi,* pensa Finn. *Et pendant beaucoup plus longtemps.*

– Elle vient d'où, mamie, alors ?

– Ta grand-mère est originaire d'un peu partout, répondit-il d'un ton évasif.

Lorsqu'ils arrivèrent à la maison, Mandy les attendait sur le seuil.

– Harry, tu es censé te rendre dans la classe de Susie demain, annonça-t-elle après avoir envoyé Patrick se mettre en pyjama. C'est la journée des métiers.

– Mandy, je t'ai déjà dit que je ne me sentais pas très à l'aise avec ce genre de réunion.

– Tous les autres parents le font. Susie se sentira exclue si tu ne l'accompagnes pas. J'irais volontiers, mais je ne crois pas que faire le taxi, la cuisine et la lessive soit réellement une profession.

Il l'embrassa.

– À mes yeux, si. Tu travailles plus dur que n'importe qui.

– Il faut que tu y ailles, Harry. Sinon, Susie sera très déçue.

– Chérie… Laisse-moi souffler un peu !

– Très bien, mais si tu te défiles, annonce-lui toi-même. Elle t'attend dans son lit.

Mandy s'éloigna, laissant Finn planté près de la porte. En grognant, il grimpa à contrecœur l'escalier. Susie était assise dans son lit, entourée de ses animaux empaillés. Il y en avait onze, sans lesquels elle ne pouvait s'endormir. Elle les appelait ses anges gardiens. Par terre, on en dénombrait encore dix autres. Ceux-là, elle les avait baptisés ses « chevaliers de la Table ronde ».

Elle leva sur lui ses grands yeux bleus.

– Tu viens demain, papa ? demanda-t-elle sans tourner autour du pot.

– J'en parlais justement avec ta mère.

– La maman de Jimmy Potts est venue aujourd'hui. Elle est biologiste marine. (Susie prononça les mots lentement en se grattant la joue.) Je ne sais pas ce que c'est, mais elle a apporté des poissons vivants.

– Ça m'a l'air super.

– Toi aussi, tu seras super. J'ai parlé de toi à toute ma classe.

– Qu'est-ce que tu leur as dit ?

Susie n'avait aucune idée de ce qu'était son métier.

– J'ai dit que tu étais soldat.

– Oh ! c'est exact, je l'ai été.

– J'ai dit à tout le monde que tu étais dans la Navy. Et que tu étais un *morse*, ajouta-t-elle d'un air important.

Retenant une forte envie de rire, Harry lui expliqua patiemment qu'il avait été commando marine, c'est-à-dire un Navy Seal, et non pas un morse.

– Souviens-toi, chérie, il y a beaucoup d'anciens militaires dans le quartier. Ce n'est pas un métier tellement rare.

– Mais tu seras le meilleur, papa, je sais que tu le seras. S'il te plaît, viens, s'il te plaît…

Elle le tira par la manche et noua ses bras autour de lui. Avec ça, quel père aurait pu dire non ?

– D'accord, chérie, je viendrai.

Alors qu'il éteignait la lumière avant de s'en aller, Susie le rappela.

– Papa, je peux te demander quelque chose ?

– Bien sûr.

– Quand tu étais soldat, tu as tué des gens ?

Finn s'adossa à la porte. Il ne s'attendait pas à cette question.

– Parce que Joey Menkel dit, ajouta Susie, que son père a tué des tas de méchants en Irak. Et il est soldat lui aussi. Alors, tu l'as fait ?

Finn se rassit à côté d'elle, lui prit la main et lui expliqua lentement :

– Quand les gens se battent, il arrive que certains soient blessés, chérie. Ce n'est jamais bien de blesser quelqu'un. Mais les soldats font ça pour se défendre et protéger leur pays, là où vivent leurs familles.

– Alors tu l'as fait ? insista-t-elle.

– On se voit demain à l'école. J'espère que tu dormiras bien.

Il l'embrassa sur le front et bondit littéralement hors de la chambre.

Une minute plus tard, il était dans le garage. L'armoire forte dans laquelle il stockait ses armes pesait plus de quatre cent cinquante kilos. Elle était dotée d'une clé, d'une combinaison et d'un système de verrouillage biométrique qu'il était le seul à pouvoir ouvrir. Il déverrouilla la lourde porte et sortit un petit coffre, lui aussi muni d'un cadenas et d'un code, dont il tira un dossier qu'il déposa sur son établi. Les photos et les rapports étaient jaunis, mais rien que le fait de les regarder le plongeait dans une rage presque incontrôlable. Il lut quelques mots à voix haute : « Rayfield Solomon, traître présumé, s'est suicidé en Amérique du Sud .»

Il contempla la photographie de son père, assassiné d'une balle dans la tempe droite et qui avait laissé pour seul héritage le souvenir d'avoir trahi son pays.

La fureur qu'éprouvait Finn, ce soir-là, était très différente de celle qui l'habitait la plupart du temps en regardant ce dossier. Quelque chose avait changé en lui. Et la raison en était la question d'une petite fille : « As-tu déjà tué quelqu'un, papa ? »

*Oui, chérie, papa l'a fait.*

Il remit les rapports et les clichés sous clé puis éteignit la lumière du garage. Mais, au lieu de regagner la maison, il partit se promener et erra dans le quartier jusqu'à minuit passé. Quand il rentra enfin, tout le monde dormait depuis longtemps. Sa femme était habituée à ses errances nocturnes. Il se glissa dans la chambre de Susie, s'assit au bord de son lit et regarda sa poitrine se soulever et s'abaisser.

Quand l'aube arriva, Finn quitta sa fille, se doucha et s'habilla, prêt à se rendre à l'école pour évoquer son métier de soldat. Il ne parlerait pas de son activité d'assassin. Même s'il en était un.

Alors qu'il traversait le hall pour rejoindre la classe de CM1, une minuscule fissure se fit jour entre les deux compartiments de son cerveau, ceux qui séparaient Harry Finn de l'homme qu'il allait devoir incarner. Il ne s'en rendit même pas compte. Lorsqu'il ouvrit la porte de la salle, il faillit être renversé par sa fille qui, volant jusqu'à lui, se précipita dans ses bras.

– Voici mon père, annonça-t-elle fièrement à ses camarades. C'est un Seal, pas un morse. Et il est gentil.

*Le suis-je vraiment ?* se demanda Harry Finn.

# Chapitre 39

Stone informa Annabelle de la conversation qu'il avait eue avec son père au cimetière.

– Il a l'air mourant.

– Je suis ravie de l'entendre.

– Et il semble sincèrement regretter ce qui est arrivé à votre mère.

– J'en doute fortement.

– Voulez-vous qu'on le suive ?

– Non, j'ai envie de le tuer.

– D'accord, alors qu'est-ce qu'on fait, maintenant ? On continue à enquêter en ville ?

– Non. Retournons à l'auberge. J'ai besoin d'un verre et je préfère boire tranquillement dans ma chambre.

Stone la déposa au B&B et repartit aussitôt. Après avoir sillonné quelques rues, il aperçut enfin le pick-up de Paddy garé au bord du trottoir. Le père et la fille avaient eu la même idée. Il se gara et entra à l'intérieur.

Le bar était crasseux et sombre. À cette heure de l'après-midi, il n'y avait qu'un client au comptoir, une bière posée devant lui. Stone se laissa tomber à côté de Paddy, qui ne se donna pas la peine de lever la tête.

– Les cimetières, ça donne soif ! lança Stone.

Paddy lui coula un regard en biais et avala une gorgée de sa pinte. Il avait les paupières tombantes et sa peau paraissait plus grise sous la lumière artificielle.

– Y a jamais besoin de raison pour avaler un litre ou deux, répliqua Paddy d'une voix un peu pâteuse.

– Je m'appelle Oliver, dit Stone en tendant la main.

Paddy ne bougea pas, il examina Stone avec prudence.

– Rencontrer un type une fois, pas de problème. Mais quand on le croise deux fois en une heure, ça fait se poser des questions.

– La ville n'est pas bien grande.

– Bien assez pour ne pas être dérangé.

– Je peux m'en aller.

Paddy le fusilla du regard quelques secondes.

– Oubliez ça. Vous voulez quoi ? C'est moi qui offre.

– Pas la peine.

– Ce n'est pas une peine d'offrir un verre à quelqu'un, c'est un privilège. Et ne refusez pas, je suis irlandais. Sinon, je vais être obligé de vous trancher la gorge.

Deux heures plus tard, Stone et Paddy quittaient ensemble le bar, Stone soutenant le vieil homme.

– Vous êtes un bon gars, bredouilla Paddy. Un sacré poteau...

– Content que vous pensiez ça. Je ne crois pas que vous soyez en état de conduire. Dites-moi où vous habitez, je vais vous ramener.

Paddy s'endormit dans la voiture de Stone. C'était une bonne chose, car Stone avait décidé de réunir le père et la fille.


Le regard d'Annabelle était rivé sur la bouteille de gin depuis au moins une heure. Elle n'en avait pas avalé une goutte. Elle ne buvait que lorsque le déroulement d'une arnaque l'exigeait. Elle avait trop de souvenirs de son père ivre, disant et faisant n'importe quoi, pour tomber elle-même dans la boisson. Le coup frappé à la porte la fit à peine ciller.

– Ouais ?

– C'est Oliver.

– C'est ouvert.

Annabelle ne leva les yeux qu'en prenant conscience qu'elle entendait quatre bruits de pas au lieu de deux.

– Putain, vous faites quoi ? hurla-t-elle.

Stone se dirigea vers le canapé et y laissa tomber Paddy. Malgré les brumes de l'alcool, ce dernier sembla réagir en entendant la voix de sa fille. Il se redressa avec difficulté.

– Annabelle ?

Annabelle fut si rapide que Stone ne put l'arrêter. Fonçant sur Paddy, elle lui planta son épaule dans le ventre, ce qui les propulsa tous les deux par terre. Elle immobilisa le vieil homme au sol et se mit à le gifler. Stone la décrocha de sa prise, s'efforçant de la maintenir tandis qu'elle se débattait pour donner des coups de pied et des coups de poing à son père. Il la repoussa et la plaqua contre le mur. Voyant qu'elle ne se calmait pas, il la gifla de toutes ses forces. Elle se figea, hébétée. Puis elle baissa les yeux sur Paddy juste à temps pour le voir pâlir, puis vomir. L'instant d'après, elle s'arracha des bras de Stone et s'enfuit de la pièce.


Lorsque Paddy ouvrit les yeux, il sentit immédiatement la main de Stone peser sur son épaule.

– Du calme, dit Stone. Vous avez reçu un gros choc.

– Annie ? Annie ?

Paddy balaya la pièce du regard.

– Elle va revenir… Elle a dû… sortir une minute.

Stone avait déjà nettoyé les traces du malaise de Paddy puis attendu que le vieil homme revienne à lui.

– C'était vraiment Annie ? demanda Paddy, serrant d'une main tremblante le bras de Stone.

– Ouais, c'était vraiment Annie.

Lorsque Stone entendit les pas d'Annabelle résonner dans l'escalier, il se planta devant Paddy comme pour lui faire un rempart de son corps. La porte s'ouvrit. Annabelle se tenait sur le seuil, le visage blême, impassible. Durant quelques secondes d'extrême tension, Stone se demanda si elle n'était pas sortie acheter un fusil.

Elle referma la porte derrière elle, emprunta une chaise au petit coin repas et s'assit face aux deux hommes. Son regard se fixa exactement entre leurs deux têtes avant de se poser nettement sur Paddy.

– Tu as vomi ?

Il hocha la tête sans rien dire.

– Annie ?

Elle leva la main.

– Ferme-la ! Je ne t'ai pas autorisé à parler, d'accord ?

Sans répliquer, il se radossa au canapé. Elle se tourna vers Stone.

– Pourquoi vous l'avez amené ici ?

– J'ai pensé qu'il était temps que vous parliez, tous les deux.

– Vous avez mal pensé.

– Je n'ai pas eu l'occasion de vous le dire car vous êtes partie en coup de vent, mais, quand votre mère a été tuée, votre père se trouvait dans une prison fédérale à Boston pour une histoire de chèque volé sans provision.

Stone reprit sa place à côté de Paddy et observa attentivement Annabelle. Si cette femme était la plus grande arnaqueuse de sa génération, c'était sans doute parce que son visage ne trahissait pas la moindre émotion, même devant cette étonnante nouvelle.

– Comment vous le savez ? demanda-t-elle enfin sans le quitter des yeux.

– J'ai vérifié l'information auprès de mon ami Alex en venant ici. Tout est informatisé, maintenant.

– Pourquoi avez-vous cherché à vérifier un truc pareil ?

– Parce que ce type m'a posé des questions sur la mort de ta mère quand on était au bar, intervint Paddy. Je lui ai raconté. J'étais dans cette foutue cellule depuis près d'un mois. Ils n'avaient aucun motif pour m'inculper, mais je n'avais pas les moyens de me payer un avocat. Quand je suis sorti, ta mère était enterrée depuis longtemps.

– Mais c'est à cause de toi qu'elle est morte.

– Je n'ai jamais dit le contraire. Il ne se passe pas une minute sans que je regrette de ne pas être à sa place.

Annabelle se pencha vers Stone.

– Et vous avez avalé ce mélo ?

– Non, c'est la vérité, s'exclama Paddy en se remettant maladroitement sur ses pieds. Mais je me fiche que tu me croies ou pas.

– Il passe son temps sur sa tombe, ajouta Stone.

– Qui ça intéresse ? le coupa sèchement Annabelle. S'il n'avait pas piqué ces foutus dix mille dollars à Bagger, elle serait en vie aujourd'hui.

– Je ne pensais pas qu'il s'en prendrait à ta mère. J'ignore qui a dit à Bagger où elle se trouvait. Si je l'avais su, j'aurais tué ce salaud.

– Garde ça pour quelqu'un que ça intéresse !

– Et il ne se passe pas une journée sans que j'aie envie d'étrangler Bagger.

– Vraiment ? Alors pourquoi tu ne l'as pas fait ? Après tout, tu sais où il habite.

– Il est sacrément protégé.

– Dis-moi quelque chose que je ne sais pas.

Paddy la regarda, intrigué.

– J'ai entendu dire que Bagger a eu quelques problèmes récemment. Y a des ragots qui circulent dans le monde des arnaqueurs. C'était toi ?

Annabelle sauta sur ses pieds et ouvrit la porte.

– Fiche le camp.

– Annie…

– Fiche le camp !

Paddy obéit. D'un pas titubant, il heurta le mur en sortant.

– Je ne vous pardonnerai jamais, siffla Annabelle en direction de Stone.

– Je ne cherche pas à être pardonné.

Il se leva.

– Pourquoi l'avoir amené ici ?

– Vous devriez réfléchir à cette question. Peut-être trouverez-vous la réponse toute seule ? Ça aura plus de sens pour vous.

À peine Stone avait-il franchi le seuil qu'Annabelle referma la porte d'un coup de pied.

# Chapitre 40

Deux hommes de Bagger découvrirent que Milton s'était rendu dans l'hôtel en face du Pompeii. Ils eurent une conversation avec le réceptionniste et avec Helen, la masseuse qui s'était occupée de Milton. Bagger fut averti un peu plus tard dans la matinée.

– Allez les chercher, lui et son copain, trouvez ce qu'ils manigancent et tuez-les, répondit vertement Bagger. Faites en sorte que Dolores l'apprenne. Si ça ne suffit pas à lui faire fermer sa gueule pour de bon, je connais une autre méthode.

Munis des informations que leur avait données l'équipe de surveillance de Bagger, les deux hommes se rendirent illico au motel où étaient descendus Milton et Reuben. Ils garèrent leur véhicule devant l'entrée et pénétrèrent dans les lieux. Milton et Reuben se trouvaient au deuxième étage, chambre 214.

Les deux gros bras firent violemment irruption dans la pièce. Milton était en train de faire sa valise.

– Dégage, espèce de gros plein de… ! hurla l'un des gorilles.

Ce fut tout ce qu'il eut le temps de dire avant que sa mâchoire fût fracassée par le poing de Reuben. L'homme tomba sur le tapis, sans connaissance. Reuben attrapa son acolyte, le souleva de terre et le cloua au mur. Puis il lui planta son énorme coude à l'arrière du crâne et le laissa retomber, inerte, sur le sol.

Reuben fouilla rapidement leurs poches d'où il sortit des munitions de revolver et des clés de voiture. Puis il vérifia leurs papiers. Casino Pompeii. C'étaient bien les hommes de main de Bagger. En les voyant débarquer à bord de leur Hummer, il s'était glissé dans la salle de bains et avait bondi à leur entrée fracassante dans la chambre.

— Comment tu savais qu'ils allaient venir ici ? lui demanda Milton, les yeux sur les deux types inanimés.

— Je me suis dit que s'ils avaient tué Cindy ils devaient surveiller sa mère de très près. Ils ont dû te repérer, hier soir, quand tu lui as parlé et comprendre que tu t'intéressais à ce Robby Thomas. Ensuite, Bagger leur a demandé de nous faire une petite visite.

— Excellente déduction.

— Je n'ai pas complètement perdu mon temps en passant dix ans dans le renseignement militaire. Déguerpissons d'ici.

Ils chargèrent leurs sacs dans la camionnette de Reuben. Cinq minutes plus tard, ils roulaient aussi vite que le leur permettait leur vieille bagnole.

— Reuben, j'ai peur, avoua Milton alors qu'ils rejoignaient l'autoroute.

— Je te comprends, moi aussi, je fais dans mon froc.

# Chapitre 41

Carter Gray mettait l'actuel directeur de la CIA au courant du dossier Rayfield Solomon.

– Le tueur doit être l'un de ses proches, expliqua Gray. On m'a envoyé cette photographie pour que je comprenne pourquoi on allait me tuer.

– Solomon avait-il de la famille ? s'enquit le directeur.

– Solomon était de mèche avec une Russe. C'est ce qui a tout déclenché. On ne connaissait que son prénom, Lesya.

– Et après la mort de Solomon, que s'est-il passé ?

– Elle a disparu. En réalité, elle a disparu avant qu'il meure. On a pensé que tout avait été planifié. Ils savaient qu'on allait les coincer. On a réussi à l'avoir, lui, mais pas elle.

– Et ça remonte à combien de temps ?

– Plus de trente ans, dit Gray.

– Si elle est toujours en vie, je ne l'imagine pas éliminant les gens à droite à gauche.

– Je pense comme vous. Mais ça ne veut pas dire qu'elle n'est pas dans le coup. Elle a toujours été une excellente manipulatrice.

– Vous en savez beaucoup sur son compte, mais vous ne connaissez pas son nom ?

– En fait, comme elle est russe, elle en a trois : son prénom ou *imia*, son patronyme ou *otchestvo*, et son nom de famille.

À entendre le ton condescendant de Gray, on se serait attendu à le voir ponctuer sa miniconférence d'un « espèce d'idiot » bien senti, mais il s'en abstint sagement.

– Les communistes, la guerre froide, ce n'est plus vraiment notre préoccupation, répliqua le directeur.

– Il se pourrait que vous soyez obligé de revoir vos priorités. Poutine, Chavez et Hu Jintao sont en train de nous bouffer la laine sur le dos. À côté d'eux, Al Qaida, c'est des enfants de chœur, et leur capacité de destruction des pétards mouillés.

Le patron de la CIA s'éclaircit la voix.

– Bon, d'accord. Mais vous n'ayez pas essayé de retrouver cette Lesya, à l'époque ?

– Nous avions d'autres choses plus urgentes à régler. Solomon avait été éliminé et Lesya avait disparu. On a pensé que ça ne valait pas le coup de se lancer à sa recherche. Nous étions persuadés de l'avoir mise hors d'état de nuire.

– Jusqu'à maintenant, si je vous suis bien ! Que savez-vous exactement sur cette femme ?

– Elle était l'un des meilleurs agents de contre-espionnage qu'ait jamais produits l'Union soviétique. Je ne l'ai jamais vue en personne, seulement sur des photographies. C'était une fille sublime, grande, qui n'avait rien de l'espionne classique parce qu'elle ne passait pas inaperçue. Mais elle avait plus de sang-froid que n'importe qui dans le métier. D'ailleurs, elle méritait bien son nom, Lesya signifie « bravoure » en russe. Elle ne travaillait pas spécifiquement pour le KGB. Nous avons toujours été persuadés qu'elle dépendait directement du président de l'URSS. Elle a travaillé dans ce pays quelque temps, ensuite en Angleterre, en France, au Japon, en Chine, et sur toutes les missions sensibles. Elle a recruté Solomon, l'a épousé secrètement et l'a retourné. Sa trahison a coûté cher à l'Amérique.

– Comment savez-vous qu'ils étaient mariés ?

– Laissez-moi corriger ce point. Nous *pensons* qu'ils étaient mariés. On se fonde sur des faits encore ignorés à l'époque. Des faits largement circonstanciels, mais qui, mis bout à bout, semblent indiquer qu'ils étaient mari et femme.

– Et il s'est suicidé ?

– C'est ce qu'affirme le dossier, oui. À la fois par culpabilité pour avoir nui à son pays natal et parce qu'il ne pouvait plus nous échapper.

– A-t-on déguisé son assassinat en suicide ? Ou s'est-il réellement donné la mort ?

– L'un ou l'autre, peu importe ! De toute façon, il aurait été exécuté pour haute trahison.

Le ton de Gray sous-entendait clairement qu'il n'en dirait pas plus sur le sujet, même au chef de la CIA.

– J'ai consulté le dossier. Il semble comporter quelques lacunes.

– À l'époque, les ordinateurs n'étaient pas très fiables. Et il est notoire que les dossiers papier étaient souvent incomplets, murmura Gray d'un ton doucereux.

Le directeur parut se satisfaire de cette réponse.

– Parfait, Carter. Vous avez alerté le sénateur Simpson ?

– Bien sûr. Il se tient prêt.

– Quelqu'un d'autre ?

– Il y avait un autre homme dans l'équipe, un certain John Carr, mais il est mort depuis longtemps.

La réunion se termina sur ces paroles. De toute évidence, Gray n'avait pas dit tout ce qu'il savait. Il avait astucieusement soupesé jusqu'où il pouvait aller, partant du principe que personne ne voulait entendre l'entière vérité. L'Amérique connaissait actuellement trop de difficultés pour se soucier de ce qui était arrivé trente ans plus tôt à un homme que tout le monde considérait désormais comme un traître. Personnellement, Gray regrettait amèrement le sort de Solomon, mais rien de ce qu'il pourrait faire n'y changerait quoi que ce soit. Il devait se tourner vers l'avenir, non vers le passé. Et l'avenir signifiait attraper un assassin avant qu'il frappe de nouveau. Il fallait aussi mettre la main sur Lesya.

Concrètement, la réunion entre Gray et le directeur de la CIA autorisait désormais officiellement une escouade d'agents à se « charger de l'affaire ». Leur mission : éliminer le ou les responsables. Personne ne voulait de procès. On voulait simplement un cadavre.

# Chapitre 42

Harry Finn parvint à échapper aux élèves sans trop de dommages. Ils avaient néanmoins posé beaucoup de questions, lui faisant regretter de ne pas avoir été un morse plutôt qu'un Seal.

Quand il avait terminé, Susie lui avait donné un baiser en disant :

– Il te reste encore une bonne partie de la journée de libre, papa.

Elle semblait si adulte que, pendant un instant, il eut l'impression que son cœur allait éclater. Les anciens membres de son commando auraient été éberlués d'apprendre que sous sa cuirasse d'acier se cachait une âme vulnérable et sensible. Son seul moyen de défense, sa seule façon de continuer à avancer, était de tout bloquer. Les actes qu'il accomplissait pour sa mère ne déteignaient jamais sur sa famille. Et le quotidien qu'il partageait avec sa femme et ses enfants resterait toujours à distance de son autre existence. Du moins, il priait pour cela.

Il se rendit en voiture à son bureau et fit le point avec son équipe sur la mission prévue au Capitole. Durant plusieurs heures, ils affinèrent soigneusement leur stratégie et le mode opératoire. Lorsque la réunion s'acheva, Finn avait des raisons de sourire. Il venait de trouver un moyen de tuer Simpson. Il avala un déjeuner rapide et prit le chemin de son entrepôt. Il avait une bombe à construire.

– Bravo ! C'est génial ! hurla Jerry Bagger dans le combiné, j' vais faire un saut en ville pour vous donner un coup de pied au cul !

Il se calma en entendant la suite. En fouillant un peu, ses hommes avaient pu établir que le type avait gagné un paquet de fric. Dans un casino, l'information signifiait une chose aussi sûre que la mort : pour toucher son argent, on devait remplir le formulaire 1099 afin qu'oncle Sam puisse intervenir si on oubliait de payer des impôts dessus.

Bagger prit note de ces informations.

– Attends une minute, ce mec vient d'Angleterre ?

– C'est ce que dit l'imprimé.

– Il a l'air anglais ?

– Je ne sais pas.

– Tu ne sais pas ! Quelqu'un le sait ?

– Il faut que je vérifie, balbutia nerveusement l'homme.

– Ouais, et quand t'auras vérifié et pigé que c'est une connerie, viens m' voir pour que je t'étrangle ! s'égosilla Bagger avant de raccrocher brutalement.

# Chapitre 43

Lorsque Stone sortit du B&B, le lendemain, Annabelle était assise sur les marches de l'entrée, le regard morne et fatigué.

– Qu'est-ce que vous me voulez ? demanda-t-elle d'un ton amer.

– Rien. Qu'attendez-vous de vous-même ?

– Ne jouez pas au psy avec moi.

– Votre père était en prison quand votre mère a été assassinée.

– C'est quand même à cause de lui qu'elle a été tuée.

– D'accord. Mais pourquoi ne pas lui accorder le bénéfice du doute quand il affirme qu'il n'a jamais voulu que Bagger fasse du mal à votre mère ?

– Pourquoi ? Parce que mon paternel est un menteur qui n'a jamais aimé personne à part lui-même.

– Ainsi, il était vraiment dur envers elle ? Il la battait, l'affamait ?

– Ne rigolez pas avec ça.

– J'essaie simplement de comprendre la situation.

– Non, il ne l'a jamais maltraitée.

– Alors il est possible qu'il l'ait aimée.

– Pourquoi vous me faites ça ? Pourquoi le défendez-vous ?

– Je ne prends pas parti, Annabelle. Votre père est en train de mourir. Hier, il était sur la tombe de votre mère pour lui rendre hommage. Vous pensez qu'il l'a laissée tomber dans un piège, mais ce n'est pas le cas. (Stone ouvrit les mains.) Je dis juste que vous pourriez avoir envie de reconsidérer les choses. La vie est courte. La famille n'est pas éternelle. Je suis bien placé pour le savoir.

Annabelle se recroquevilla sur elle-même.

– J'ai mis deux ans pour planifier mon coup contre Bagger. J'ai claqué dedans tout le fric que j'avais. J'ai pris plus de risques que jamais dans ma vie. Une petite erreur devant Jerry, et je signais mon arrêt de mort. Pourtant, j'ai adoré jusqu'à la moindre minute de cette aventure. Vous savez pourquoi ?

Stone secoua la tête.

– Dites-le-moi.

– Parce que je me retrouvais face au salaud qui avait tué ma mère. Après toutes ces années, il allait enfin payer. Je l'ai fait, j'ai gagné. Personne ne l'avait jamais berné à ce point-là. C'était suffisant pour lui faire du mal.

– Et ?

– Et après, j'ai compris que ça ne servait à rien. Jerry était tout simplement Jerry quand il a tué ma mère. Il a exigé son dû, c'est la loi de la rue, on est tous obligés de la suivre. Comprenez-moi bien, je hais toujours ce salaud. Mais l'homme que j'ai détesté le plus, c'est mon père.

– Et aujourd'hui vous avez découvert qu'il était innocent, du moins de ce meurtre.

Elle montra la cicatrice sous son œil.

– Innocent, si l'on veut. Il m'a fait ça quand j'étais adolescente parce que je m'étais fait gruger dans un casino. Il m'a dit que c'était la seule façon d'apprendre. Et c'est sa faute si maman est morte. Et lui, que lui est-il arrivé ? Rien. Tout glisse sur ce fils de pute. Il continue sa vie comme si elle n'avait jamais reçu de balle dans la tête.

– Je ne vois pas les choses de cette façon, Annabelle. La vie ne semble pas avoir été tendre avec lui. Et il était là, en train de pleurer votre mère.

– Que voulez-vous que je fasse ? Que je coure le prendre dans mes bras ?

– C'est à vous de voir ça avec vous-même. Avant que ça vous détruise. Sinon, vous ne serez jamais heureuse, même si nous parvenons à coincer Bagger. Toute cette haine que vous éprouvez envers Paddy vous poursuivra. Si vous voulez vraiment aller de l'avant, vous devez régler ça.

Annabelle sortit ses clés de voiture de sa poche.

– Vous savez quoi ? Je ne veux pas.

Elle démarra dans un crachat de graviers. À peine son véhicule avait-il disparu à l'horizon que le téléphone de Stone bourdonna. Reuben lui rapportait les derniers évènements survenus à Atlantic City, y compris l'agression dont ils avaient été victimes et les victoires de Milton au jeu. Stone demanda à Reuben de ne pas raccompagner Milton chez lui, mais de l'accueillir sous son toit pendant quelque temps.

– Mais il n'a pas utilisé sa véritable identité en ramassant ses gains, fit observer Reuben.

– Peu importe. Je ne veux pas que vous preniez de risques. Tu as déménagé récemment. Bagger aura plus de mal à remonter jusqu'à vous.

– Comment ça va avec Susan ?

– Ça ne pourrait pas aller mieux.

Stone raccrocha et suivit du regard la direction qu'avait prise Annabelle.

*La famille. Rien de plus difficile à gérer.*

# Chapitre 44

Gray parlait sur le téléphone sécurisé dans un bunker que la CIA avait installé à son intention. On avait fait un rapport circonstancié au Président et ce dernier avait utilisé ses pouvoirs pour offrir à Gray, même de façon officieuse, toutes les ressources dont disposait le gouvernement des États-Unis et dont il pourrait avoir besoin pour arranger la situation. Gray, comme on s'en doute, n'avait donné que sa version au Président et à ses conseillers, mais cela avait suffi pour qu'il ait carte blanche, comme il le désirait.

Bien que situé quinze mètres sous terre, le bunker bénéficiait de tout le confort d'un hôtel cinq étoiles de Manhattan, y compris les services d'un valet de chambre et d'un cuisinier. Gray avait toujours été traité comme une rock star par le monde du renseignement.

– Si Rayfield Solomon et Lesya se sont mariés, dit-il dans le combiné, ça doit bien figurer sur un registre. Je sais qu'à l'époque on n'a rien trouvé, mais les temps ont changé. Les Russes sont nos alliés, du moins publiquement. Suivez toutes les pistes possibles. Il y a encore quelques vieilles badernes dans l'ombre du nouveau KGB, elles pourraient nous aider. Apportez des euros, ils les préfèrent aux dollars… enfin, pour l'instant.

Il hocha la tête en réponse à ce que lui disait son interlocuteur.

– L'ancien ambassadeur russe aux États-Unis, Gregori Tupikov, est un vieil ami à moi, reprit-il. Ça pourrait valoir le coup de lui passer un coup de fil. Dites-lui que votre appel a un rapport avec l'enquête sur mon assassinat. Un tonneau de vodka, deux homards de cinq cents grammes et une vraie rousse, ça suffit pour acheter le vieux Gregori.

Gray raccrocha et poursuivit son étude du dossier tandis qu'on lui servait son dîner de quatre plats. Bien que sa vie professionnelle fût désormais dominée par les ordinateurs et l'informatique en général, ce vieux combattant de la guerre froide aimait la sensation du papier entre ses doigts. Il dégusta son somptueux repas, seul devant un appareil de chauffage au gaz qui donnait à la pièce une lumière enchanteresse. Gray ne faisait jamais rien comme les autres. Même mort, il parvenait à couler une vie paisible quinze mètres sous terre, et son « cercueil » était beaucoup plus luxueux que celui auquel avait droit la piétaille.

Un verre de cognac à la main, il entra dans la bibliothèque lambrissée et s'assit à une table de travail lourdement sculptée pour réfléchir posément à l'affaire. C'était une guerre psychologique, une partie d'échecs permanente. Un camp essayant de dominer l'autre, de le manœuvrer habilement. Les États-Unis n'avaient jamais disposé d'homme plus capable pour remplir ce genre de tâche que Carter Gray. Ses exploits avaient sauvé tellement d'Américains qu'il ne parvenait plus à les compter. La médaille de la liberté qu'on lui avait décernée était le moins que son pays pouvait lui offrir. S'il avait été britannique, il aurait été anobli depuis longtemps. Cependant, il avait été contraint de démissionner, bien avant son heure. Parce que John Carr l'y avait poussé.

Plus Gray pensait à cette histoire, plus il était en colère. Alors, une idée cruelle prit forme dans son esprit. Celui ou celle qui éliminait un à un les anciens tueurs de Gray croyait John Carr mort. Pourquoi ce dernier ne connaîtrait-il pas lui aussi la trouille à l'idée de devenir une cible ? En plus, il lui avait fait un doigt d'honneur ! Gray décrocha son téléphone sécurisé et appuya sur une touche.

– J'ai besoin de quelques renseignements hors des canaux habituels. Ça concerne le décès supposé d'un certain John Carr. Je pense qu'il est temps de rétablir la vérité.

# Chapitre 45

Finn leva son appareil, qui tenait quasiment dans sa paume. En le combinant avec quelques autres éléments d'apparence inoffensive, il était en mesure de tuer quelqu'un à dix mètres de distance. Mais il détruirait un seul homme, Finn y veillerait.

Il essaya son déguisement et évalua les pas qui lui seraient nécessaires pour pénétrer dans le Hart Building et gagner ensuite l'endroit prévu.

Ses recherches approfondies sur Roger Simpson lui avaient révélé que le distingué sénateur d'Alabama s'était longtemps comporté comme l'un des méchants qui peuplent l'univers des Marvel Comics. Aucune considération pour quiconque, à part pour lui-même. Bien qu'il n'eût pas changé, ce défaut avait été sinon gommé, du moins profondément masqué par un magnifique travail de relations publiques lorsqu'il avait démarré sa carrière politique. L'opération avait été menée avec le soutien indéfectible – quoique invisible – de la CIA auprès de laquelle il avait rempli une fonction à la fois spéciale et secrète. L'agence avait truffé son curriculum vitae d'éloges et de marques d'approbation, mais concrètement son palmarès restait désespérément creux. Cependant, son pays le considérait comme un héros. Et, d'après ce que Finn avait entendu dire, il s'apprêtait à faire campagne pour entrer à la Maison-Blanche.

*Je ne pense pas qu'il y parviendra.*

Simpson n'avait jamais oublié le soutien de son ancien employeur. À la tête du puissant comité spécial du Sénat sur la Sécurité et le Renseignement, il avait laissé la CIA libre de ses faits et gestes. Aucune action ne lui avait paru trop extrême ; pour Simpson, la sécurité nationale justifiait tout. Depuis des années, il était le champion de Carter Gray, ou plutôt son caniche – question de point de vue. Finn estimait parfaitement normal de les envoyer tous deux vite fait au même endroit.

Il rentra tard ce soir-là, mais Mandy l'attendait devant des parts de tarte à la citrouille et un thé chaud.

– Tu as fait un grand effet aujourd'hui, à l'école. Susie t'a attendu pour te le dire, mais elle avait trop sommeil.

– Je suis désolé d'être en retard, mais j'ai eu un truc à régler.

– Tu es sûr que tout va bien ? Depuis quelque temps, tu n'es plus toi-même.

– C'est juste à cause du travail. J'ai beaucoup de choses à penser.

– Comment va Lily ?

Lily était la mère de Finn. Comme lui, elle se servait d'un nom d'emprunt. Harry Finn ignorait quel effet cela faisait d'utiliser son véritable patronyme au quotidien.

– Pareil. En fait, un peu plus mal, répondit-il.

Il évita de prononcer, comme elle, le verbe « pourrir ».

– Je sais qu'on a une vie un peu trépidante, mais si tu souhaites qu'elle vienne vivre avec nous, je suis d'accord. On y arrivera bien.

– Ce n'est pas une bonne idée, Mandy. Elle est très bien là où elle est.

– D'accord, Harry, mais le jour viendra où il nous faudra prendre cette décision.

– Peut-être, mais on n'en est pas là. Alors cessons de nous inquiéter. On a bien assez à faire.

– Tu es sûr que tu n'as pas de souci ?

Il secoua la tête sans regarder sa femme. Cette dernière lui effleura la main.

– Harry, tu sembles t'éloigner de nous.

Sa réponse fusa avec une rudesse qui le surprit.

– Je suis allé à l'école de Susie, je n'ai presque jamais raté de match de foot ou de base-ball. Il n'y a aucune mauvaise herbe dans le jardin. J'aide aux devoirs et aux tâches domestiques. Je fais le chauffeur autant que toi. Qu'attends-tu encore de moi, Mandy ?

Elle retira lentement sa main.

– Rien, je suppose.

Ils finirent leurs parts de tarte en silence. Mandy se dirigea lentement vers l'escalier, tandis que Finn restait assis, immobile, dans la cuisine, l'œil dans le vague.

– Tu ne viens pas ? insista Mandy.

– J'ai un ou deux trucs à faire.

– Ne sors pas, Harry ! Pas ce soir.

– J'irai peut-être faire une promenade à pied. Comme d'habitude.

– Oui, je sais, murmura Mandy pour elle-même en grimpant les marches.

– Mandy ?

Elle fit volte-face.

– Les choses vont s'arranger, je te le promets. Ça ira mieux bientôt. J'y suis presque.

– Bien sûr, Harry, bien sûr.

# Chapitre 46

Annabelle n'avait jamais eu l'occasion de se recueillir sur la tombe de sa mère. Elle allait réparer ce manquement dès ce soir.

Après avoir garé sa voiture de location devant la grille, elle remonta les allées plongées dans l'obscurité. L'emplacement de la stèle était comme gravé dans sa tête. Lorsqu'elle arriva à proximité, elle constata qu'un autre visiteur l'avait précédée. Elle se glissa derrière un bosquet et attendit.

Il était allongé sur le sol près de la pierre tombale. Des mots diffus parvenaient jusqu'à Annabelle, les paroles d'une ballade irlandaise que sa mère lui chantait quand elle était petite. Une chanson qui parlait de rêves, d'une terre verte et luxuriante, et d'un homme et d'une femme très amoureux l'un de l'autre. Des larmes coulèrent sur ses joues, malgré elle. Bientôt, le son diminua et elle comprit que son père s'était endormi près de la tombe de sa femme – de sa mère.

Annabelle sortit de sa cachette, s'avança doucement vers la plaque de marbre et s'agenouilla en face de l'endroit où son père ronflait tranquillement. Puis elle fit un signe de croix et pria, ce qu'elle n'avait plus fait depuis son enfance. Le visage ruisselant de larmes, elle s'adressa à Dieu, puis tenta d'expliquer à sa mère à quel point elle lui manquait, combien elle aurait voulu la savoir en vie.

Elle resta ainsi, prostrée, jusqu'à ce que son cœur fût près d'éclater. Enfin elle se leva, se signa de nouveau et, baissant les yeux sur son père endormi, prit une décision.

Lorsqu'elle le saisit par les aisselles pour le remettre debout, elle constata douloureusement qu'il était plus léger qu'une plume. Elle le porta jusqu'à sa voiture, retourna à l'auberge et le mit au lit, dans sa propre chambre. Puis elle s'installa sur le canapé et y resta jusqu'à ce qu'on frappe à la porte.

C'était Stone. Il paraissait inquiet. Il lui raconta ce qui était arrivé à Milton et à Reuben. Puis, intrigué, il lança un coup d'œil en direction de la pièce voisine d'où s'échappaient de puissants ronflements. Il ne fit aucun commentaire, l'expression d'Annabelle indiquant clairement que les questions ne seraient pas les bienvenues.

– Voulez-vous rentrer chez vous demain ? se contenta-t-il de dire.

– Je n'ai pas de domicile, répliqua-t-elle, mais on peut aller chez vous, si vous préférez.

Le lendemain matin, Annabelle se fit servir le petit déjeuner à l'étage. Quand son père sortit de la chambre, du café chaud et une assiette d'œufs au bacon l'attendaient.

– Tu m'as l'air d'avoir envie de manger quelque chose, dit-elle.

Le regard de Paddy balaya la pièce.

– Bon sang, comment j' suis arrivé là ?

– Tu étais sur la tombe, hier soir. Moi aussi.

Il hocha la tête lentement en frottant ses cheveux emmêlés.

– Je vois.

– Viens déjeuner.

– Tu n'es pas obligée, Annie.

– Je sais. Mange.

Il s'assit devant la table et s'efforça d'avaler quelques bouchées et de boire un peu de café.

– C'est grave à quel point ? s'enquit-elle en regardant son visage gris et décharné.

– Six mois sans traitement. Une année avec. Mais personne n'a envie d'être tout le temps malade.

– Tu as besoin de quelque chose ? D'argent ? D'un endroit où habiter ?

Il se carra sur son siège et s'essuya la bouche avec sa serviette.

– Tu ne me dois rien, Annie. Et je n'ai pas envie que tu m'aides.

– Il n'y a pas de raison que tu souffres ou que tu dormes à l'arrière d'une camionnette. J'ai du fric.

– J'ai du whisky contre la douleur et ce vieux pick-up qu'on appelle un véhicule de loisirs. Tout va bien.

– Visiblement, non.

Les traits de Paddy se durcirent, et il repoussa sa chaise.

– Je ne veux pas de ta pitié, Annie ! Je me débrouille beaucoup mieux avec ta haine.

– C'est pour ça que tu n'as pas cherché à me retrouver pour me dire que tu étais en prison quand Bagger a tué maman ?

– Ça aurait fait une différence, pour toi ?

– Probablement, non, admit-elle.

– Alors tu vois… j'aurais perdu mon temps !

Il se leva et farfouilla dans sa poche d'où il extirpa un paquet de cigarettes et un briquet.

– Ça te gêne ? Ça m'a déjà presque tué…

Devant son signe de dénégation, il alla ouvrir la fenêtre et expira sa fumée à l'extérieur.

– Alors c'est toi qui as soulagé Jerry de son fric à Atlantic City ?

– Oui.

– Tu l'as tapé de combien, ce salaud ?

– De plusieurs millions.

– Alors, t'iras au paradis, il n'y a pas un type qui l'a mérité plus que lui.

– Mais ce n'était pas assez, chuchota Annabelle.

Paddy fixait la vitre d'un air lugubre.

– Ouais, d'abord parce qu'il est plein aux as. Tu peux lui prendre tout ce que tu veux, il se refera en dépouillant les pauvres types qui se pointent dans son casino.

– Comment le faire souffrir au maximum ?

Il se retourna pour lui faire face.

– Tu lui prends sa vie ou sa liberté. C'est la seule façon.

– Il n'y a pas de prescription pour les meurtres.

– Tu as la preuve qu'il a tué ta mère ?

– Rien qui tiendrait devant un tribunal. Mais je sais que c'est lui.

– Moi aussi.

Le père et la fille s'observèrent un long moment. Finalement, Paddy dit :

– Il n'y a que deux personnes sur terre qui ont escroqué ce salaud et qui sont encore en vie pour le raconter. Elles sont toutes les deux dans cette pièce.

– Tu veux qu'on arnaque Jerry ensemble ?

– Je veux qu'il paie pour ce qu'il a fait à ta mère. Je suis un excellent arnaqueur, peut-être un des meilleurs. J'ai du sang-froid, plus que c' qu'il faut.

– Et… ?

– Je suis en train de mourir. Alors, j'en ai plus rien à foutre. J' préfère que Jerry me colle une balle dans la tête plutôt que de me regarder me dissoudre de l'intérieur.

– Que proposes-tu exactement ?

– En fait, j'y ai pas mal réfléchi. C'est même la seule chose à laquelle j'ai réfléchi. Ton arnaque contre Jerry nous donne un moyen de le coincer.

– Parce qu'il s'est lancé à ma poursuite ?

– Exactement. Tu avais une équipe, j'imagine.

– Deux personnes que tu connais ou dont tu as entendu parler et une que tu ne connais pas.

Paddy lança sa cigarette par la fenêtre et se rassit devant la table.

– Jerry les a coincés ?

– Ouais, un. C'est devenu un légume.

– Alors, il t'a peut-être balancé ?

– Je suis sûre qu'il a tout craché. En ce moment, Jerry essaie de retrouver ma trace à Washington.

– Ce grand type, ce vieux qui est avec toi, tu peux lui faire confiance ?

– Il ne m'a jamais laissée tomber.

Paddy se tut brusquement, l'œil rivé sur son petit déjeuner inachevé.

– Tu te sens en forme pour arnaquer Jerry ? reprit Annabelle. Je m'en suis sortie la dernière fois parce que j'ai manœuvré à la perfection. Je n'ai pas envie de me lancer là-dedans et de me faire découper en rondelles parce que tu n'es pas à la hauteur.

– J'ai toujours admiré ta franchise.

– Qui m'a appris ça, à ton avis ? répliqua–t-elle du tac au tac.

– Je suis prêt. C'est la seule chose qui me maintienne en vie. Et j'ai un plan.

– Lequel ?

– En gros, forcer Jerry à avouer qu'il a tué ta mère.

– Oh ! Vraiment ? J'aurais aimé la trouver, celle-là.

– Tu as un problème avec le concept ?

– Non, avec son exécution. Corrige-moi si je me trompe, mais obliger quelqu'un à confesser un meurtre, ça veut dire l'approcher de très près…

– Absolument. Le plus près possible.

– Autant nous arrêter là. Je me suis retrouvée face à Jerry. Je n'ai aucune envie de recommencer.

– Avec mon idée, tu ne courras qu'un risque minimum.

– Définis-moi ce minimum.

– Je te demande juste de me faire confiance, Annie.

– Tu dois être fou.

– Non, je suis simplement un type en sursis qui doit faire la paix avec Dieu. Pour ça, je dois réussir ce coup. Absolument.

Cette dernière phrase ressemblait si peu à Paddy qu'Annabelle se contenta de le fixer d'un air stupéfait.

– Mais il y a un petit problème avec le plan, reprit-il.

– De quel ordre ?

– Il faut pouvoir compter sur les bonnes personnes, c'est-à-dire sur les flics. C'est pas vraiment ma spécialité. (Il lui lança un regard oblique.) T'as une idée ?

Annabelle se laissa tomber sur sa chaise, visiblement peu rassurée.

– Tu sais que c'est du suicide ?

– Je ne laisserai jamais Jerry te faire du mal. Mais il faut que j'aille jusqu'au bout. Je te le jure sur la tombe de ta mère.

Jamais Annabelle n'aurait pensé que des mots puissent la toucher autant que cette dernière remarque. Elle commençait, en fait, à éprouver un sentiment pour son père. Elle ignorait s'il s'agissait de sympathie, de pitié ou peut-être même d'un attachement plus puissant.

– Je vais essayer de trouver les gens qu'il faut pour nous aider, répondit-elle calmement.

# Chapitre 47

Après avoir quitté son père, Annabelle alla dans la chambre de Stone.

– Il veut qu'on arnaque Jerry ensemble pour lui faire avouer le meurtre de ma mère, lança-t-elle avant de s'écrouler sur le canapé à côté du lit de Stone.

– Vous croyez pouvoir lui faire confiance ?

– Merde, Oliver ! Vous n'avez pas arrêté de me dire de lui pardonner.

– Lui pardonner, oui, pas lui faire confiance.

– Je n'ai aucune raison de me fier à lui.

Stone leva les yeux et la regarda d'un air prudent.

– Je sens un mais qui arrive…

– Mais, malgré tout, j'ai tendance à le croire. Je ne sais pas pourquoi, appelons ça de l'instinct.

– Mais vous avez besoin de la cavalerie ?

– D'après lui, oui.

– Je pourrais peut-être vous aider.

– J'en suis sûre. Ils vous doivent bien ça, vu la dernière fois.

– Ils ne doivent jamais rien, Annabelle. En tout cas, c'est ce qu'ils pensent. Mais laissez-moi chercher une solution. Pendant ce temps, qu'est-ce que vous allez faire avec votre père ?

– J'espérais vaguement qu'il pourrait rentrer à Washington avec nous.

– Et s'installer avec vous ? C'est un peu risqué, avec Bagger dans la même ville.

– J'apprécierai toute l'aide que vous pourrez m'apporter.

– Dites à votre père de rassembler ses affaires.


Paddy n'avait rien à rassembler. Ses maigres possessions se trouvaient déjà dans sa camionnette déglinguée. Il insista pour la conduire.

– Ce pick-up, c'est tout ce qui me reste. Je ne veux pas l'abandonner.

Stone et Annabelle, suivis par Paddy, prirent la route du Sud, en direction de la maison de Reuben située dans l'une des rares zones rurales encore existantes au nord de la Virginie. Lorsqu'ils parvinrent à destination, il était très tard. Heureusement, Stone avait téléphoné pour prévenir de leur arrivée.

Ils tournèrent dans un chemin recouvert de gravillons et encadré d'une forêt épaisse, qui ressemblait davantage à un sentier qu'à une route. Des baraques affaissées, des épaves de voitures jonchaient les bas-côtés, et à chaque tour de roue le paysage se faisait de plus en plus sauvage et ingrat. Quelques minutes plus tard, les phares de la Nova illuminèrent la porte ouverte d'un hangar. À l'intérieur, des monceaux d'outils et de pans de carrosserie. Non loin de là se trouvaient six voitures, deux camions, trois motos et ce qui ressemblait à un buggy, tous ces engins étant à moitié désossés.

– Reuben vient juste d'emménager, expliqua Stone.

Annabelle tourna la tête en direction du garage.

– Il gère un atelier de pièces détachées ?

– Non, c'est un génie de la mécanique. Je crois qu'il est plus proche de ses machines que des humains. Voilà pourquoi il aime tellement sa moto. Il affirme qu'elle est plus digne de confiance que ses trois ex-femmes.

– Oliver, est-ce que vous avez des amis normaux ?

– Oui, vous, par exemple !

– Seigneur, vous avez vraiment un problème…

Stone constata que le camion de Reuben stationnait dans la cour et qu'une lumière brillait dans la remorque.

– Ils nous attendent, dit-il.

Reuben les accueillit sur le pas de la porte.

– C'est qui ? demanda-t-il en apercevant Paddy au volant du pick-up.

– Un ami, s'empressa de répondre Annabelle.

– J'ai pensé qu'il pourrait dormir ici, du moins cette nuit, dit Stone.

– Plus on est de fous… Il n'a qu'à prendre la suite présidentielle. Elle est à côté de la salle de bains.

– Où est Milton ? demanda Stone.

– Il en écrase. Apparemment, c'est crevant de plumer un casino et de manquer se faire buter.

– Nous allons rendre immédiatement la voiture à Caleb, expliqua Stone. Demain, réunion au cottage ! On regroupera tous les éléments en notre possession et on verra comment on s'y prend pour la suite. Je vais demander de l'aide à Alex. (Il lança un coup d'œil à Annabelle.) En prenant en compte les derniers développements !

Reuben les regarda l'un après l'autre.

– D'accord, dit-il.

– Merci, Reuben.

Une heure plus tard, Stone et Annabelle se garèrent dans le parking de la copropriété de Caleb à DC et empruntèrent l'ascenseur jusqu'à son appartement. Stone appuya sur la sonnette. Des bruits de pas se firent entendre. La porte s'ouvrit. Malheureusement, ce n'était pas Caleb qui se trouvait devant eux.

# Chapitre 48

– C'est vraiment intolérable, Carter, couina le sénateur Roger Simpson.

Les deux hommes étaient assis dans des fauteuils en cuir, dans le bunker de la CIA, leurs verres de cabernet en main.

– Ce n'est vraiment pas le moment que cette histoire resurgisse ! poursuivit Simpson. D'autant que dans quelques années je serai installé à la Maison-Blanche, si tout marche selon le plan.

– Roger, si ça se sait, tu ne seras plus dans la course. Tu pourrais bien te retrouver en prison.

Simpson rougit violemment.

– Ray Solomon, reprit-il en fixant tristement son verre ballon. Qui aurait pu penser que cette affaire allait refaire surface ?

– Cette possibilité n'a jamais disparu. C'était un risque calculé. Parfois ça marche, parfois ça rate. Je suis sûr que tu as agi comme tu croyais devoir le faire, à l'époque.

– Tu parles comme si tu n'étais absolument pas dans le coup. Tu es mouillé jusqu'au cou, comme moi.

– Ce n'est pas moi qui ai ordonné l'élimination de Ray, riposta Gray. Il était mon ami. C'est à cause de toi qu'il est mort.

– Il s'est suicidé au Brésil.

– Non, tu as envoyé John Carr et son équipe le tuer parce que tu avais peur qu'il te dénonce s'il découvrait la vérité.

Simpson jaugea Gray par-dessus son verre.

– Qu'il *nous* dénonce, Carter. N'oublie jamais ça.

– Ray Solomon était un type bien et un excellent agent. Et, aujourd'hui, on le considère comme un traître. Sa mémoire a été salie.

– Certains sacrifices sont nécessaires pour le bien du plus grand nombre.

– C'est drôle… Pourquoi suis-je persuadé que tu ne sacrifierais jamais ta vie pour le bien du plus grand nombre ?

– Le destin est impénétrable, il a sa façon à lui de préserver ceux qui peuvent faire la différence, Carter. Les grands hommes persévèrent toujours.

– Tu ferais bien d'en appeler au destin, maintenant, parce que quelqu'un souhaite clairement ta mort.

– La tienne aussi. Ne l'oublie pas.

– Le fait que le meurtrier croie m'avoir éliminé me donne une certaine latitude pour opérer. Cela dit, on ne peut pas vraiment blâmer l'assassin. Ce que tu as fait était inexcusable.

Simpson devint rouge de colère.

– J'ai agi pour de bonnes raisons. Et c'était il y a longtemps. Le monde était très différent, alors. Je n'étais pas le même.

– Aucun de nous n'a tellement changé. Et ce n'est pas si vieux. Ça ne concerne pas le passé, mais le présent. Ça nous apprend qu'il ne faut jamais couper les ponts et faire des bêtises.

– Donna va piquer une crise, si cette affaire sort au grand jour.

– On dirigeait la division Triple Six, Roger, pas une école pour espions à la petite semaine. Les cibles qu'on nous fixait étaient choisies en haut lieu, souvent par le 1600, Pennsylvania Avenue. Il était de notre devoir d'exécuter ces ordres, parce que le camp d'en face ne rigolait pas. En faire moins aurait été une trahison.

– Tous les assassinats n'ont pas été ordonnés en haut lieu, Carter, et tu le sais.

Gray fixa ostensiblement le sénateur.

– Il est parfois préférable que les hommes politiques ne soient pas au courant de tout. Mais Ray Solomon n'aurait jamais dû être exécuté. Tu n'aurais pas dû, Roger.

– Facile à dire, avec le recul. De toute façon, c'est la seule fois où j'ai agi comme ça.

– Vraiment ? Et John Carr ?

– C'était le pire de tous. Il a essayé de démissionner du Triple Six.

– Carr était le meilleur d'entre nous. Et c'est pour ça que tu as ordonné son élimination.

Simpson se raidit.

– Je ne vois pas de quoi tu veux parler. Tuer l'un de nos propres hommes ? Ridicule.

– Tu mens très mal, Roger. Si tu veux vraiment faire campagne pour la Maison-Blanche, tu vas devoir apprendre à camoufler tes émotions.

– Je n'ai pas fait tuer cet homme.

– Il y a environ quatre ans, j'ai eu une longue conversation avec Judd Bingham. Il m'a tout raconté. C'est lui, Cole et Cincetti qui ont mené l'opération. C'est la propre équipe de Carr qui a agi sur tes ordres.

– C'est de la diffamation. Je n'avais aucune autorité pour ordonner cette mission.

– Autorité ? À l'époque ? Nous dirigions un groupe de tueurs. La plupart, à l'exception de Carr, adoraient leur travail. Bingham m'a dit qu'ils étaient heureux de faire ça pour toi. Ils étaient bouleversés à l'idée que Carr veuille quitter le club. Ils ont pris ça comme un affront personnel.

– Vu que Bingham et les deux autres sont morts, il n'y a aucune preuve, pas vrai ?

– Carr aussi est décédé. Il dort désormais au cimetière national d'Arlington.

Simpson sirota une gorgée de son vin.

– Je le sais.

– Du moins, c'est ce que dit le registre officiel.

Simpson le gratifia d'un regard oblique.

– De quoi parles-tu ?

– Carr n'est pas mort.

Simpson bredouilla :

– Mais Bingham a dit…

Il se tut une seconde trop tard.

– Merci de me confirmer ce que je savais déjà. Bingham a toujours été un menteur. Il n'a pas voulu admettre que Carr s'était enfui cette nuit-là et qu'il avait réussi à tuer trois de nos agents dans l'opération. Bingham, Cole et Cincetti s'en sont sortis in extremis, même si visiblement Carr ne savait pas qu'il s'agissait d'eux. Carr était le meilleur, question contrat. La mission a été coûteuse, Roger. Et elle aurait dû te valoir des ennuis. Tu as de la chance que Bingham et les autres se soient tus pendant toutes ces années.

– Encore une fois, je ne vois pas de quoi tu parles.

Gray attendit que Simpson ait avalé une autre lampée de cabernet avant d'annoncer :

– Jackie était la fille de Carr. Te l'ai-je jamais dit ? Tu as adopté sa gamine.

Simpson reposa lentement son verre. Gray nota que sa main tremblait.

– Tu as dit qu'elle était orpheline, mais tu n'as pas précisé le nom de ses parents, siffla Simpson d'une voix tendue. Je ne savais même pas que Carr avait une fille.

– On pourrait supposer que quand on essaie d'éliminer quelqu'un on connaît ce genre de détails.

– Si tu me suspectais, pourquoi nous as-tu confié l'enfant ?

– Il fallait faire quelque chose pour cette môme. Et toi et Donna ne pouviez pas en avoir. En dépit de ce que les gens pensent habituellement, j'ai une conscience, Roger. La gamine n'était pas coupable de ce drame. Moi non plus. C'est toi, Bingham, Cincetti et Cole les responsables. Tu comprends mieux, maintenant ?

Simpson réagit aussitôt.

– Tu penses que c'est Carr qui les as tués ?

– Et il a tenté de m'éliminer. Il a dû penser que j'avais joué un rôle dans la mort de sa famille.

– Mais pourquoi aurait-il attendu tout ce temps ?

– Je ne peux faire que des spéculations. Mais c'est logique de le suspecter.

– S'il est toujours vivant...

– Des hommes comme Carr sont affreusement difficiles à abattre, tu dois l'admettre aujourd'hui. Même l'équipe du Triple Six n'y est pas parvenue.

– Je ne comprends pas le rapport avec Solomon ?

– Il n'y en a peut-être pas. Carr opère peut-être tout seul en se servant de l'affaire Solomon comme couverture. C'est à nous de le découvrir. Mais si Carr travaille avec quelqu'un qui a connu Solomon dans le passé, alors il faut les retrouver. J'en ai les moyens. L'actuel directeur voit les choses comme moi. C'est normal, c'est moi qui l'ai formé.

– Et tu vas coincer cet assassin ?

– Oui, en espérant qu'il ne t'ait pas trouvé d'abord. Car tu es la prochaine cible, et une cible facile, en plus.

– Ce n'est pas drôle.

– Je ne cherche pas à l'être. Trois hommes beaucoup plus doués et beaucoup moins connus que toi sont morts. Si on est réaliste, on doit reconnaître que tu es une cible plus facile.

– Je vais quitter le pays dès demain matin, répliqua sèchement Simpson. Je ne vais pas attendre d'être assassiné par un psychopathe.

– Je suis sûr que les contribuables américains comprendront que tu te dérobes à tes devoirs envers le Congrès.

– Je n'aime pas le ton que tu emploies, Carter.

En guise de réponse, Gray ramassa la médaille de la liberté posée sur la table et la brandit.

– On m'a donné ce morceau de métal en récompense de trente années de service pour mon pays. J'ai été surpris de la recevoir. Après tout, j'avais démissionné de mon poste de directeur des services secrets en laissant l'administration dans le pétrin.

– Je me suis souvent demandé pourquoi tu avais pris cette décision.

– Tu peux continuer à te poser la question, Roger. Cette réponse m'appartient.

Roger Simpson jaugea d'un œil méprisant l'intérieur de l'abri souterrain.

– On se sent comme un rat dans un trou, ici.

– On ne peut sous-estimer quelqu'un capable de tuer trois anciens membres du Triple Six et qui m'a raté de peu. Dans l'immédiat, j'ai bien l'intention de supporter ce confortable bunker.

– Splendide ! Et moi, pendant ce temps, je prends les risques à la surface ? grogna Simpson furieux.

– Ne t'inquiète pas, Roger, on décerne aussi la médaille de la liberté à titre posthume.

# Chapitre 49

Après avoir travaillé dur pendant la journée, cette nuit-là, Finn visita un complexe immobilier à Arlington. Les places de parking étant numérotées, il lui fut facile de repérer celle qui l'intéressait. Il gara son van sur un emplacement désert puis se dirigea vers la Lincoln Navigator noire et appuya son appareil contre le pare-chocs arrière gauche. La lumière rouge et clignotante de l'alarme s'éteignit immédiatement sur le tableau de bord. Finn fit glisser l'outil de crochetage de la poche de sa veste et, quelques secondes plus tard, le cylindre de verrouillage de la portière du véhicule lui tomba dans la main. Il s'empara du badge d'identification que le propriétaire de la Lincoln conservait bêtement derrière son rétroviseur et le remplaça par un pass apparemment identique mais n'abritant aucun code crypté – code que Finn ne pouvait dupliquer, ce qui justifiait sa démarche. Le conducteur du 4×4 croirait son badge défectueux et s'en procurerait un autre.

Il remit le cylindre en place, reverrouilla la portière, pressa à nouveau son appareil contre le pare-chocs, et le système d'alarme se reconnecta. Il ne restait aucune preuve de son passage. En rentrant chez lui, Finn jeta un coup d'œil au pass qu'il avait dérobé. Encore heureux qu'il ne fût pas véritablement un voyou, parce que en trafiquant un peu l'enveloppe plastique il était en mesure à lui tout seul de renverser toute la branche législative du gouvernement, c'est-à-dire ses cinq cent trente-cinq membres. Mais un seul l'intéressait. Un seul.

Stone, Annabelle et Caleb avaient pris place à l'arrière d'un van. Mike Manson, l'un des hommes de Bagger, celui qui avait ouvert la porte de Caleb, un revolver à la main, était assis à côté d'eux. Stone n'avait pas pensé que Caleb pourrait être suivi ; cette erreur risquait de leur coûter cher et de les conduire droit dans la tombe.

– Comment va Jerry ? demanda Annabelle d'un ton naturel. Il a réussi de belles escroqueries, dernièrement ?

– J' sais pas de quoi tu parles, répondit Mike.

– Ça m'étonnerait que vous nous emmeniez à l'hôtel où il est descendu, dit Stone. Un peu trop public.

Mike ne prit pas la peine de répondre.

Pétrifié d'angoisse, le visage pressé contre la vitre, Caleb semblait prendre sur lui pour ne pas s'évanouir.

– Je suppose qu'un pot-de-vin ne ferait pas l'affaire, n'est-ce pas ? demanda Annabelle.

Caleb s'arracha de la fenêtre.

– Vous vous rendez compte que vous pourriez aller en prison, pour ça ?

Mike lui pointa son pistolet sur la tempe.

– Ferme ta putain de gueule !

Brusquement, le van fit une embardée pour éviter un véhicule qui lui coupait la route. Tandis que le chauffeur luttait pour redresser, Mike quitta Stone des yeux une fraction de seconde – laps de temps suffisant.

– Bordel ! hurla Mike avant de s'écrouler contre la portière.

Dans un fracas, son arme dégringola sur le plancher. Stone bondit pour la ramasser et la brandit au-dessus de sa tête.

Le flanc gauche tordu de spasmes depuis que Stone avait enfoncé son doigt près de sa cage thoracique, Mike ne parvenait plus à bouger.

– Allez, vieux chnoque, donne-moi ce flingue avant de te blesser ! siffla-t-il avec une grimace de douleur.

Stone tira. La balle arracha un bout de l'oreille de Mike et fit voler la vitre en éclats. Stone pointa son arme sur la tête du chauffeur.

– Gare-toi immédiatement avant que je te colle la prochaine dans le crâne.

Le van s'arrêta en tressautant sur le bas-côté boueux.

Stone se tourna vers Mike, qui, le visage en sang, paraissait abasourdi.

– La prochaine fois que tu kidnapperas des gens, fiston, attache-les bien ! Comme ça, tu ne passeras plus pour un idiot.

– Vous êtes qui, bordel ? hurla Mike.

– Je te souhaite de ne pas le découvrir.

Ils ligotèrent Mike et le chauffeur avec des cordes et des sangles trouvées dans la camionnette et les abandonnèrent dans un fossé près de la route. Dans leurs poches, il n'y avait aucun papier.

Stone grimpa sur le siège du conducteur, et ils repartirent tous les trois.

– Ça va ? demanda Annabelle à Caleb.

Il se tourna vers elle, le visage empourpré de colère.

– Très bien. Pourquoi irais-je mal ? En moins d'une heure, des voyous ont fait effraction chez moi, m'ont kidnappé et quasiment assassiné. Maintenant, ce monstre nommé Bagger sait que je lui ai menti. Il sait aussi où je vis et où je travaille. Quelle joie, quelle joie pour moi !

– Mais tu n'es pas mort, c'est déjà quelque chose, fit remarquer Stone.

– Pas encore ! répliqua Caleb.

Stone lui tendit son téléphone portable.

– Appelle Alex Ford chez lui. Son numéro est dans le carnet d'adresses. Explique-lui ce qui vient de se passer et dis-lui où il peut récupérer les hommes de Bagger. (Il regarda Annabelle.) Jerry a commis une grossière erreur. Maintenant, plus besoin que vous vous occupiez de lui avec Paddy, on a de quoi le coincer.

Caleb passa la communication, et ils continuèrent leur route. À la sortie d'un virage, une camionnette, surgissant d'une route secondaire, leur bloqua le passage. Stone fit une embardée pour tenter de la contourner.

– C'est mon père ! s'écria Annabelle. Et Reuben !

Il s'agissait effectivement de Paddy Conroy et de Reuben ; le premier était au volant, le second assis sur le siège du passager. Paddy gara son pick-up près du van et baissa sa vitre.

– Qu'est-ce que vous foutez ici, tous les deux ? hurla Annabelle en se penchant par-dessus l'épaule de Stone.

– Après votre départ, on s'est rappelé que Bagger avait rendu visite à Caleb à son boulot et on s'est dit qu'il avait peut-être demandé à ses gars de le suivre, expliqua Reuben. Alors Paddy et moi, on a décidé de venir en renfort.

– On est arrivés à l'appartement de votre ami juste à temps pour vous voir sortir avec eux, ajouta Paddy. D'après ce que m'a dit Reuben, vous (il montra Stone du doigt) n'attendiez qu'un moment d'inattention pour reprendre le contrôle de la situation. Il avait raison, visiblement. (Il jeta un regard en direction d'Annabelle.) Je comprends pourquoi ma fille vous fait tellement confiance.

Stone fusilla Reuben du regard.

– Paddy et moi, on a bien discuté en chemin, avoua Reuben en envoyant une claque dans le dos de l'Irlandais. Laissez-moi vous dire que ce mec sait conduire.

– J'ai commencé ma carrière comme chauffeur et cascadeur, s'empressa de préciser Paddy. Dans l'armée, bien sûr.

Stone reprit la route, suivi par Reuben et Paddy. Avoir coincé Bagger et ses hommes les avaient tous mis de bonne humeur. Cependant, leur joie était prématurée.

Lorsque Alex envoya des agents récupérer les gros bras de Bagger, ces derniers avaient disparu. Les nouvelles qui suivirent ne furent pas meilleures. L'arme que Stone avait subtilisée à

Mike n'était pas identifiable et le van avait été volé. Les kidnappeurs n'ayant jamais mentionné le nom de Bagger, rien ne reliait le patron du casino à cet enlèvement. Il n'y avait même pas assez d'éléments pour qu'il fût interrogé. Les autorités étaient furieuses. Il était évident qu'à l'avenir la cavalerie ne répondrait plus à l'appel.

Ils étaient revenus à la case départ dans leur guerre contre Bagger.

Stone était le plus inquiet de tous. Arme non identifiable, voiture volée, absence de papiers d'identité, hommes ligotés disparaissant en pleine nuit sans laisser de trace ? Étaient-ce réellement les hommes de Bagger qui les avaient enlevés ? N'était-ce pas lui qu'on pourchassait plutôt qu'Annabelle ?

# Chapitre 50

Lorsque Bagger réalisa que Mike et ses prisonniers ne s'étaient pas rendus à l'endroit convenu, il resta d'un calme olympien.

Le patron du casino savait que la disparition de Mike était de mauvais augure. Pis, il ignorait qui l'avait kidnappé et ce que l'homme allait dire à ses ravisseurs. La ville grouillait de fédéraux. Il suffisait de cogner dans un réverbère pour en voir dégringoler une demi-douzaine. Grâce à son instinct, Bagger avait réussi à survivre à de nombreux périls. Son nez lui disait qu'il allait devoir en affronter un. Il pouvait sauter dans son avion et s'enfuir. Mais ce geste contredisait sa réputation, l'image sur laquelle il avait bâti sa carrière. Jerry Bagger ne fuyait jamais devant les problèmes.

Il passa quelques coups de téléphone. Le premier pour faire venir des renforts d'Atlantic City. Puis il appela Joe, son détective privé, pour lui ordonner de recueillir de nouvelles informations qui, il le sentait, lui seraient utiles quand il connaîtrait les développements de l'affaire. Sa dernière communication fut pour son avocat, au courant de ses secrets plus que quiconque. L'homme de loi se mit immédiatement à bâtir alibis et stratégies au cas où les fédéraux auraient l'idée d'aller frapper à la porte de son client.

Lorsqu'il eut terminé, Bagger décida d'aller faire un tour à pied, seul. Contrairement à celles d'Atlantic City, les boutiques de Washington fermaient de bonne heure. En semaine, il n'y avait que quelques restaurants, bars ou night-clubs ouverts la nuit. Cependant, après avoir descendu une dizaine de blocs, Jerry dénicha un tripot éclairé au néon. À l'intérieur, il grimpa sur un tabouret de bar et commanda un whisky à un barman qui semblait porter tout le malheur du monde sur ses épaules. Assis à côté de lui, un type obèse fixait sa Lager d'un regard vitreux, et, dans un coin de la salle, un juke-box bosselé, patiné par des décennies de larmes et de bière, faisait entendre un refrain d'Elvis Costello.

Bagger avait grandi dans des endroits similaires où il fallait se battre pour des miettes. Près de soixante années plus tard, il se battait toujours, mais les miettes s'évaluaient en millions de dollars. Parfois, il regrettait le temps où il était encore un gamin au visage crasseux, au sourire communicatif et à la langue bien pendue, capable d'escroquer facilement quelques dollars sans jamais se faire prendre.

– Comment ils s'amusent, les gens, dans cette ville ? demanda-t-il au barman.

L'homme donna un coup de torchon sur le comptoir.

– Washington n'est pas un endroit pour se marrer, du moins, c'est mon avis.

– C'est du sérieux, ici, vous voulez dire ?

Le type lâcha un ricanement.

– C'est le seul endroit où vous pouvez prendre une bombe nucléaire sur la tronche tout en payant des taxes.

– Certains pensent qu'on se porterait beaucoup mieux si on en balançait une.

– Hé, prévenez-moi au moins vingt-quatre heures à l'avance.

– Je suis d'Atlantic City.

– Une ville sympa. Mais j'y ai laissé pas mal de ma pension de retraite, là-bas…

– Vous êtes déjà allé au Pompeii ?

– Ouais. Très classe, comme casino. Le type qui le dirige est du genre indésirable, d'après ce qu'on dit. Un vrai dur à cuire. Mais je suppose qu'il ne faut pas être une chiffe molle pour faire son beurre dans ce racket.

– Vous êtes serveur ici depuis longtemps ?

– Trop longtemps. Je voulais être lanceur en Major League, mais je n'étais pas assez bon. Quand je l'ai enfin pigé, la seule chose que je savais faire, c'était servir à boire. Avec des enfants à nourrir, on n'a pas toujours le choix.

– Et votre femme ?

– Un cancer, il y a trois ans. C'est toujours quand les choses marchent pas trop mal que le destin vous plante un couteau dans le dos. Vous comprenez ?

– Ouais.

Bagger déposa dix billets de cent dollars en guise de pourboire et se leva pour partir.

– M'sieur, c'est pour quoi, ça ? s'étonna le barman.

– Juste pour vous rappeler que même les connards ne sont pas toujours mauvais.

Bagger regagna son hôtel à pied. Son téléphone portable vibrait dans sa poche, sans doute ses agents de sécurité qui voulaient vérifier que tout allait bien. Il avait beaucoup d'ennemis et ses hommes n'aimaient pas le savoir seul dehors. Ce n'était pas une question d'affection, Bagger le savait. Si on le descendait, ils perdaient leur boulot. Dans le monde de Bagger, la loyauté s'obtenait soit au bout d'un canon de revolver, soit en agitant suffisamment de dollars devant le nez d'un type. Il ne prit pas la peine de décrocher.

Il dépassa le Washington Monument et s'arrêta. Ce n'était pas l'obélisque de cent soixante-dix mètres de haut qui avait attiré son attention, mais l'homme et la femme qui marchaient main dans la main sur l'esplanade. Bagger n'avait jamais connu de relations sérieuses avec une femme ; il avait été trop occupé à devenir riche. Les filles qu'il avait rencontrées étaient payées pour le job ou n'attendaient qu'un retour d'ascenseur. Elles ne tenaient pas à lui et l'inverse était vrai.

Ainsi allait sa vie lorsque Annabelle Conroy y avait fait irruption. Cette femme l'avait tourneboulé. Quelque chose en elle l'avait frappé là où il ne l'avait jamais été. Il s'était autorisé à croire qu'elle l'aimait, pas seulement parce qu'elle avait besoin de lui. La chute avait été vertigineuse, et il était là, aujourd'hui, dans cette ville qu'il haïssait presque autant que Vegas, à s'efforcer de tuer une femme qu'il aurait pu aimer toute sa vie. Perdre quarante millions de dollars ne l'avait pas détruit. De l'argent, il pourrait toujours en gagner davantage. Mais Annabelle Conroy lui avait volé le plus impensable : son cœur.

Ce sentiment de trahison le mettait tellement en rogne que s'il avait eu un revolver il aurait abattu le couple qui passait à quelques mètres de lui.

Il fit demi-tour et repartit vers son hôtel d'un pas vif. À son arrivée, une nouvelle surprise l'attendait. Mike Manson et son acolyte venaient de rentrer, échevelés et le visage en sang.

Avant de leur adresser la parole, Bagger s'approcha d'un de ses hommes.

– Nets ? demanda-t-il.

– On les a fouillés. Ils n'ont pas de micros.

Bagger se tourna vers Mike.

– Bordel, que s'est-il passé ?

– On a foiré, m'sieur Bagger, admit Mike. On les tenait dans la camionnette quand le vieux m'a piqué mon arme et nous a ligotés. On a mis tout ce temps pour se libérer et revenir ici.

– On a dû faire huit bornes à pied, renchérit l'autre.

– Je me fous que vous soyez rentrés en rampant sur votre langue, rugit Bagger. Vous vous êtes fait enfler par une femme et un bibliothécaire ?

– Ce n'était pas le bibliothécaire, précisa Mike. C'était un type plus vieux, mais un coriace. Il m'a collé un doigt dans les côtes et j'avais le côté tout engourdi. (Il indiqua son oreille blessée.) Puis il m'a enlevé un bout d'oreille avec le revolver comme si de rien n'était. C'était un pro, m'sieur Bagger. On ne s'attendait pas à ce genre de tuile.

– Mike, si je pensais que tu étais un nul, je te collerais une balle dans la tête.

– Oui, m'sieur Bagger, répondit nerveusement Mike. On s'est planqués derrière des arbres et Joe a trouvé un morceau de verre pour couper les cordes. Au moment où on partait, les flics sont arrivés. Ils ont dû les prévenir. Heureusement, ils ne nous ont pas vus.

– Tu es sûr ?

– Oui, m'sieur.

– Le gars qui t'a baisé, c'était un pro, hein ? À quoi il ressemblait ? Mike lui en donna la description.

– Un fédéral ?

– Il n'était pas habillé comme un féd'. Et il était un peu vieux pour ça. Mais c'était quand même un pro. Et il avait l'air proche de Conroy.

Bagger se laissa lentement tomber sur une chaise. Avec qui Annabelle était-elle de mèche ?

# Chapitre 51

Le sénateur s'était absenté pour la journée en raison d'une mission d'enquête inopinée. Il avait emmené avec lui l'essentiel de son staff, ne laissant à son bureau qu'une équipe réduite. Finn avait déniché cette information sur le site Internet de Simpson. Le sénateur y expliquait avec force conviction à quel point ce voyage serait bénéfique aux habitants de l'Alabama et des États-Unis. Comment un périple en première classe dans les îles Caïmans pouvait-il accomplir un tel prodige ? Finn n'était pas dupe. La vérité était que Simpson, averti de l'assassinat de ses anciens acolytes, avait décidé purement et simplement de quitter la ville. Après tout, ce n'était pas grave ; il serait bien obligé de regagner Washington un jour ou l'autre. En tant que membre du Sénat américain, il ne pourrait pas éternellement se soustraire à ses devoirs, même si certains de ses collègues rivalisaient d'efforts pour y parvenir.

Finn avait revêtu la tenue de travail standard du personnel gouvernemental. Un badge autour du cou et une caisse à outils à la main, il se présenta à l'entrée du Hart Senate. Quelques minutes plus tard, grâce à son assurance, à une fausse photo d'identité et à un petit laïus adéquat, il fut autorisé à pénétrer dans les lieux.

En sortant de l'ascenseur, Finn se dirigea vers la porte et, par la vitre, aperçut la jeune réceptionniste assise à l'accueil.

Il avait fait agrandir les photographies prises lors de sa dernière visite, ce qui lui avait permis de déchiffrer clairement son nom, sur sa plaque de bureau. Il passa la tête dans l'entrebâillement de la porte et agita son faux ordre de mission.

– Salut, Cheryl, je suis Bobby, du service de maintenance. On m'a appelé pour la serrure de la porte, il y a quelques jours. Désolé de ne venir que maintenant, mais on avait du travail en retard. Quel est le problème ? On a aussi reçu des réclamations venant d'autres bureaux.

La jeune femme débordée par l'avalanche habituelle de coups de fil masqua son combiné de la main.

– Aucune idée, dit-elle.

– Alors, je vais regarder ça vite fait. Ne vous dérangez pas.

La réceptionniste lui adressa un sourire reconnaissant avant de retourner à son travail.

Finn s'agenouilla, examina le trou de serrure et glissa une minuscule pièce de métal à l'intérieur. Il s'octroya deux minutes supplémentaires pour faire mine de s'occuper du chambranle.

– Ça devrait aller, maintenant, Cheryl ! lança-t-il.

Elle lui fit un petit geste de la main. Tout en rangeant ses outils, Finn jeta un regard circulaire dans la pièce. Il savait qu'il n'y avait pas de système d'alarme ni de détecteur de mouvement, mais cela ne faisait pas de mal de revérifier.

À l'extérieur, dans le hall, une caméra de surveillance était fixée au plafond à la jonction de deux couloirs. Finn avait déjà chronométré son déplacement. L'angle de balayage se modifiait toutes les cent vingt secondes, afin de couvrir la totalité des deux corridors. Finn s'avança dans l'un d'eux et, sans quitter l'appareil des yeux, vérifia sa montre. Le réglage n'avait pas été modifié. Le laps de temps serait suffisant. Il attendit que le hall soit désert et que la caméra s'écarte de lui. Puis, à l'aide d'une pince-monseigneur, il déverrouilla la serrure d'un petit entrepôt dans lequel, d'après ses informations, on stockait les décorations

211

de Noël et se glissa à l'intérieur. Puis, caché au fond de la pièce, il s'allongea sur le sol et s'endormit.

Peu après minuit, il glissa un câble vidéo sous la porte du réduit et inspecta le corridor. Le chemin était libre. La caméra balayait l'autre couloir. Sans perdre de temps, il se faufila vers le bureau de Simpson. La pièce de métal qu'il avait insérée un peu plus tôt dans la serrure avait parfaitement rempli son rôle. Elle donnait l'illusion que la porte était fermée, ce qui n'était pas le cas. En quelques secondes, grâce à une barre magnétique, il était dans les lieux.

Finn se mit immédiatement au travail. D'un pas alerte, il traversa l'antichambre et pénétra dans le spacieux cabinet de travail de Simpson. Il s'agenouilla près du bureau et fit basculer l'unité centrale de l'ordinateur, révélant la face arrière. Après avoir dévissé le panneau, il glissa son instrument à l'intérieur. Ce dernier était conçu pour provoquer une réaction chimique dans les composants de l'unité centrale, la transformant littéralement en bombe. Le récepteur sans fil attaché à l'appareil possédait une portée d'environ mille trois cents mètres, ce qui était plus que suffisant. Après avoir remis chaque chose à sa place, Finn s'assit devant l'ordinateur et l'alluma. Mais il lui fallait le mot de passe. Pariant sur le fait qu'un sénateur débordé n'avait pas le temps de mémoriser des identifiants élaborés ou subtils, Finn entra les noms qui lui venaient à l'esprit. Sa troisième tentative fut la bonne : « Montgomery », la capitale de l'Alabama. Il programma les fonctions dont il avait besoin puis éteignit le PC. Avant de partir, il déposa un appareil de surveillance miniaturisé et sans fil à côté d'une plante fleurie qui trônait sur le haut d'une étagère, à proximité d'un canapé. Les feuilles masquaient à la perfection la présence de l'appareil. Finn était désormais relié au bureau de Simpson. Il saurait s'en servir utilement.

Arrivé devant la porte vitrée, il consulta sa montre. Dès que la caméra de surveillance pivota en direction de l'autre couloir, il regagna la réserve et tira de sa caisse à outils un petit récepteur qui ressemblait à un BlackBerry. Après l'avoir allumé, il étudia attentivement l'écran. Rien ne pouvait lui échapper. La pièce était visible sous tous les angles. Il éteignit l'appareil, s'allongea sur le sol et s'endormit.

Le lendemain matin, en sortant de l'entrepôt, il prit le temps d'emprunter les ascenseurs d'un étage à l'autre pour faire croire qu'on réclamait ses services. Enfin, il quitta le bâtiment en compagnie d'un groupe d'employés, regagna l'État de Virginie en métro, récupéra sa voiture au parking et rejoignit son bureau.

Il ne lui restait qu'à attendre le retour de Roger Simpson. L'homme qui avait participé au meurtre de son père serait accueilli comme il se doit. Plus important, l'élimination de Simpson signerait la fin du périple de Harry Finn. Terminés les assassinats, les sempiternelles jérémiades de sa mère. Finn pressentait qu'elle disparaîtrait dès la mort de Simpson. Quand sa mère partirait, Finn la pleurerait et porterait son deuil tout en éprouvant un immense soulagement à l'idée d'être enfin libre.

Après avoir réglé quelques affaires courantes et formalisé deux ou trois détails concernant le plan d'infiltration du Capitole, il partit chercher ses enfants à l'école. Au cours des heures qui suivirent, il mit des paniers avec Patrick, aida Susie à faire ses devoirs et examina avec David une sélection de lycées. Quand Mandy revint de l'épicerie, il l'aida à préparer le dîner.

— Tu sembles de bonne humeur, fit-elle observer tandis qu'il épluchait les pommes de terre dans l'évier de la cuisine.

— J'ai eu une excellente journée, aujourd'hui.

— Je regrette que tu aies dû passer une nuit blanche. Tu dois être épuisé.

— Non, en fait, je me sens plein d'énergie.

Il termina la dernière pomme de terre, s'essuya les mains et la prit dans ses bras.

— Ça te dirait de faire un voyage quelque part, peut-être à l'étranger ? Les enfants ne sont jamais allés en Europe.

— Ce serait génial, Harry, mais ça coûte cher.

— L'année a été bonne. J'ai un peu d'argent de côté. On pourrait faire ça l'été prochain, qu'en dis-tu ? J'ai déjà un plan.

– Comment se fait-il que je sois toujours la dernière à être tenue au courant ?

– J'ai préféré organiser les choses correctement avant de les présenter à l'approbation du commandant en chef, m'ame. C'est ce qu'on apprend, dans la Navy.

Il lui donna un baiser.

– Vous êtes vraiment lunatique, monsieur, dit-elle.

– Comme je te l'ai déjà dit, je vois enfin la lumière au bout du tunnel.

Elle éclata de rire.

– Espérons que ça ne soit pas celle d'un train qui fonce sur toi.

Quand elle se retourna pour ouvrir le four, la jovialité de Finn s'évanouit.

*Un train qui fonce sur moi.* Il espérait que la phrase de sa femme ne se révélerait pas prophétique.

# Chapitre 52

Après la tentative d'enlèvement, Caleb et Paddy s'étaient installés dans le cottage de Stone tandis qu'Annabelle déménageait ses bagages dans un hôtel situé dans un autre quartier de la ville. Elle avait téléphoné à Stone pour lui donner sa nouvelle adresse.

Tôt dans la matinée, Stone reçut un appel de Reuben, qui paraissait bouleversé.

— Milton me rend cinglé, Oliver, gémit Reuben. Il a nettoyé toute ma maison. Je ne retrouve plus rien. Même Delta Dawn a les jetons. Il refuse de rentrer à cause de ce foutu aspirateur qui marche sans arrêt pendant des heures.

Delta Dawn était le chien de Reuben, un bâtard, au demeurant.

Sa voix baissa jusqu'au murmure.

— Et tu ne me croiras pas si je te dis ce qu'il a fait dans la salle de bains. Maintenant, on se croirait dans un truc de magazine féminin. Je suis trop gêné pour aller aux toilettes.

— Je n'ai pas de place pour lui, ici, répondit Stone d'une voix lasse. La maison est pleine en ce moment, Reuben.

— Je sais, c'est pour ça que je t'appelle. J'ai pensé que Paddy pourrait venir chez moi pendant que Milton camperait chez toi. Paddy est plus mon genre de colocataire.

215

– Trouver le compagnon idéal n'est pas une priorité pour l'instant ; ce qui compte, c'est de rester en vie, répliqua abruptement Stone. Et moins Paddy se montre en public, mieux c'est.

Reuben poussa un long soupir.

– Bon, je suppose que je pourrai supporter M. TOC un peu plus longtemps. Mais on ferait mieux de se dépêcher d'épingler ce salopard de Bagger. Milton veut m'emmener acheter des fringues. Là, ça va être la goutte d'eau qui fera déborder le vase.

Plusieurs heures plus tard, Stone regardait Caleb sortir de la salle de bains. Il portait les mêmes vêtements que la veille.

– Caleb, quand ces hommes t'ont coincé, hier soir, t'ont-ils dit quelque chose ? lui demanda Stone.

Caleb se renfrogna.

– Oui, ils m'ont déclaré que si j'émettais le moindre son ils me tueraient. Quand je pense qu'en glissant ma clé dans la serrure la seule chose que j'espérais, c'était de boire un bon verre de sherry en relisant le début de *Don Quichotte*...

– Est-ce qu'ils t'ont précisé qu'ils travaillaient pour Jerry Bagger ?

– Non. En fait, ils n'ont rien dit. C'était pas utile, ils avaient une arme.

– Ont-ils mentionné le nom d'Annabelle ?

– Non, rien de ce genre. Pourquoi ?

– Ont-ils parlé d'un certain John Carr ?

– Qui est-ce ?

– Peu importe. Ont-ils prononcé ce nom ?

– Non.

Stone n'avait absolument aucun moyen de savoir si les ravisseurs étaient sur les traces d'Annabelle ou de John Carr. *Peut-être sont-ils remontés jusqu'à moi grâce à Caleb*, se dit Stone. Il avait déjà rendu visite à son ami à la bibliothèque. Tous avaient cru qu'il s'agissait des hommes de Bagger. Et si, en réalité, ces types faisaient partie de l'équipe qui avait éliminé les membres du Triple Six ? Celle qui avait tué Carter Gray ? S'ils étaient à ses trousses, ils avaient sans doute déjà découvert son adresse.

– Alors qu'est-ce que je fais, maintenant ? demanda Caleb en interrompant les réflexions de Stone. Je devrais être parti pour le bureau depuis dix minutes. Je n'ai pas de vêtements, pas d'objets de toilette, rien.

Agacé par cette diversion, Stone répliqua sèchement :

– Téléphone pour dire que tu es malade.

– C'est bon pour aujourd'hui. Mais demain et après-demain ?

– Tu as des jours de vacances à prendre ?

– Oui, mais je te rappelle que je travaille pour le gouvernement fédéral. C'est impossible d'arriver la bouche en cœur en disant « je prends des congés ». On est obligé de planifier, de prévenir.

– On s'inquiétera de ça demain. Pour l'instant, reste ici et détends-toi.

– Me détendre ! Après avoir été kidnappé et presque assassiné ? Après avoir été viré de ma maison et de mon boulot à cause d'un maniaque qui me court après ? Tu espères que je me détende ?

– Écoute, c'est ça ou tu t'ouvres les veines. Je te laisse choisir, riposta Stone en se dirigeant vers la porte.

– Où vas-tu ?

– Voir notre amie.

– Génial. Tu peux dire à Annabelle qu'une amie comme elle m'est aussi utile qu'une coloscopie sans anesthésie.

Paddy émergea de la salle de bains, les cheveux encore mouillés.

– Qu'est-ce qui se passe ?

– Caleb s'apprêtait à préparer le petit déjeuner. Pas vrai, Caleb ? dit Stone.

– Quoi ?

Paddy regarda d'abord Stone puis Caleb et sourit.

– C'est sacrément gentil.

L'espace d'une seconde, Caleb parut sur le point de hurler, mais il se reprit. Pendant que Paddy dormait, Stone lui avait raconté l'histoire du vieil homme, y compris le fait qu'il était en train de mourir.

– Après tout, je suis au service du public, répondit Caleb gracieusement.

– Je te laisse à ta mission, alors, conclut Stone.

En traversant rapidement le cimetière, Stone se demanda avec inquiétude si Annabelle n'avait pas de nouveau pris la poudre d'escampette après le kidnapping raté de la veille. Cependant, une demi-heure plus tard, il la trouva dans la chambre de son nouvel hôtel. Après lui avoir versé une tasse de café, elle se percha sur le bord du lit, encore vêtue de son peignoir, la mine anxieuse et fatiguée.

– Comment va Paddy ?

– Il semble mieux, ce matin. Il a l'air plus alerte.

– C'est à cause des évènements de la nuit dernière. Ça le stimule. Il a toujours réagi comme ça.

– On a eu de la chance qu'il soit là hier soir. Il nous a sauvé la vie.

– Je sais, admit Annabelle d'un ton mi-figue, mi-raisin. Ça m'énerve. Du coup, c'est comme si je lui étais redevable de quelque chose.

– Avez-vous reconnu ces mecs ? demanda Stone. Je veux dire… Êtes-vous sûre que ce soient des hommes de Bagger ?

– Non… Mais d'où viendraient-ils, sinon ?

– Vous vous souvenez du petit problème dont je vous ai parlé me concernant ?

– Oui.

– Eh bien… Il se pourrait que les types de la nuit dernière soient à mes trousses, pas aux vôtres.

– Quoi ?

– Habillez-vous. On va faire un petit tour. Il y a une chose que vous avez besoin de savoir à mon sujet.

– Où allons-nous ?

– Au cimetière national d'Arlington. Il faut que je vous montre un truc.

# Chapitre 53

– Oliver, vous n'en avez pas marre, des cimetières ? Ça commence à ressembler à une obsession, observa Annabelle tandis qu'ils avançaient lourdement sur l'asphalte du cimetière d'Arlington, le plus important des cimetières militaires américains.

La plupart des tombes étaient signalées par une simple pierre blanche, mais certaines statues surplomblant les tombeaux des célébrités étaient extraordinairement ostentatoires et souvent de mauvais goût. Stone avait l'impression que moins la stèle était grandiose, plus le défunt avait servi son pays.

– Venez, ce n'est plus très loin, dit-il.

Il l'entraîna le long de l'allée familière tout en comptant mentalement les rangées. Ils se trouvaient dans l'une des parties les plus tranquilles du cimetière, une partie dans laquelle il se rendait fréquemment pour trouver le calme.

L'instant d'après, il chancela, comme pris de vertige. Le secteur n'avait plus rien de paisible. Une grande activité régnait devant la trente-neuvième tombe de la quatrième rangée de la section. Des hommes étaient en train de creuser. Sous les yeux d'Annabelle et de Stone, un cercueil fut sorti de terre puis transporté à l'arrière d'un fourgon stationné dans l'allée.

– Oliver, chuchota Annabelle. Qu'est-ce que c'est ? Il y a un problème ?

Elle posa sa main sur son épaule tandis qu'il tentait de retrouver son équilibre en s'adossant à un arbre. Finalement, il recouvra sa voix.

– Ne quittez pas le cimetière en même temps que moi. Je vous rejoindrai au cottage.

– Mais…

– Faites ce que je vous dis.

Il s'éloigna en direction du fourgon qui venait de démarrer.

Tandis que les fossoyeurs commençaient à reboucher l'excavation, Annabelle s'approcha de la tombe, l'air de rien.

– Je pensais que vous étiez censés enterrer les cercueils, pas les sortir, dit-elle.

L'un des ouvriers leva la tête sans répondre. Voyant qu'il recommençait à pelleter la terre, elle fit quelques pas vers lui en clignant des yeux dans l'espoir de déchiffrer le nom inscrit sur la stèle.

– Heu… Pouvez-vous me dire où a lieu la relève de la garde, ici ? demanda-t-elle en s'avançant davantage.

Pendant que l'employé lui répondait, elle profita de son instant d'inattention pour lorgner par-dessus son épaule. Et finalement elle vit les deux mots gravés dans la pierre.

– John Carr, murmura-t-elle.


Stone trottina derrière le fourgon jusqu'à ce que ce dernier s'engage sur la route principale et disparaisse à sa vue, après le rond-point situé à la sortie du cimetière. Au lieu de franchir le Memorial Bridge menant dans Washington, le véhicule partit vers l'ouest pour gagner le cœur de l'État de Virginie.

Stone devina où l'on emportait le cercueil : à Langley, au siège de la CIA. Il appela Reuben sur son portable.

– Je veux que tu appelles tous les gens que tu connais au DIA et que tu découvres pourquoi on a exhumé une tombe au cimetière d'Arlington aujourd'hui.

– Quelle tombe ? demanda Reuben.

Des cadavres trop bavards

— Celle d'un certain John Carr.

— Tu connaissais ce type ?

— Autant que moi-même. Dépêche-toi, Reuben, c'est important.

Stone raccrocha et téléphona dans la foulée à Alex Ford, la seule personne avec Annabelle à connaître son véritable nom.

— Tu les as vus le déterrer ? s'enquit Alex.

— Oui. S'il te plaît, trouve-moi le maximum d'informations.

Stone repartit à pied vers le cottage. Quand il entra, Annabelle se tenait devant le bureau.

— Pour un mort, vous m'avez l'air en pleine forme.

— Où sont Paddy et Caleb ?

— Ils ont fait un saut à l'épicerie. Apparemment, il n'y a pas grand-chose à manger, ici. (Elle s'approcha des papiers posés sur la table de travail.) Vous avez un sacré dossier sur Jerry.

— Sur vous et Jerry, corrigea-t-il.

— Vous avez déniché des trucs sur moi ? demanda-t-elle, l'air effrayée.

— Non, mon ami n'a extrait que ce qui concerne Bagger. Sur vous, il n'y a que des conjectures.

Il prit place derrière son bureau.

— Si je comprends bien, cette histoire au cimetière est un mauvais coup.

— Quand ils ouvriront ce cercueil, ils seront surpris de ne pas y trouver ce qu'ils cherchent, c'est-à-dire moi.

— Il n'y a pas un autre corps dedans ?

Il haussa les épaules.

— Ce n'est pas moi qui ai pris la décision. J'étais trop occupé à éviter de me retrouver dans le cercueil.

— Pourquoi le déterrent-ils aujourd'hui ?

— Je ne sais pas.

— C'était ça, le problème dont vous m'avez parlé tout à l'heure ?

— Je ne peux rien vous dire.

Le visage d'Annabelle rougit sous l'effet de la colère.

— Vous me dites ça à moi ? Alors que je vous ai vidé mon sac ? Je n'avais fait ça avec personne. Jamais. Maintenant, je veux la vérité.

221

Stone tressaillit intérieurement. Pendant des années, il avait brandi une pancarte dans Lafayette Park qui disait : « Je veux la vérité ».

– Annabelle, c'est quelque chose que je ne peux pas...

– Non. N'essayez pas de trouver des excuses stupides. Je suis la reine question bobards.

Stone resta sans bouger tandis qu'Annabelle tapotait le parquet des pieds.

– Écoutez, Oliver ou John, peu importe votre vrai nom...

– Je vous ai déjà dit que je m'appelais John Carr.

– Bien. C'est un début. Continuez.

Il se leva.

– Non. Je ne dirai rien. Et je ne peux plus vous aider, pour Jerry Bagger. En fait, plus vous m'éviterez, mieux ce sera. Emmenez votre père et dépensez tout votre argent pour vous barrer le plus loin et le plus vite possible. Je suis désolé, Annabelle. Si vous restez avec moi, vous signez votre arrêt de mort. Je ne peux pas avoir ça en plus sur la conscience.

Il l'empoigna par le bras et la poussa vers la porte d'entrée qu'il referma sur elle.

# Chapitre 54

La mère de Harry Finn se leva de bonne heure. La douleur qui lui rongeait les os la réveillait toujours à l'aube. Elle fit un tour dans la salle de bains puis se traîna de nouveau jusqu'à son lit où elle parcourut les journaux avec la rigueur qui l'avait accompagnée sa vie durant. Dans sa volonté de ne rater aucune information, elle brancha ensuite la radio et regarda les journaux télévisés. Son visage lui apparut brusquement sur l'écran du téléviseur. Elle appuya sur la télécommande, faisant disparaître instantanément son expression ironique et suffisante.

Le souffle court, elle regarda le téléphone portable que son fils lui avait donné. Elle ne l'avait jamais appelé sur cette ligne ; « Tu ne dois l'utiliser qu'en cas d'urgence », lui avait-il dit. Elle avait attaché l'appareil à une ficelle passée autour de son cou et ne l'enlevait que pour prendre son bain. Il fallait qu'elle le contacte. Le visage à la télé. Était-ce possible ? Cela pouvait-il être vrai ?

Un bruit de pas se fit entendre dans le couloir. En hâte, elle se glissa à nouveau sous ses draps. La porte de sa chambre s'ouvrit, laissant apparaître la surveillante, qui entra en sifflotant.

– Comment allons-nous aujourd'hui, miss Queenie ? lança-t-elle.

Ce surnom s'était imposé au vu des manières impérieuses de la patiente.

Les traits de la vieille femme avaient pris une expression figée. Elle baragouina quelques mots dans son étrange dialecte. Pour la majorité des gens, ce verbiage ne ressemblait qu'à des divagations ; c'était l'effet recherché.

– D'accord, continuez à jacasser pendant que je récupère vos affaires sales et que je nettoie la salle de bains. Je suis à votre disposition, miss Queenie.

La surveillante jeta un coup d'œil sur les journaux écornés et sourit. Miss Queenie n'était pas aussi larguée qu'elle voulait le faire croire.

Après le départ de la femme, la mère de Harry se redressa et considéra de nouveau le portable. En vieillissant, on mettait plus longtemps à prendre une décision, comme si l'âge exigeait des délibérations intérieures plus longues. Appeler ou ne pas appeler ? Avant d'avoir répondu à la question, ses doigts tapotèrent sur les touches. Son fils décrocha avant la fin de la première sonnerie. De toute évidence, Harry avait reconnu le numéro grâce à l'identificateur d'appels.

Sa voix était faible, mais claire.

– Que s'est-il passé ? Tu es blessée ? demanda-t-il d'un ton sec.

– Non, je vais bien.

– Alors pourquoi est-ce que tu m'appelles ?

– J'ai vu aux informations qu'il avait quitté le pays. Il est parti en vacances. Cet homme peut prendre des congés ? C'est vrai ? Dis-le-moi !

– Je vais m'en occuper. Raccroche, maintenant.

– Mais il doit…

– Tais-toi. Raccroche. Immédiatement.

Elle obtempéra et remit le téléphone autour de son cou. Harry lui en voulait. Elle n'aurait pas dû lui téléphoner. Mais elle n'avait pas pu s'en empêcher. Nuit et jour, elle restait assise au même endroit, à pourrir dans cet enfer sans pouvoir penser à rien d'autre. Et il avait fallu qu'elle voie cet homme à la télévision.

Elle se précipita vers la fenêtre et regarda dehors. Il faisait une journée magnifique, mais elle s'en fichait. Elle ne faisait plus partie de ce monde. Elle appartenait au passé, qui avait lui aussi presque totalement disparu. Sa famille, ses amis, son mari, ils étaient tous morts. Il ne lui restait que Harry. Et maintenant, voilà qu'il était en colère contre elle. Mais ça ne durerait pas. Harry pardonnerait, il le faisait toujours. Il était un bon fils ; aucune mère ne pouvait en avoir de meilleur. Elle ouvrit le tiroir et en sortit l'unique photographie qui lui restait de son mari. Puis elle s'allongea sur son lit, le cliché posé sur le cœur, et rêva à la mort de Roger Simpson.

Harry Finn remit lentement le combiné dans sa poche et regagna la cuisine, où Mandy et les enfants le dévisagèrent avec anxiété.

Un bout de flocon d'avoine pendait au coin de la bouche de Susie. Patrick avait laissé tomber sa fourchette sur le sol et George le labradoodle y léchait les dernières traces d'œuf. L'air angoissé, David, qui ne quittait pas son père des yeux, avait cessé de bourrer son sac à dos de livres scolaires. Debout près de la cuisinière, Mandy restait figée, une spatule à la main. Dans la poêle, la crêpe virait au noir.

– Harry, est-ce que tout va bien ? s'enquit-elle d'une voix inquiète.

Il essaya de sourire, mais sa bouche n'y parvint pas.

– Fausse alerte. J'ai cru qu'il se passait quelque chose de bizarre, c'est ma faute.

Susie se mit à pleurer. Il la prit dans ses bras et pressa sa joue contre la sienne.

– Hé, bébé, tout va bien ! Papa a juste fait une erreur. C'est tout.

La petite fille saisit son visage entre ses mains douces et le gratifia du genre de regard pénétrant dont seuls les enfants semblent capables.

– Tu promets ? dit-elle d'une toute petite voix.

La peur qui transparaissait dans sa question transperça le cœur de Harry. Il l'embrassa, en partie pour éviter la supplique et l'interrogation qu'il lisait dans ses yeux.

– Je promets. Même les papas font des erreurs.

Il se tourna vers sa femme. Cette dernière semblait s'être un peu remise de sa frayeur.

– Mais les mamans, jamais, pas vrai ?

Il chatouilla malicieusement Susie et, de son autre main, pressa l'épaule maigrelette de Patrick.

– Ça va ?

– Oui, papa, dit Susie.

– Oui, acquiesça Patrick.

Plus tard, Harry déposa les enfants à l'école en voiture. David fut le dernier à descendre. Pendant que ses frères et sœurs se dirigeaient vers le bâtiment, il se pencha en faisant semblant d'arranger ses lacets.

– Tu es sûr que tout va bien, papa ?

– Absolument, fiston, pas de souci.

– Tu peux me parler, tu sais, de n'importe quoi.

Finn sourit.

– Je pensais que c'était à moi de dire ça.

– Je suis sérieux, papa. Je sais que c'est parfois difficile de discuter de certains sujets avec maman. Parfois, on a besoin d'un autre gars pour ça.

Finn serra la main de son fils.

– J'apprécie, Dave. Plus que tu ne crois.

*J'aimerais tellement tout te dire, fiston, mais je ne peux pas. Je n'en serai jamais capable. Je suis désolé.*

Ces mots surgirent dans son esprit tandis qu'il resserrait ses longs doigts puissants autour de ceux de son fils. Il n'avait pas envie de le laisser partir.

– Passe une bonne journée, papa, dit David en refermant la portière.

Finn démarra sans hâte, dépassant les véhicules des autres parents. Ces derniers, il l'aurait parié, n'échangeraient jamais sciemment leurs existences contre la sienne.

Dans le rétroviseur, il vit David entrer dans l'école.

*Si j'échoue, fiston, souviens-toi simplement du père que j'étais, pas de l'homme que j'ai été forcé de devenir.*

Non loin de la chambre de la mère de Finn, un homme dénommé Herb Daschle bâilla et s'étira. Il était assis près d'un lit sur lequel gisait un homme inconscient. Daschle était là depuis minuit et il en avait encore pour quatre heures. Il adressa un signe de tête à une surveillante qui entrait pour vérifier l'état du patient. À cet instant, ce dernier gémit et quelques mots s'échappèrent de sa bouche. Daschle sauta sur ses pieds, saisit l'employée par le bras et la poussa dehors avant de claquer la porte derrière elle. Puis il se pencha sur l'homme et écouta attentivement. Quand le malade retomba dans le silence, Daschle tira un téléphone de sa poche et passa une communication, répétant mot pour mot ce que l'homme avait dit. Puis il fonça dans le couloir et cria. La surveillante réapparut, l'air un peu agité. Ce genre d'incident s'était déjà produit.

— Désolé, fit Daschle poliment tandis qu'elle reprenait son siège.

— Je vais avoir une attaque cardiaque à cause de vous, marmonna la femme.

Elle n'osa pas le dire à voix haute. C'était impossible, avec des gens pareils.

# Chapitre 55

– Je suis heureux que Gregori ait pu être utile, dit Carter Gray au directeur de la CIA.

Les deux hommes étaient assis dans le bureau, au fond du bunker. Gray appréciait de plus en plus son nouveau domicile. Vivre sous terre comportait certains avantages. La météo ne posait jamais de problèmes, il n'y avait pas d'embouteillages et il n'aimait rien tant que sa propre compagnie.

L'ancien ambassadeur soviétique aux États-Unis durant les dernières années de la guerre froide, Gregori Tupikov, ne travaillait plus pour les Russes ; il s'occupait de ses propres intérêts. Devenu un capitaliste heureux et dodu, il venait de quitter son pays pour rejoindre un groupe d'investissement qui avait racheté une industrie houillère ayant appartenu à l'État soviétique, avant de la revendre à d'autres Russes. Gregori avait eu la sagesse de fuir sa patrie avant que le gouvernement ne serre la vis aux nouveaux riches. Il vivait en Suisse la majeure partie de l'année, possédait des appartements à Paris et à New York ; ses millions étaient soigneusement gérés par Goldman Sachs.

Gray acheva sa lecture du rapport établi après la rencontre avec Tupikov.

– Ainsi, Lesya et Rayfield Solomon se sont bel et bien mariés à Volgograd ; puis les deux tourtereaux se sont arrangés pour quitter l'Union soviétique.

Le directeur hocha la tête.

– D'après les souvenirs de Gregori et ce qu'il a appris grâce à d'anciens collègues, ils sont d'abord allés en Pologne, puis en France et de là au Groenland. Au fait, Lesya était juive ?

– Je ne sais pas. Solomon l'était, même s'il n'était pas pratiquant. Le monde de l'espionnage n'est pas toujours compatible avec les obligations religieuses.

– Je les ai remplies envers l'Église presbytérienne tous les dimanches, rétorqua le directeur.

– Félicitations. Si Gregori en savait autant à l'époque, pourquoi n'a-t-il pas agi ? se demanda Gray à voix haute. Il pensait qu'elle travaillait toujours pour les Soviétiques ?

– Et ce n'était pas le cas ? s'étonna le patron de la CIA.

– Bien sûr, répondit négligemment Gray. Et après le Groenland ?

– Malheureusement, c'est là qu'on perd leur trace. Et on n'arrivera peut-être jamais à la remonter. Après tout, c'est une vieille histoire.

– On la remontera, riposta sèchement Gray.

– Où a-t-on retrouvé le corps de Solomon ? Il manque également cette partie du dossier.

Gray interrompit son examen des documents en faisant mine de fouiller dans sa mémoire. En réalité, tous les détails étaient gravés dans son esprit.

– Au Brésil. À São Paulo.

– Que faisait-il à São Paulo ?

– Je ne sais pas trop. Il ne travaillait plus pour nous, à l'époque. Lesya l'avait retourné.

– Et il est mort là-bas ?

Gray hocha la tête.

– On a été alertés par nos contacts en Amérique du Sud. On a diligenté une enquête. Mais il était évident qu'il s'agissait d'un suicide.

Le directeur scruta Gray, qui, à son tour, le regarda bien en face.

– Bien sûr, dit le directeur. Et Lesya s'est retrouvée seule ?

– On le dirait. Autre chose ?

– Peut-être.

En relevant la tête, Gray surprit un sourire suffisant sur le visage de son interlocuteur. Il se souvint que, lorsque ce dernier n'était encore qu'un agent débutant, il avait déjà le visage le plus impassible de tous les hommes qu'il avait formés. Il avait aussi la fâcheuse manie d'afficher un air de supériorité extrêmement déplaisant, car totalement injustifié. Gray pensait l'avoir guéri de ses défauts. De toute évidence, une fois devenu chef de la CIA, ces traits de caractère insupportables avaient réapparu.

– Allez-y !

– Gregori devait être de bonne humeur. Comme vous l'aviez suggéré, l'agent qui l'a rencontré à Paris l'a gavé de homard.

– Et de vodka Moskovskaya ? C'est sa préférée.

– Il en a eu jusqu'à plus soif. On lui a déniché aussi une ou deux rousses.

– Et ?

– Et il s'est souvenu d'une rumeur selon laquelle Lesya avait été obligée de se marier.

– Obligée ? répéta Gray, intrigué.

Le directeur agita sa main devant son ventre.

– Elle était enceinte ? le coupa aussitôt Gray

– C'est apparemment l'opinion de Gregori.

Gray se renfonça dans son siège. *C'est son fils, l'assassin !*

– Alors, si on se fie en gros aux dates, l'enfant, fille ou garçon, doit avoir une trentaine d'années ?

Le directeur hocha la tête.

– Mais je doute fortement qu'il s'appelle Solomon.

– Si Lesya et Solomon se sont mariés en Russie alors qu'elle était enceinte, où est né le bébé ? En admettant qu'ils aient quitté l'URSS immédiatement après le mariage, la naissance a pu avoir lieu en Pologne, en France, au Groenland ou bien sûr au Canada.

– Au Canada ? Leur dernière étape connue est le Groenland. Quel est le rapport avec le Canada ?

Gray observa l'homme qui dirigeait la première agence de renseignements du pays. *Que Dieu vienne en aide à cette nation !* pensa-t-il.

– Pourquoi se rend-on au Groenland, si ce n'est dans l'idée d'aller au Canada ? Déjà à l'époque, il y avait de nombreux vols directs pour les États-Unis. Et c'était l'escale préférée des espions. Quand j'étais sur le terrain, j'ai souvent fait halte au Groenland avant de rentrer chez moi. C'était facile, là-bas, de s'apercevoir qu'on était suivi. Les êtres humains étaient visibles dans la toundra gelée !

– Peut-être l'enfant est-il né ici ? Ça ferait de lui un citoyen américain. Ce serait plus facile.

– Je ne crois pas, pas pour la naissance. C'était moins compliqué pour elle de se faufiler au Canada et d'avoir le bébé là-bas. Elle pouvait toujours faire falsifier les registres par la suite.

– Tout ça ne nous donne pas grand-chose pour démarrer les investigations.

– Je ne suis pas de cet avis. Il y a peu de ports qui relient le Groenland au Canada, et il y en avait encore moins à l'époque. Montréal ? Toronto ? Ottawa ? Peut-être la Nouvelle-Écosse et Terre-Neuve ? On peut commencer par là.

– Commencer quoi exactement ?

– On limitera nos recherches à une période de douze mois. (Gray précisa l'année.) Et on examinera les certificats de naissance dans ces différents endroits. Juste les garçons, pour l'instant.

– Pourquoi pas les filles ?

– Juste les garçons, pour l'instant, répéta Gray.

– C'est un énorme boulot. Et on a cette simulation d'attaque terroriste à préparer sur Capitol Hill à la demande du DHS qui, bien sûr, nous a laissé la plus grosse partie du travail sur les bras. Ça prend un temps infini à mettre sur pied.

– Ces registres doivent être informatisés.

– Oui, mais quand même… Les ressources demandées…

Gray se pencha vers lui et le fit taire de son regard le plus intimidant.

– Les conséquences de notre inaction sont potentiellement une catastrophe pour ce pays.

# Chapitre 56

Annabelle attendit dehors que son père revienne de l'épicerie voisine en compagnie de Caleb. Sans un mot d'explication, elle demanda à Paddy de la suivre au volant de son pick-up jusqu'à son hôtel. Arrivée là-bas, elle entraîna son père dans la chambre qu'elle occupait.

L'esprit d'Annabelle tournait à plein régime. Elle avait compté sur l'aide de Stone. Et voilà qu'il l'avait tout bonnement abandonnée, en lui claquant littéralement la porte au nez. Jamais elle n'aurait dû lui faire confiance. Elle aurait dû savoir qu'on ne pouvait compter que sur soi.

– Annie, s'exclama finalement Paddy. Parle-moi, fillette, qu'est-ce qu'il se passe, putain ?

Elle toisa son père comme si elle avait oublié sa présence.

– Il se passe qu'on s'est fait avoir. L'aide que je pensais trouver pour coincer Bagger ne viendra pas.

– Pas de cavalerie ?

– Pas de cavalerie.

– Ce fameux Oliver. Reuben m'a un peu parlé de lui. C'est lui qui devait nous donner un coup de main ?

– Oui, mais il ne le fera pas. Apparemment, il a des affaires plus urgentes à régler.

Il donna un coup de poing sur le bras de son fauteuil.

– Alors, qu'est-ce qu'on fait ?

– On prend la tangente. Bagger va faire surveiller les aéroports et les gares, mais il n'a pas assez d'hommes pour s'occuper des routes. Il faut d'abord se débarrasser de ton véhicule. Ensuite, on se barre.

– On s'en va où ?

– Quelle importance ? L'essentiel, c'est de déguerpir d'ici !

– Et on laisse Jerry s'en tirer ?

– Vaut mieux ça plutôt qu'il nous trouve, tu ne crois pas ? En restant en vie, on se battra mieux demain. (À peine eut-elle prononcé ces mots qu'elle leva les yeux sur son père.) Je suis désolée, je ne voulais pas…

– Demain ? C'est un mot qui n'a plus de sens pour moi. Soit je le fais maintenant, soit je ne le ferai jamais.

– Mais je te l'ai dit, nous n'avons plus la cavalerie.

– Alors je vais réfléchir à un autre plan.

– Tu ne peux pas t'occuper de Jerry tout seul.

– Tu es avec moi, pas vrai ?

Elle regarda par la fenêtre en secouant la tête.

– Tu sais combien de temps j'ai mis pour planifier mon coup contre Jerry ?

– Probablement plus longtemps que les jours qui me restent à vivre. Mais je n'abandonne pas. Je ne peux pas abandonner.

– Jusqu'à hier tu n'as pas fait grand-chose pour régler son compte à Jerry. Qu'est-ce qui a changé ?

Il se leva et lui agrippa le bras.

– Ce qui a changé, c'est toi. Aujourd'hui, tu sais que j'étais en prison quand ta maman a été tuée. Je reste un salaud, mais un salaud moins dégueulasse que ce que tu pensais.

– Tu fais ça pour moi ?

– Non, enfin, pas seulement pour toi. Je le fais pour Tammy, qui ne méritait pas de mourir comme ça. Et je le fais aussi pour moi, parce que Bagger m'a pris la seule personne que j'aie réellement aimée.

Annabelle se libéra de son étreinte et détourna la tête.

– Ce n'est pas ce que je voulais dire, Annabelle.

Elle indiqua la cicatrice qui marquait son visage.

– Je n'ai jamais eu l'illusion que tu m'aimais.

Paddy tendit la main pour lui caresser la joue, mais elle eut un mouvement de recul.

– Je n'avais pas le droit de faire ça, reconnut-il. Mais c'était pour te donner une leçon, pour pas que tu oublies. Tu t'es fait avoir au casino. Bien sûr, tu étais une gamine, et les mômes font des erreurs. Mais je parie que tu n'as jamais recommencé la même connerie, pas vrai ?

– Non.

– Je n'ai jamais emmerdé les types avec qui j'ai travaillé. Je n'ai jamais pris la peine d' leur coller une cicatrice. Quand ils faisaient une boulette, j' leur faisais remarquer, pour sûr, mais j'en avais rien à faire en fin de compte qu'ils foutent le merdier avec d'autres et qu'ils se prennent une dérouillée.

– C'était quoi, alors, ma cicatrice, de l'amour vache ?

– Ta maman n'a jamais voulu que tu bosses dans le monde de l'arnaque. Mais on était à court cet été-là et j'ai eu l'idée de t'utiliser. Tu as pigé tout de suite, plus vite que moi au même âge. Dix ans plus tard, tu m'avais largement dépassé. Tu es partie sur des gros coups tandis que je continuais mon bonneteau au coin des rues. Pour des clopinettes.

– C'était ton choix.

– Pas vraiment. La vérité, c'est que j'étais pas assez doué pour les affaires qui demandaient de la préparation. Il paraît qu'on a ça en soi ou pas, moi, je l'avais pas.

– Où est-ce que tout ça nous mène ? Tu ne sais pas gérer les gros coups, et pour coincer Jerry il n'y a que ça qui peut marcher.

– Je ne peux pas le faire sans toi, Annabelle. Mais si tu refuses de m'aider, j'essaierai quand même.

– Il te tuera.

– Je suis déjà mort, de toute façon. Et je doute que Jerry puisse inventer une mort plus douloureuse que celle qui m'attend.

– Tu me compliques vraiment la vie.

– Tu vas me donner un coup de main ?

Annabelle ne répondit pas.

– Pourquoi tu ne reposes pas la question à ton pote ? Il va peut-être changer d'avis.

Annabelle allait répondre par la négative, puis se reprit. Pourquoi effectivement ne pas retourner au cottage de Stone ? S'il était là, elle pourrait essayer de le baratiner pour le convaincre. Dans le cas où il serait absent, hypothèse la plus probable, elle en profiterait pour récupérer les « dossiers » que Stone avait compilés sur ses mésaventures avec Jerry. Elle n'avait pas envie de les laisser moisir là-bas en attendant que les flics ou l'un de ses ennemis les dénichent.

– Je vais refaire une tentative.

Alors qu'elle se dirigeait vers sa voiture, elle prit soudain conscience qu'elle n'avait pas le droit de laisser Paddy s'embarquer tout seul dans cette affaire. Cela signifiait donc qu'ils allaient mourir tous les deux.

# Chapitre 57

Après le départ d'Annabelle et de Paddy, Stone mit Caleb dans un taxi, non sans lui avoir prêté quelques-uns de ses vieux vêtements. Il donna au chauffeur l'adresse d'un hôtel du quartier.

– Oliver, pourquoi est-ce que je ne peux pas rester ici ? demanda Caleb, visiblement effrayé.

– Ce serait idiot. Je t'appelle plus tard.

Ce fut seulement après le départ du véhicule et une fois seul que Stone se mit à réfléchir à son comportement envers Annabelle.

*Je l'ai abandonnée*, se dit-il. *Après avoir promis de l'aider. Après lui avoir demandé de rester.*

Mais qu'aurait-il pu faire d'autre ? De toute façon, à l'heure qu'il était, elle se trouvait probablement à bord d'un avion à destination de cette île du Pacifique sud. Là-bas, elle serait en sécurité.

Mais si elle ne s'était pas enfuie ? Si cette mule d'Annabelle s'était obstinée à coincer Bagger ? Sans aucun soutien ? Elle lui avait expliqué qu'elle avait besoin de la cavalerie. Pouvait-il au moins lui donner ce coup de pouce ?

L'instant d'après, le téléphone sonna. C'était Reuben.

– Aucune information auprès de mes contacts à la DIA, Oliver, dit-il. Ils n'étaient pas au courant de cette histoire de cimetière.

Mais Milton a trouvé quelque chose sur le Net. Attends, je te le passe.

La voix de Milton résonna dans le combiné.

– C'est pas énorme, Oliver, mais on parle de cette tombe ouverte à Arlington. Aucun commentaire du gouvernement.

– On précise le nom écrit sur la stèle ?

– C'est un certain John Carr, répondit Milton. Ça pose un problème ?

Stone raccrocha sans prendre la peine de répondre. Après toutes ces années, voilà que John Carr renaissait à la vie.

Constat ironique, Stone ne s'était jamais senti aussi mort qu'en ce moment.

Pourquoi maintenant ? Que s'était-il passé ? La vérité le frappa de plein fouet alors qu'il franchissait lentement les grilles du cimetière et allait s'asseoir sous le porche.

On l'avait piégé.

Si John Carr était vivant, l'assassin des anciens membres du Triple Six allait le rajouter sur sa liste.

*Je sers d'appât*, se dit Stone. *Ils cherchent à m'utiliser pour débusquer le meurtrier. Si ce dernier m'élimine avant qu'ils aient eu le temps de le coincer, ça ne gênera personne. Et si j'arrive à m'en tirer ? Mes jours seront quand même comptés.* John Carr était désormais une gêne pour le gouvernement. Son propre pays avait de nombreuses raisons de souhaiter sa mort et aucune pour le laisser vivre, Stone en était convaincu. Leur plan était éblouissant de simplicité. Son élimination avait été ordonnée.

Un seul homme avait pu organiser ce traquenard.

*Carter Gray ! Il est vivant !*

Stone rangea quelques affaires dans un sac, ferma la porte du cottage à clé et s'enfuit à travers les bois situés derrière le cimetière.


Assis à une table, Harry Finn tentait de faire tenir un couteau à beurre en équilibre sur la lame. L'expérience était plus difficile qu'elle n'en avait l'air ; cependant, il y parvenait toujours en quelques secondes. Il pratiquait cet exercice chaque fois qu'il était indécis, une façon de chercher l'harmonie. Ce qu'il réussissait avec un couteau devait être faisable avec son existence. Du moins, il le pensait. Mais rien n'était aussi aisé dans la réalité.

– Harry ?

Levant les yeux, Finn se trouva nez à nez avec l'un des membres de son équipe. Ils avaient discuté de leur projet en préparation sur le Capitole au cours d'un déjeuner au bureau.

– As-tu eu l'occasion de revoir les plans de la ventilation ? demanda la femme.

Il hocha la tête. Ils avaient récupéré la documentation nécessaire en s'introduisant dans la camionnette de l'architecte responsable du chantier du Visitor Center. Les renseignements qu'ils avaient ainsi récoltés leur avaient ensuite servi de base pour lancer une opération d'hameçonnage téléphonique.

– Oui, a priori, les canalisations seront reliées directement au bâtiment du Capitole, mais j'ai besoin d'une confirmation. On va vérifier ça sur place ce soir. Et on devrait pouvoir y accéder à partir du tunnel de livraison, mais je vais m'en assurer aussi.

Il se tourna vers son collègue qui, installé à côté de lui, passait en revue une série de diagrammes et de fiches techniques.

– Et pour le transport ?

– Tout est réglé, répondit l'homme en lui montrant les documents.

Finn baissa les yeux sur le pass qu'il avait volé un peu plus tôt dans le 4×4. Ce badge lui avait fourni un important kilométrage. Son programme de cryptage lui permettrait aisément de modifier les informations de base – photo, nom, etc. – et de pénétrer dans un nombre incalculable de lieux dont l'accès lui était interdit. Il avait entendu dire que le gouvernement avait pris conscience de la fragilité de leur système de sécurité, mais il n'y avait pas de quoi s'inquiéter. Dans ce domaine, le Congrès progressait avec une lenteur effrayante.

La réunion terminée, Finn regagna son bureau, où il travailla le reste de la journée. Dans la soirée, il enfila un uniforme d'officier de police du Capitole, falsifia son badge et gagna le chantier où il retrouva l'un de ses confrères vêtu de la même façon. La police du Capitole comptait mille six cents hommes pour environ deux cent cinquante-neuf hectares. Le Congrès aimait se sentir en sécurité et contrôlait les cordons de la bourse.

*Tout cet argent ne protège pas vraiment les gens*, pensa Finn tandis qu'il déambulait autour du complexe du Capitole en compagnie de son collègue. C'est d'ailleurs ce qu'il allait prouver dans quelques heures.

Ils entrèrent dans le site du Visitor Center encore en construction en faisant semblant de monter la garde. Les travaux avaient lieu ici sept jours sur sept et vingt-quatre heures sur vingt-quatre. Après avoir bavardé quelques secondes avec des ouvriers, les deux hommes poursuivirent leur chemin. Un peu plus loin, ils croisèrent un officier avec lequel ils échangèrent des plaisanteries et des doléances. Finn l'informa qu'on venait de le transférer de l'United States Park Police, où il s'occupait de la zone de San Francisco.

– Le logement est moins cher ici, expliqua Finn. À San Francisco, faut être blindé. En fait, la maison que je viens d'acheter à Washington m'a coûté le même prix qu'un appartement en copropriété là-bas.

– Vous avez de la chance, répondit l'agent. Il y a cinq ans, j'étais dans le service postal dans l'Arkansas. Depuis que je suis ici, je vis dans un trois-pièces à Manassas que je peux à peine me payer, et j'ai quatre enfants.

Finn et son acolyte s'éloignèrent. Quelques minutes plus tard, ils atteignaient l'endroit qui avait motivé leur déplacement.

Le système de ventilation était exactement à la place indiquée par les plans. Libre d'accès à partir du tunnel, et visiblement déjà opérationnel. Cela leur faciliterait la tâche. Finn força la serrure d'un des panneaux et ils se faufilèrent à l'intérieur. Il examina les coffrets vissés dans le mur et prit quelques photos de l'ordinogramme. Sur un carnet, il crayonna un plan de la zone, listant toutes les portes d'accès, les couloirs et les différents points de contrôle qu'ils avaient franchis. Après avoir suivi une série de corridors, ils débouchèrent dans une petite salle qui abritait les installations de chauffage, de ventilation et de climatisation. Le conduit de retour se trouvait dans le plafond. L'ouverture étant trop petite pour qu'il puisse s'y glisser, Finn y poussa son collègue, plus petit. Trente minutes plus tard, il était de retour.

– C'est ce qu'on pensait, Harry, ça donne directement dans le Capitole, dit-il avant de faire une description détaillée que Finn nota sur une feuille de papier.

Quelques minutes plus tard, ils s'éloignaient du Capitole, leur mission accomplie. Arrivés dans la rue qui menait au Hart Senate Building, les deux hommes se séparèrent. En passant devant le bâtiment où neuf étages plus haut travaillait habituellement Roger Simpson, Finn compta les fenêtres. « Boum ! » cria-t-il en pointant son doigt vers la vitre derrière laquelle se trouvait le bureau du sénateur de l'Alabama.

Il n'en pouvait plus d'attendre.

Dans sa voiture, en allumant la radio sur la station locale, il entendit le speaker annoncer qu'on avait exhumé le matin même une tombe au cimetière national d'Arlington. Pour l'heure, personne n'en connaissait les raisons.

– Un certain John Carr, ajouta le journaliste. C'est le nom du soldat dont on a emporté le cercueil.

– John Carr, répéta Finn d'une voix chargée d'incrédulité.

Sa mère avait déjà probablement entendu la nouvelle. Harry ne put s'empêcher de se demander s'il verrait un jour la fin de ce cauchemar.

# Chapitre 58

Alex Ford était chez lui et il était inquiet. Il avait essayé de joindre Stone, mais ce dernier ne répondait pas au téléphone. L'information sur la tombe ouverte à Arlington ne faisait pas la une des journaux, mais les gens en parlaient. Alex ignorait ce qu'on avait trouvé dans le cercueil. Il savait néanmoins qu'il ne contenait pas le corps de John Carr. Il avait appris l'essentiel du passé de Stone quand tous deux avaient failli mourir à Murder Mountain, pas très loin de Washington. Et, cependant, Alex devinait qu'il y avait des facettes d'Oliver Stone/John Carr qu'il ne connaîtrait jamais, pas plus lui que quiconque. Il tenta une nouvelle fois de joindre Stone. À cet instant, son portable sonna. Il décrocha. C'était Stone en personne.

– Oliver, bon sang, que se passe-t-il ?

– Je n'ai pas beaucoup de temps, Alex. Tu as entendu parler de cette histoire de tombe ?

– Oui.

– C'est une manœuvre de Carter Gray.

– Mais il est…

– Non, il n'est pas mort. Il est bien en vie et il essaie de me mouiller dans une série de meurtres liés à mon passé.

– Oliver, qu'est-ce que…

— Contente-toi de m'écouter ! Je peux veiller à ma propre sécurité. Reuben et Milton sont à l'abri. Caleb aussi. Mais j'ai besoin que tu me rendes un service.

— Lequel ?

— Mon amie, Susan Hunter. Tu te souviens d'elle ?

— Grande, avec de longues jambes, un peu baratineuse.

— Elle a des ennuis et je lui ai proposé mon aide, mais maintenant je ne peux plus tenir ma parole. Veux-tu me remplacer ?

— C'est à cause d'elle qu'on a été appelés hier soir ?

— C'était ma faute, pas la sienne. Mais si tu lui donnes un coup de main, tu dois me promettre quelque chose.

— Quoi ? demanda Alex prudemment.

— Son passé n'est pas vraiment limpide. Mais c'est une fille bien, avec des motivations justes. Ne creuse pas trop.

— Oliver, si c'est une criminelle…

— Alex, toi et moi avons traversé pas mal de choses. Je pourrais répondre de cette femme sur ma vie. J'espère que ç'a une signification pour toi.

Alex se rassit et poussa un profond soupir.

— Qu'est-ce que tu veux que je fasse ?

— Fais un saut au cottage. Sur mon bureau, tu trouveras des notes. Ça t'aidera à mieux comprendre la situation. Je vais te donner le numéro de téléphone de Susan. Tu peux la contacter et lui dire que je t'ai demandé de l'aider.

— C'est très important pour toi, n'est-ce pas ?

— Je ne te demanderais pas cette immense faveur si ça ne l'était pas.

— D'accord, Oliver. Je m'en occupe.

— J'apprécie ton geste, Alex, bien plus que tu ne peux l'imaginer.

— Es-tu sûr que tu n'as pas aussi besoin d'un coup de main ?

— Non. Je dois régler ça tout seul.

Alex se rendit au cottage de Stone. Bien que ce dernier parût désert, il dégaina son revolver avant de déverrouiller la porte à l'aide d'une clé que Stone lui avait confiée un jour. Il ne lui fallut pas longtemps pour constater qu'il n'y avait personne. Suivant les instructions de Stone, il s'installa au bureau et commenca à fourrager dans les papiers rédigés de la main rigoureuse de son ami.

Il y avait des noms : Jerry Bagger, Paddy Conroy, Tammy Conroy et un certain Anthony Wallace. Celui d'Annabelle Conroy était entouré d'un cercle. Certaines notes faisaient état du récent voyage de Stone dans le Maine, et il y avait aussi les détails de conversations avec Reuben, Milton et Caleb. Visiblement, Milton et Reuben s'étaient rendus à Atlantic City, au casino Pompeii.

*Qui appartenait à Bagger.*

Alex fourra les documents dans ses poches, se leva et étira son mètre quatre-vingt-dix en se massant les muscles de la nuque avec la main. Plusieurs années auparavant, il s'était cassé le cou accidentellement lors d'une mission de protection rapprochée du Président et la plaque métallique qu'on lui avait posée lui provoquait de fréquentes douleurs.

La prochaine étape consistait à contacter Susan Hunter, si tant est qu'il s'agît de son vrai nom. Au vu des notes, il en doutait fortement.

Soudain, il se figea. Quelqu'un approchait. Il se faufila derrière la porte de la salle de bains et attendit. Après avoir pénétré dans le cottage, l'intrus se dirigea droit vers le bureau et sembla bouleversé de le trouver vide.

Alex fit un pas en avant et colla son revolver contre la tempe de l'individu. Fidèle à sa nature imperturbable, Annabelle Conroy ne cria pas.

– J'espère que vous avez mis le cran de sûreté, se contenta-t-elle de dire.

Il abaissa son arme et recula. Annabelle était habillée d'une jupe courte, de sandalettes et d'une veste en jean ; ses longs cheveux blonds étaient noués en queue-de-cheval et partiellement dissimulés sous une casquette de base-ball. Elle enleva ses lunettes de soleil et dévisagea l'agent fédéral.

– Vous êtes des services secrets, hein ?

Il hocha la tête.

– Alex Ford. Je vous connais, vous êtes…

– Au chômage ! (Elle parcourut la pièce des yeux.) Il n'est pas là ?

Alex ne pouvait détacher son regard de la petite cicatrice en forme d'hameçon qu'Annabelle avait sous l'œil droit. Puis il se reprit.

– Non, il n'est pas là.

– Vous avez une idée de l'endroit où il peut se trouver ?

– Pas vraiment.

– Alors, au revoir !

Tandis qu'elle se dirigeait vers la porte, Alex s'écria d'un ton rogue :

– Annabelle !

Elle fit volte-face.

Alex sourit et sortit les notes de sa poche.

– Annabelle Conroy, ravi de vous rencontrer. Laissez-moi deviner… Paddy, c'est le père… Et la mère ou la sœur, c'est Tammy ?

– Je croyais Oliver plus discret que ça, dit-elle en lorgnant les papiers.

– Il l'est. Je les ai trouvés tout seul.

– Tant mieux pour vous. Bon, maintenant, je vais m'en aller…

– Vous voulez que je fasse une commission à Oliver au cas où je le verrais ? demanda Alex.

– Non. Je ne crois pas avoir quelque chose à lui dire. En tout cas, plus maintenant.

– Vous savez ce qui a pu le pousser à disparaître ? demanda Alex, bien qu'il connût la réponse.

– C'est parce qu'ils ont ouvert une tombe au cimetière d'Arlington. La sienne, manifestement. (Elle regarda attentivement Alex, probablement pour jauger sa réaction.) J'ai réussi votre petit test ?

Il acquiesça d'un signe de tête.

– Oliver doit réellement vous faire confiance s'il vous a parlé de cette affaire.

– Je croyais que c'était le cas, mais apparemment je me suis trompée.

Alex lui tendit une de ses cartes.

– Oliver m'a demandé de vous aider.

Cette nouvelle la fit sursauter.

– Il vous a demandé de me donner un coup de main ?

– Oui, et il a vraiment insisté.

– Et vous lui obéissez toujours ?

– Il répond de vous sur sa vie. Il n'y a pas beaucoup de personnes dont il dit ça. Il se trouve que je suis l'une d'elles. On se protège l'un l'autre.

Elle eut une hésitation avant de glisser le bristol dans son portefeuille.

– Merci.

Alex la regarda regagner sa voiture en silence.

# Chapitre 59

Bien que Camp David fût souvent utilisé comme un lieu de travail informel, l'endroit permettait également au président des États-Unis de fuir le stress inhérent à sa terrible fonction. Le bureau de presse de la Maison-Blanche avait diffusé un communiqué informant les journalistes accrédités à la présidence que ce week-end serait d'ordre familial. En réalité, le Président recevait un visiteur, un visiteur très particulier, et le secret absolu était nécessaire.

– Merci de me recevoir aussi rapidement, monsieur le Président, dit Carter Gray en prenant place en face du chef de l'État dans le bureau privé de Camp David.

Même si Gray avait pris goût à sa vie dans le bunker, il n'était pas désagréable de remonter à la surface de temps en temps.

– Je suis heureux que vous alliez bien, répondit le Président. Ce n'est pas passé loin.

– Je ne peux pas dire que c'était la première fois, mais j'espère que c'est la dernière. D'ailleurs, j'apprécie la marge de manœuvre que vous m'avez octroyée, officieusement bien sûr, pour continuer à travailler sur ce dossier.

– J'en ai senti l'urgence lors de notre conversation téléphonique. Mais j'aimerais que vous m'expliquiez les choses plus en détail.

*David Baldacci*

– Volontiers. (Gray lui fit un bref résumé de l'affaire Lesya, de la trahison de Rayfield Solomon et des récents assassinats qui avaient visé les ex-Triple Six.) Maintenant, nous arrivons au dernier membre de cette unité, John Carr.

– Le type dont on a déterré la tombe à Arlington ? On m'a fait un rapport là-dessus.

– Le corps de John Carr ne se trouvait pas dans le cercueil.

– Qui était dedans ?

– Aucune importance, monsieur. Le problème, c'est que John Carr s'est échappé il y a trente ans.

– Échappé ? Était-il prisonnier ?

– Non, c'était un traître. Il travaillait pour nous, mais ses agissements nous ont obligés à mettre un terme à son association avec la CIA et à le liquider.

– Liquidé ? Pourquoi ne pas l'avoir simplement poursuivi en justice ?

– Un procès public n'aurait pas servi les intérêts du pays. Alors nous avons dû prendre l'affaire en main nous-mêmes. Avec l'autorisation, bien sûr, de votre prédécesseur.

Le Président se cala au fond de son fauteuil et tapota le rebord de sa tasse.

– L'époque était différente, je suppose.

– Oui, monsieur. On ne fait plus ce genre de chose, bien sûr, ajouta Gray en hâte. Cependant, cette tentative de liquidation a échoué. Et je pense que nous en payons les conséquences aujourd'hui.

– Comment ça ?

– Il semble évident que Carr est responsable de l'assassinat des trois anciens agents de la CIA.

– Pourquoi pensez-vous ça ?

– Ce sont eux qui l'ont vendu aux autorités, et aujourd'hui il cherche à se venger.

– Pourquoi aurait-il attendu trente ans ?

– Je ne peux faire que des spéculations, et ce serait abuser de votre temps, monsieur. Néanmoins, un seul homme peut en vouloir à ces trois ex-Triple Six, et cet homme est John Carr.

248

– Et il a essayé de vous tuer ? Pourquoi ?

– J'ai dirigé cette unité. C'est moi qui l'ai fait comparaître pour manquements internes, en fait.

– C'est vous qui avez ordonné son élimination ?

– Non, ce sont mes supérieurs. Comme je vous l'ai dit, ils ont agi sur autorisation officielle.

Gray énonça ce mensonge comme s'il s'agissait de la vérité. Peut-être avait-il fini par s'en convaincre.

– Ces supérieurs, ils sont toujours là ?

– Non, ils sont tous morts. Comme le Président de l'époque.

– Quel rapport entre cette affaire, Solomon et cette Lesya ?

– C'est à cause d'eux qu'on a voulu éliminer Carr. Nous pensions que Solomon et Lesya l'avaient retourné.

– Mais Solomon est mort. Suicidé, d'après ce que dit le rapport.

– Oui, mais il y a de grandes chances pour que Lesya soit toujours dans les parages. Je me souviens que Carr et Lesya étaient devenus très proches. Ils travaillent peut-être ensemble aujourd'hui.

– Pourquoi cette Lesya aiderait-elle Carr à tuer les ex-Triple Six de la CIA ?

Gray soupira. Ce Président n'était pas aussi stupide que les autres sous lesquels il avait servi.

– Disons les choses ainsi, monsieur. Rayfield Solomon s'est officiellement suicidé. Mais ce n'est que la version autorisée. Peut-être l'a-t-on aidé.

– Aidé ? Qui ? Nous ?

– C'était un traître, monsieur. Il est responsable de la mort de nombreux Américains. Il aurait été exécuté de toute façon. Son nom est gravé sur le « mur de la honte » à Langley à côté de celui d'Aldrich Ames et d'autres espions. Le nombre de vies qu'il a coûté à ce pays est incalculable. Un traître malveillant, voilà ce qu'il était.

Malgré sa conscience endurcie, Gray était peiné de parler en ces termes de son ami disparu, mais Solomon était mort. Lui voulait rester en vie.

– Alors nous l'avons éliminé, lui aussi ! Comme je vous l'ai dit, les choses étaient différentes alors. Je suis de ceux qui approuvent l'ouverture et la transparence dont font preuve aujourd'hui la CIA et le gouvernement. Mais à l'époque nous luttions contre une possible destruction du monde.

– Ainsi, Carr et Lesya veulent se venger. Y a-t-il quelqu'un d'autre sur leur liste ?

– Une seule personne : Roger Simpson.

– C'est exact, il était à la CIA dans ces années-là. Roger était donc mêlé à cette affaire ?

– Indirectement seulement. Nous avons pris les mesures appropriées pour assurer sa sécurité.

– Je l'espère vraiment. Nous n'avons pas une si grande majorité que ça au Sénat. Nous avons besoin de chaque vote.

Gray resta impassible, mais son esprit s'attarda un instant sur l'inquiétude manifestée par le Président : maintenir une majorité au Congrès comptait davantage que la vie d'un sénateur.

– Certainement, dit-il. Je comprends que ce soit important pour vous.

Le Président corrigea en hâte :

– Évidemment, la vie d'un homme est prioritaire.

– Je n'en ai jamais douté, dit Gray.

Il se demanda brusquement s'il y avait des micros dans la pièce et si le commandant en chef des forces armées parlait pour la postérité.

– Que proposez-vous ? Le nom de John Carr n'a pas cessé de faire la une des médias. L'homme doit être au courant, désormais. Je ne crois pas que j'aurais opéré de cette façon, Carter. J'aurais évité d'ébruiter l'affaire le temps qu'on mette la main dessus.

Le Président ignorait que Gray connaissait l'adresse de John Carr et le pseudonyme d'Oliver Stone sous lequel il se cachait. À l'heure qu'il était, Stone était vraisemblablement en cavale. Grâce à son intelligence et à sa vivacité d'esprit, il avait forcément compris que Gray était en vie et complotait. Si Gray l'avait voulu, il aurait pu garder le secret et simplement se rendre chez Stone pour l'arrêter. Ou le tuer. Mais il ne pouvait pas agir ainsi, car Stone détenait une preuve contre lui. Et Gray voulait la récupérer. Aujourd'hui, il avait de quoi marchander : la vie de John Carr en échange du document qui l'incriminait.

– Rétrospectivement, ce serait probablement la meilleure stratégie. Mais nous devons garder ceci présent à l'esprit : il est impératif de ne pas déterrer tous ces dossiers de la guerre froide concernant Solomon, Lesya et les autres. La Russie est dans une situation difficile en ce moment et la dernière chose que nous souhaitions, c'est voir remonter à la surface toutes ces vieilles escarmouches entre nos deux pays. Franchement, monsieur, les deux camps se sont mené une sale guerre à l'époque et il est inutile de remettre ça sur le tapis. Des contacts ont été pris avec les Russes ; ils ont promis leur soutien pour éliminer le problème.

– Bien sûr. Vous pouvez également compter sur le mien, Carter. Ravi de vous voir de nouveau en selle. Je n'ai jamais compris pourquoi vous aviez démissionné.

– Moi non plus, au fond.

*Je n'aurais jamais fait cela s'il n'y avait pas eu John Carr.*

Gray fut ramené en hélicoptère à son bunker. Tandis qu'il survolait la campagne du Maryland, il regarda par le hublot. Quelque part, Carr courait à perdre haleine, les hommes de la CIA à ses trousses. Et le fils de Lesya préparait probablement son prochain assassinat.

Il ne lui restait plus, maintenant, qu'à mettre la main sur Carr en premier, faire semblant de lui laisser la vie sauve en échange de la preuve, puis l'abandonner aux griffes du fils de Lesya. Enfin, il se débarrasserait de la mère et du rejeton, histoire de mettre un point final à cette affaire. Quant à Roger Simpson, peu importait.

Certes, le plan était compliqué. Mais, dans l'univers de Gray, rien n'était jamais simple.

# Chapitre 60

Quand Annabelle revint à son hôtel, Paddy l'attendait dans sa chambre. Elle renifla l'air.

– Tu n'as pas fumé.

– J'ai jeté mes cigarettes dans la poubelle.

– Pourquoi ?

– J'ai besoin d'être en forme pour m'attaquer à Bagger.

Il paraissait à la fois si déterminé et si fragile, à l'image d'un petit garçon entêté prêt à se dresser face à un taureau, que pendant une fraction de seconde le cœur d'Annabelle fit un bond vers lui. L'envie de tendre la main pour lui toucher l'épaule s'empara d'elle. Mais elle résista à cet instant d'attendrissement. Oui, il était mourant. Pour autant, il n'était pas devenu brusquement le meilleur père au monde. Et, dans six mois, il serait mort. Elle n'avait pas l'intention de se laisser à nouveau entraîner dans la tristesse. Elle avait pleuré abondamment la disparition de sa mère. Pas question qu'elle revive la même chose.

– Y a des chances qu'on nous aide ? demanda-t-il.

– Peut-être.

– Raconte-moi.

– Un agent des services secrets, Alex Ford. Oliver lui a demandé de s'en occuper.

– Ce fameux Oliver a de putains de bonnes relations. C'est qui, bon sang ? Je veux dire, il vit dans un cimetière et…

– Je ne sais pas vraiment qui c'est, répondit Annabelle avec sincérité.

– Mais tu disais que tu pouvais lui faire confiance.

– Je lui fais confiance.

Paddy parut optimiste.

– Les services secrets, ça, c'est bon. Peut-être qu'ils peuvent faire venir le FBI.

Elle enleva ses sandales et s'assit sur une chaise face à lui.

– Je n'aurais jamais pensé te voir aussi enthousiaste à l'idée d'avoir les fédéraux dans les pattes.

– Question de circonstances. En ce moment, j'ai rien contre avoir tous les flics du pays avec nous.

– Face à Bagger, je te comprends. Bon, comment on s'y prend si je réussis à ameuter la cavalerie ? J'ai besoin de tous les détails, pas juste des grandes lignes. Comment on le force à avouer ?

– Tu dois avoir le numéro de téléphone de Jerry ?

– Oui, je l'ai. Mais encore ?

– Je vais l'appeler et lui proposer un marché qu'il ne pourra pas refuser, Annabelle. Je vais te vendre. Il va offrir du liquide, un gros paquet. Mais je vais lui répondre que ce n'est pas ce que je veux.

– Ça serait quoi, ta motivation ?

– Tu as bavé sur moi dans le monde des arnaqueurs après la mort de ta mère. J'ai eu aucune proposition décente depuis des années.

– Alors tu vas me monnayer et puis ?

– C'est là que la cavalerie entre en jeu. Bien sûr, c'est la partie la plus craignos du plan, ajouta-t-il.

Annabelle le regarda avec suspicion et se pencha vers lui.

– Donne-moi tous les détails. Comme ça, je te dirai que ça ne marchera jamais.

– N'oublie pas que j'ai déjà réalisé une ou deux escroqueries dans ma vie.

Quand il eut fini, elle se laissa tomber au fond de son siège, impressionnée. Son plan avait des failles, mais rien qui ne puisse se régler. Sa stratégie était excellente, en réalité.

– J'ai une ou deux idées qu'on pourrait ajouter, dit-elle, mais le concept de base est solide.

– Je suis flatté.

– Jerry fera tout ce qui est en son pouvoir pour qu'on ne les suive pas quand ils quitteront le lieu du rendez-vous.

– J'en suis conscient.

– Puisque je suis l'appât, je voudrais m'assurer qu'on parviendra à les prendre en filature.

– Il enverra ses hommes te récupérer. Il ne viendra pas lui-même, par peur d'un coup monté, fit remarquer Paddy.

– Je m'en doute. Et ça va nous être utile, en fait.

– Comment tu vois ça ?

La réponse qui avait surgi dans l'esprit d'Annabelle la fit sourire.

– On s'occupe d'abord de Jerry.

– Comment on est censés faire ?

– C'est toi qui vas t'en charger.

– Moi ? (Paddy claqua des doigts. ) Au téléphone ?

– Exactement.

– Mais on a quand même besoin de la cavalerie, sinon, ça ne donnera rien de bon.

Elle remit ses sandales et saisit ses clés de voiture.

– Alors, je vais la chercher.

# Chapitre 61

Ils s'installèrent à une table dans un *coffee shop* près de Wisconsin Avenue, à environ un kilomètre et demi du cottage de Stone. Tandis qu'Annabelle regardait par la fenêtre, Alex ne la quittait pas des yeux. Il était habitué à analyser l'expression des individus et à décoder leur gestuelle. Cette femme était difficile à déchiffrer, mais il était évident qu'elle était sous l'emprise d'un stress considérable.

– Alors pourquoi ce coup de fil soudain ? demanda-t-il. Je ne pensais pas que je vous reverrais.

– Disons que je ne sais pas résister aux flics de grande taille.

– On peut traduire ça comme un appel au secours ?

– Que savez-vous exactement ?

– Oliver m'a demandé de chercher des renseignements sur ce Bagger et je l'ai fait. Il semblerait que Milton et Reuben soient allés à Atlantic City, probablement au casino Pompeii. Oliver m'a dit qu'ils se planquaient, maintenant. Ce sont aussi mes amis. Alors, s'ils ont des ennuis, j'aimerais être au courant pour pouvoir les aider en même temps que vous.

– C'est votre boulot de courir dans tous les sens pour donner un coup de main aux gens ?

– C'est un peu la définition de mon travail. Parlez-moi de vous et de Bagger. Pourquoi Oliver est-il allé dans le Maine ?

– Vous semblez déjà tout savoir.

– À la fois tout et rien. Mais si vous voulez vraiment que je vous aide, il va falloir me faire confiance. (Il pencha la tête en voyant son expression s'assombrir.) Si je comprends bien, ce n'est pas quelque chose que vous faites facilement.

– C'est une philosophie qui m'a incroyablement réussi au fil des années.

– Je n'en doute pas. Mais, comme vous le savez, j'ai couvert les arrières de Stone plus d'une fois. Et je réponds de lui sur ma vie.

– Je sais, il me l'a dit. Il m'a expliqué aussi qu'il partirait à la guerre avec vous n'importe quand.

Alex se carra dans son siège.

– On est d'accord. Alors je peux peut-être vous aider, si vous arrivez à me faire confiance.

Annabelle prit une grande inspiration. Avoir le soutien d'Alex était crucial pour se débarrasser de Bagger comme le prévoyait le plan de son père. Cependant, même dans cette optique, la démarche lui demandait un effort considérable. Elle était assise en face d'un flic – pas n'importe lequel, un fédéral ! Un type qui pouvait l'arrêter à la moindre parole de travers. En venant au rendez-vous, la situation lui avait paru simple. Brusquement, aller plus loin lui semblait impossible.

*Allez, Annabelle. Tu peux le faire !*

Après avoir poussé un autre soupir, elle se résolut à accomplir un geste qui lui était étranger. Passant outre ses principes, elle décida de dire la vérité. Du moins en partie.

D'abord, elle énuméra rapidement les faits principaux. L'assassinat de sa mère par Bagger. La présence de ce dernier en ville. L'association qu'elle venait de former avec son père pour le coincer. Alex savait déjà, pour le kidnapping et les risques qu'ils avaient courus aux mains des hommes de Bagger.

– Je n'ai aucune preuve, ajouta-t-elle. Rien qui tiendrait devant un tribunal. Mais c'est la stricte vérité.

– Je vous crois. Je dois vous avouer que mes potes flics ont eu un peu les boules de ne trouver personne quand ils sont allés les arrêter.

– Pas autant que moi.

– Pourquoi Bagger est-il à vos trousses ?

Annabelle se mit automatiquement sur le mode mensonge.

– Il sait que j'essaie de lui coller sur le dos le meurtre de ma mère. Il a appris que je suis allée dans le Maine, où les faits se sont produits. Il ne veut pas que je découvre un truc qui pourrait le mettre à l'ombre pour de bon.

Alex avala une gorgée de son café et l'observa plus attentivement. Soit elle était la plus grande baratineuse qu'il eût jamais rencontrée, soit ce qu'elle disait était réglo.

– Et donc vous faites équipe avec votre vieux père ? Comment comptez-vous faire exactement pour coincer Bagger ?

– Mon père va faire semblant de me vendre à Jerry. Jerry m'embarque, je le pousse à l'aveu et les flics sont là pour l'arrêter.

– C'est ça, votre plan ?

– Ouais, pourquoi ?

– Parce qu'il est bourré de failles, voilà pourquoi. Vous allez signer votre arrêt de mort.

– Je vous donne le concept dans les grandes lignes. Après, c'est une question de détails. Tout est toujours dans les détails.

– Vous croyez vraiment pouvoir y arriver ?

– J'ai le coup pour ce genre de chose. Et mon paternel n'est pas mauvais non plus.

– Hum… Il va me falloir davantage que ça pour pouvoir vous fournir l'appui dont vous avez besoin.

– Je vais vous dire ce que vous allez faire. Nous, on se charge de l'organisation. Vous, vous en référez à vos potes avec une gentille courbette et vous prenez votre décision. Si vous dites non, je crève. Ça vous va comme ça, flic de mon cœur ?

– Hé, j'essaie juste de me montrer réaliste.

– Non, vous vous comportez en bon bureaucrate. Vous regardez pourquoi c'est infaisable au lieu d'envisager comment vous pouvez faire les choses.

Alex eut un sourire contraint.

– En fait, les services secrets sont plutôt du style « rien n'est impossible ».

– Très bien. Montrez-le-moi.

– Laissez-moi souffler ! Je vous accorde une faveur. Je vais prendre un très, très gros risque et ce n'est pas facile.

Annabelle tritura nerveusement sa serviette en papier jusqu'à en faire une boule.

– Je sais, je suis désolée. C'est juste que…

– La bonne nouvelle, c'est que le département de la Justice cherche vraiment de quoi épingler Bagger. Si je peux leur agiter sous le nez une assez grosse carotte, on devrait pouvoir obtenir l'aide du FBI. Bagger a été impliqué dans beaucoup de trucs louches. Plusieurs meurtres, en fait, mais on n'avait pas les preuves.

– J'ai connaissance de plusieurs autres affaires, mais s'il ne trébuche pas on ne pourra rien utiliser contre lui.

– Je tiens à vous préciser au passage que je n'ai gobé que la moitié de ce que vous m'avez raconté.

Elle allait parler quand Alex l'interrompit.

– Mais je ne vous forcerai pas à m'en dire plus.

Annabelle lui jeta un regard intrigué.

– Pourquoi ?

– Parce que Oliver m'a demandé de ne pas poser trop de questions. Il m'a dit que vous étiez une femme bien avec un passé imparfait.

Annabelle l'observa attentivement.

– Qui était John Carr ?

– Il travaillait pour le gouvernement américain et était chargé de missions exigeant une grande compétence.

– Il a assassiné des gens, n'est-ce pas ?

Alex balaya le bar du regard, mais l'endroit était désert. La serveuse au comptoir était trop occupée à lire un article sur le récent retour de Britney Spears dans le magazine *People* pour perdre son temps à les écouter.

– Il a arrêté, maintenant. À moins qu'il n'y soit obligé.

Annabelle joua avec sa tasse de café.

– Vous avez une idée de ce qui lui arrive ?

– Avez-vous entendu parler de l'explosion qui a détruit la maison de Carter Gray l'autre nuit ?

– Oui, j'ai lu quelque chose là-dessus.

– Eh bien, Oliver et Gray, c'est une vieille histoire, mais pas du genre sympathique. Oliver était chez lui, à sa demande, peu de temps avant le drame. L'explosion n'était pas un accident. Mais Oliver n'a rien à voir là-dedans. C'est l'œuvre de quelqu'un d'autre. Quelqu'un d'autre qui pourrait bien en faire sa prochaine cible.

– On cherche à le tuer, lui aussi ?

– On le dirait bien. C'est pour ça qu'il a préféré nous laisser tous tomber.

– Et dire que j'étais vraiment bouleversée à l'idée qu'il m'ait abandonnée !

– Hé, il m'a demandé d'intervenir ! Je ne sers peut-être qu'à partager les risques, mais j'ai la réputation de savoir faire le coup de poing de temps en temps.

– Le truc que je vous ai dit tout à l'heure… vous savez, quand je vous ai traité de bureaucrate… eh bien, je le retire. J'apprécie votre aide.

Elle lui adressa un sourire éclatant.

– Je n'ai jamais rencontré de fédéral comme vous, Alex Ford.

# Chapitre 62

La nuit était tombée, mais Oliver savait qu'on était toujours à ses trousses. Le temps était venu de dire au revoir aux ombres qui le poursuivaient. Il grimpa dans un taxi et donna au chauffeur une adresse à Alexandria.

La voiture le déposa devant une boutique sur Union Street, à un bloc de la rivière Potomac. Ses ennemis toujours derrière lui, Stone se rua à l'intérieur et fit un signe de tête à Douglas, le propriétaire de l'endroit. L'homme avait pris l'habitude qu'on l'appelle simplement Doug. Dans le passé, il avait vendu des magazines de BD pornographiques. Cependant, il abritait une passion secrète pour les livres rares et désirait s'enrichir. Ce rêve avait été exaucé quand Stone l'avait présenté à Caleb. Aujourd'hui, Douglas dirigeait une librairie ancienne haut de gamme qui marchait du feu de Dieu. En échange du service rendu, Stone disposait d'une pièce au grenier, espace dont il se servait pour stocker ses biens les plus précieux. L'endroit lui offrait un autre avantage qu'il allait utiliser sans tarder.

Stone gagna les combles, déverrouilla une porte et pénétra dans la mansarde où se trouvait une cheminée inutilisée depuis longtemps. Il avança le bras dans l'âtre et tira sur la cordelette qui pendait à côté de l'interrupteur de l'étouffoir. Un vantail s'ouvrit sur une sorte de cellule monastique exiguë. Le cabinet était rempli de caisses soigneusement empilées sur des étagères.

Stone ouvrit l'une des boîtes et en sortit un journal qu'il fourra dans son sac. Dans une autre, il repêcha quelques vêtements, ainsi qu'un chapeau souple, et les enfila. Puis, d'une petite cassette en métal, il tira un objet qui, à ses yeux, valait plus que tout l'or du monde. Un téléphone portable. Un téléphone dans lequel se trouvait un enregistrement très spécial.

Au lieu de regagner la sortie par le même chemin, il monta à l'étage supérieur. Après avoir emprunté un autre couloir qui suivait la direction de la rivière, il déverrouilla une porte, la franchit et, s'agenouillant, souleva un anneau en fer fixé dans le sol. Une partie du plancher large d'un mètre carré se détacha. Stone se laissa tomber dans le trou, traversa un tunnel plongé dans l'obscurité qui sentait l'eau croupie, le poisson mort et le moisi, escalada une volée de marches bancales et, après avoir franchi une grille, émergea derrière un bosquet d'arbres. Un sentier serpentait au bord de l'eau. Il le prit et se laissa tomber dans le petit bateau de Douglas.

Le hors-bord Mercury prit la direction du sud. Seul son feu arrière blanc était visible dans la nuit noire. Stone tira le canot sur le rivage à environ trois kilomètres au nord de Mount Vernon, résidence de George Washington, et attacha l'amarre à un arbre. Puis il marcha jusqu'à une station-service et appela un taxi d'une cabine téléphonique.

Durant le trajet du retour, Stone parcourut le journal. Ce document représentait une part significative de son lointain passé. Il s'était mis à collecter des informations presque immédiatement après avoir rejoint la division Triple Six de la CIA. Il ignorait si l'unité était toujours opérationnelle et si les hommes qui avaient tenté de le suivre ce soir en faisaient partie. Cependant, il ne doutait pas que s'ils avaient reçu l'ordre de le tuer ils s'exécuteraient avec talent.

Page après page, Stone revisita non sans mal ses anciennes missions pour le gouvernement américain. Puis il concentra son attention sur plusieurs photographies qu'il avait épinglées sur une feuille à part, à côté de ses notes manuscrites et de quelques extraits d'un dossier « privé » qu'il avait réussi à dérober.

Il contempla les clichés de ses trois anciens camarades du Triple Six aujourd'hui disparus : Judd Bingham, Bob Cole et Lou Cincetti. En bas de la page, le portrait d'un homme à lunettes, plus âgé.

– Rayfield Solomon, murmura-t-il.

Le coup avait été mené avec promptitude et efficacité ; il restait néanmoins l'un des plus exceptionnels dans la carrière de Stone. Le règlement de comptes s'était déroulé à São Paulo. Les ordres étaient clairs. Solomon était un transfuge, un traître retourné par l'agent légendaire russe Lesya. Il ne devait y avoir ni arrestation ni procès. L'opinion publique américaine ne l'aurait pas supporté.

Stone revoyait l'expression de l'homme lorsqu'ils avaient fait irruption dans la pièce. Son visage n'avait trahi aucune peur, il s'en souvenait. Au mieux, une légère surprise. Puis ses traits s'étaient durcis. Il avait demandé poliment le nom de ceux qui avaient ordonné son élimination. Bingham avait ri, mais Stone s'était avancé et avait répondu à l'interrogation de Solomon. Rien ne l'obligeait à le faire. Mais il estimait que tout condamné a le droit de savoir.

De taille et de carrure moyennes, Rayfield Solomon avait davantage l'allure d'un professeur que celle d'un agent secret. Mais Stone se rappelait encore l'incroyable lueur qui avait brillé dans ses yeux face au revolver. Son regard dénotait une personnalité brillante, l'esprit d'un homme nullement effrayé par la mort qui frappait à sa porte.

– Je ne suis pas un traître, avait déclaré Solomon avant d'ajouter : Vous allez me tuer, bien sûr, mais sachez que vous tuez un innocent.

Stone était resté stupéfait devant la maîtrise qu'il avait montrée devant ces quatre hommes armés.

– J'imagine qu'on vous a dit de maquiller ce meurtre en suicide, avait poursuivi Solomon.

Il ne se trompait pas, tels étaient exactement les ordres qu'ils avaient reçus. Stone en fut sidéré.

– Je suis droitier. Comme vous pouvez le constater, cette main est plus large, plus forte, je ne vous mens pas. Donc, tirez plutôt dans la tempe droite. Si vous le souhaitez, je vais tenir l'arme afin qu'il y ait mes empreintes dessus (il tourna vers Stone un regard propre à glacer même un tueur expérimenté), mais je n'appuierai pas sur la détente. C'est à vous de le faire. Les innocents ne se suicident pas.

Quand tout fut terminé, les quatre hommes repartirent aussi tranquillement qu'ils étaient venus. Le lendemain, après une nuit passée à bord d'un avion cargo américain appartenant à une société couverture de la CIA, ils étaient de retour à Miami. Ce soir-là, Bingham, Cole et Cincetti sortirent faire la fête, profitant des quelques jours de congé qu'on leur avait octroyés en récompense du travail accompli.

Stone ne les accompagna pas. Depuis qu'il avait une femme et un enfant en bas âge, ce n'était plus dans ses habitudes. Il resta seul dans sa chambre d'hôtel.

L'image de Rayfield Solomon ne le quittait pas. Dès qu'il essayait de fermer les yeux, il revoyait le regard de l'homme s'accrochant au sien, ces mots qui lui dévoraient l'âme.

*Je suis innocent.*

À l'époque, Stone n'avait pas voulu l'admettre, mais après toutes ces années il ne pouvait plus le nier. Solomon avait dit la vérité. Stone avait tué un innocent. Il avait toujours su que cette mort reviendrait le hanter. L'affaire Solomon avait été l'un des points de non-retour ; elle l'avait poussé à quitter le Triple Six. Et cette décision avait détruit sa famille.

Lui aussi, on l'avait traité de traître. Pourtant, comme Solomon, il était innocent. Combien d'autres innocents avait-il éliminés à tort ?

Il referma le journal. Quand le taxi l'eut déposé à destination, il téléphona à Reuben. Si Gray ne parvenait pas à le retrouver, il n'hésiterait pas à tout mettre en œuvre, y compris à kidnapper ses amis.

– Ta ligne téléphonique est-elle à ton nom ? demanda-t-il.

Stone connaissait déjà la réponse, car la personnalité de Reuben n'avait aucun secret pour lui.

– Non, je l'ai greffée sur celle d'un ami, répondit Reuben d'un ton évasif.

– Heureusement que tu viens d'emménager et que tu n'as pas encore d'adresse officielle. Autrement, je t'aurais fait déménager.

– J'ai été viré de là-bas, Oliver. Je suis parti au milieu de la nuit pour éviter une dispute entre colocataires.

– Désormais, tout le monde doit jouer profil bas parce que mes amis ont une certaine valeur aux yeux de Gray. Je te rappelle plus tard.

Il lui fallait récupérer des renseignements de l'intérieur, et cela ne pouvait attendre. Un seul homme pouvait les lui donner. Stone n'avait pas vu ce type depuis trente ans, mais le temps était venu de renouer. Pourquoi ne lui avait-il pas rendu visite quelques décennies plus tôt ? Sans doute, à l'époque, craignait-il la réponse. Aujourd'hui, il n'avait plus peur.

Toute son attention s'était concentrée sur l'affaire Rayfield Solomon, tout bonnement parce que, au cours de sa longue carrière, elle était celle qui lui avait donné le plus de regrets. Quand on l'avait chargé d'éliminer Solomon, Stone avait enquêté sur son passé. Solomon n'avait visiblement rien d'un traître, mais au fond cela ne le regardait pas. Il avait entendu parler du lien personnel qu'il entretenait avec l'espionne légendaire Lesya. Si elle avait survécu et si elle se trouvait encore dans le pays, peut-être avait-elle décidé de se venger de ceux qui avaient assassiné son mari. Un innocent.

# Chapitre 63

Max Himmerling referma son livre, bâilla et s'étira. Depuis que sa femme, Kitty, était morte d'un cancer deux ans plus tôt, sa routine variait peu. Il allait à son bureau, rentrait chez lui, avalait un repas frugal, lisait un chapitre d'un livre et allait se coucher. Cette existence n'avait rien d'excitant, mais sa vie professionnelle l'était suffisamment. Employé à la CIA depuis presque quarante ans – il était entré à l'agence en sortant de l'université –, il bénéficiait d'un poste exceptionnel. Grâce à son esprit des plus méthodiques, il faisait office de chambre de compensation centrale et gérait toutes sortes d'affaires. De quelle façon un coup d'État orchestré par les Américains en Bolivie ou au Venezuela pourrait-il affecter les intérêts occidentaux au Moyen-Orient ou en Chine ? Si le prix du baril de pétrole baissait, incomberait-il au Pentagone d'ouvrir une base militaire dans tel ou tel pays ? En cette époque dominée par des ordinateurs ultra-perfectionnés, des serveurs remplis de trillions de données et des satellites espions qui dérobaient les secrets depuis l'espace, Max se sentait rasséréné à l'idée que la CIA possède encore un solide élément humain.

En dehors des couloirs de Langley, personne ne le connaissait. Là-bas, il n'était considéré que comme un petit bureaucrate râleur qui ne recevrait jamais ni fortune ni honneurs. Cependant, pour les gens qui comptaient, Max Himmerling représentait un atout indispensable pour la meilleure agence de renseignements du monde. Et ce titre de gloire lui suffisait. L'importance qu'il revêtait pour ses employeurs était symbolisée par les deux gardes armés qui surveillaient les abords de sa maison lorsqu'il était chez lui. Dans deux ans, l'heure de la retraite sonnerait pour Himmerling et son rêve était de voyager dans certains des pays qu'il avait étudiés durant des années. Cependant, il craignait d'être à court d'argent avant la fin de sa vie. Il disposait d'un contrat de travail intéressant et d'une mutuelle santé de premier choix, mais il n'avait pas fait d'économies, et continuer à vivre dans ce quartier, son souhait le plus vif, était onéreux. Il se préoccuperait de ce problème en temps voulu.

Il souleva son gros corps fatigué de son fauteuil et entreprit l'ascension de l'escalier menant à sa chambre. Il n'eut pas le temps d'arriver jusqu'en haut.

La silhouette apparut de nulle part. La vue d'un homme dans son living-room lui fit frôler la crise cardiaque. Mais le choc ne fut rien par rapport à celui qu'il reçut lorsque l'intrus se mit à parler.

– Ça fait longtemps, Max.

D'une main, Max s'appuya au mur pour garder son équilibre.

– Qui êtes-vous ? demanda-t-il d'une voix tremblante. Comment avez-vous réussi à éviter les gardes ?

Stone s'avança dans le rond de lumière projeté par la lampe posée sur la table.

– Tu te souviens du Triple Six, pas vrai, Max ? Et de John Carr ? Ce nom te rappelle quelque chose ? Si c'est le cas, tu peux imaginer comment, même après toutes ces années, je me suis débarrassé de ces deux imbéciles qui gisent inconscients dehors et que tu appelles des gardes.

Max fixa d'un regard épouvanté le visage de l'homme grand et mince qui lui faisait face.

– John Carr ? C'est impossible. Tu es mort.

Stone s'approcha de lui.

– Tu es au courant de tout ce qui se passe à la CIA. Donc, tu as appris que John Carr ne se trouvait pas dans la tombe qu'on a ouverte.

Max se laissa choir dans son fauteuil et le regarda d'un air pitoyable.

– Qu'est-ce que tu fais ici ?

– C'est toi le cerveau. C'est toi qui t'es occupé brillamment de toute la logistique de nos missions. Elles se sont presque toujours déroulées sans anicroches. Et quand ce n'était pas le cas, tu te trouvais toujours à des milliers de kilomètres de là ! Nous, on était en première ligne, pas toi. Alors dis-moi, grande cervelle, pourquoi je suis là, à ton avis ? Et ne me déçois pas. Tu sais à quel point je déteste ça.

Max avala une grosse goulée d'air.

– Tu veux des informations.

Stone fit un pas de côté et enserra le bras de Max dans un étau.

– Je veux la vérité.

Sous l'effet de la douleur, Max grimaça, mais il ne pouvait absolument rien faire. Sa force était intellectuelle, pas physique.

– Sur quoi ?

– Rayfield Solomon. Carter Gray. Et sur tous ceux qui ont été mouillés dans ce merdier.

Max avait frissonné en entendant le nom de Rayfield Solomon.

– Gray est mort, s'empressa-t-il de dire.

Les longs doigts de Stone se crispèrent sur le bras de Max jusqu'à ce que la sueur perle sur le front du gros homme.

– Ce n'est pas ce que je voulais dire en parlant de vérité.

– Sa maison a explosé, bon sang !

– Mais il n'était pas à l'intérieur. Il est quelque part à comploter et à planifier je ne sais quoi, comme il l'a toujours fait. Seulement c'est moi la cible. Encore moi. Et je n'aime pas ça, Max. j'ai déjà donné.

Stone resserra sa pression.

– Tu peux me broyer le bras si tu veux, mais je ne pourrai pas te révéler des choses que j'ignore.

David Baldacci

– Ce n'est pas ton bras que je vais broyer, répliqua Stone en relâchant son étreinte pour sortir un couteau de sa manche.

Max gémit.

– John, tu n'es plus un tueur. Tu es parti. Tu as toujours été différent. On le savait tous.

– Ça ne m'a pas beaucoup aidé, à l'époque. Mon envie de quitter la division a failli me coûter la vie.

– Les choses étaient différentes en ce temps-là.

– C'est ce que les gens n'arrêtent pas de me dire. Mais tueur un jour, tueur toujours. J'ai repris du service récemment. C'était de l'autodéfense. Mais j'ai quand même assassiné un homme. Je lui ai tranché la gorge à trente mètres. C'était un ancien du Triple Six. Je suppose qu'ils ne reçoivent plus le même entraînement qu'avant.

– Mais je suis désarmé, supplia Max.

– Je vais te tuer, Max. Parce que si tu ne m'aides pas, je suis un homme mort. Et je n'ai pas l'intention de mourir seul.

Il appuya le tranchant de son couteau sur la carotide palpitante de Max.

– Pour l'amour de Dieu, John, pense à ce que tu fais. J'ai perdu ma femme récemment. J'ai perdu Kitty.

– Moi aussi, je suis veuf. Je ne vivais pas avec elle depuis aussi longtemps que toi avec Kitty. Mais c'est probablement toi qui as monté le complot contre moi.

– Je n'ai rien à voir là-dedans. On m'en a parlé après.

– Mais tu n'as pas couru prévenir les autorités, n'est-ce pas ?

– Qu'est-ce que tu voulais que je fasse, bon sang ? Ils m'auraient tué aussi.

Stone pressa la lame plus fort contre sa chair.

– Pour un génie, tu dis parfois des âneries. Parle-moi de Rayfield Solomon avant que je perde patience. Parce que tout ça a un rapport avec Solomon, hein ?

– C'était un traître et tu l'as tué sur ordre.

– Effectivement, nous l'avons éliminé. D'après Roger Simpson, la demande venait d'en haut. Mais il y avait autre chose derrière, c'est sûr. Est-ce que Solomon était innocent ? S'il l'était, pourquoi nous a-t-on ordonné de le tuer ?

— Bon Dieu, John, laisse tomber. Le passé est mort.

Le couteau de Stone pénétra dans la peau de Max à environ un millimètre de l'artère. Une goutte de sang perla.

— Est-ce que Solomon était innocent ?

Himmerling ne répondit pas. Les yeux clos, la poitrine haletante, il resta immobile dans son fauteuil.

— Max, si je sectionne cette veine, tu te videras de ton sang en moins de cinq minutes. Et je resterai là à te regarder mourir.

Himmerling ouvrit les yeux.

— Ça fait presque quarante ans que je garde mes secrets, je ne vais pas commencer à parler maintenant.

Stone balaya la pièce du regard. Il vit les photographies qui ornaient le manteau de la cheminée. Un petit garçon et une fillette.

— Des petits-enfants ? demanda-t-il, un soupçon de menace dans la voix. Ça doit être sympa.

Tremblant, Max suivit le regard de Stone.

— Tu... tu n'oserais pas !

— Tes hommes ont tué tous les gens que j'aimais. Pourquoi est-ce que tu mériterais un meilleur traitement ? Je te crèverai d'abord. (Il indiqua les photos.) Et eux ensuite. Et ça ne sera pas sans douleur.

— Espèce de salaud.

— C'est vrai. Je suis un salaud. Formé, employé et manœuvré par la CIA. Tu sais ça mieux que personne, pas vrai ? (Stone jeta un autre regard en direction de l'âtre.) C'est ta dernière chance, Max. Je ne te reposerai pas la question.

C'est ainsi que, pour la première fois en quatre décennies, Max Himmerling révéla l'un de ses secrets.

— Solomon n'était pas un traître. Il avait appris certaines choses, mais il ne savait pas tout. Les gens avaient peur qu'il parle s'il découvrait la vérité.

— Les gens ? Qui ? Gray ? Simpson ?

— Je ne sais pas.

269

Stone fit une nouvelle entaille dans la peau de Max.

– Max, je perds patience.

– Gray ou Simpson. Je n'ai jamais su lequel des deux.

– Et le secret ?

– Je ne suis pas au courant. Ça concernait une mission que Solomon et la Russe Lesya avaient menée contre l'Union soviétique. L'affaire est redevenue une priorité. J'ignore pourquoi.

– Une autre question. La réponse devrait être facile. Qui a ordonné mon élimination ?

– John, s'il te plaît…

Stone attrapa violemment l'homme à la gorge.

– Qui ?

– Tout ce que je peux dire, c'est que tu as le même choix que tout à l'heure, haleta Himmerling.

Donc, Gray ou Simpson. On ne peut pas dire que cela surprenait Stone.

Il posa son couteau.

– Si tu t'avises de raconter ma visite à quelqu'un, tu sais ce qui se passera. Gray l'apprendra et il te soupçonnera de m'avoir parlé. Et tu ne pourras pas lui mentir. Il connaît toutes les méthodes pour faire avouer même les plus coriaces. Alors, tu ne feras pas le poids ! Quand il découvrira ce que tu m'as dit, devine quoi, Max ?

Stone plaça un revolver imaginaire contre la tête de Max et fit semblant d'appuyer sur la détente.

– Bonne fin de soirée, dit-il.

# Chapitre 64

Après le départ de Stone, Max Himmerling poussa un soupir de soulagement qui s'étrangla aussitôt dans sa gorge. Les gardes. Ils sauraient qu'il avait reçu une visite. Ils allaient contacter...

Il jeta à la hâte quelques affaires dans un sac de voyage. Depuis longtemps, il avait prévu un scénario catastrophe qui l'obligerait à fuir. Dix minutes plus tard, alors qu'il franchissait la porte d'entrée, carte d'embarquement et faux papiers d'identité en poche, la sonnerie du téléphone l'arrêta dans sa course. Devait-il répondre ? Quelque chose lui murmura que c'était plus prudent. Il décrocha. La voix à l'autre bout du fil lui était très familière.

– Salut, Max. Que lui as-tu raconté ?

– Je ne vois pas de quoi tu veux parler.

– Max, tu es un homme brillant, mais un pitoyable menteur. Je ne t'en veux pas. Je suis persuadé qu'il t'a menacé, et nous savons tous les deux à quel point il est dangereux. Alors, que lui as-tu dit ?

Himmerling se déballonna de nouveau.

– Merci, Max, tu as fait ce qu'il fallait.

La ligne redevint silencieuse.

En voyant la porte de derrière s'ouvrir, Himmerling laissa tomber le combiné.

– S'il vous plaît, supplia-t-il, s'il vous plaît.

La balle tirée d'un silencieux l'atteignit en plein front. En moins d'une minute, le corps fut placé dans un sac noir et emporté à bord d'une camionnette. Officiellement, Himmerling serait muté à l'étranger sans préavis. Lors d'un prochain crash d'hélicoptère, on annoncerait qu'il se trouvait à bord et que son corps avait été retrouvé carbonisé. Ainsi s'achèveraient les quarante ans de service qu'il avait donnés à son pays.

Point positif, il n'aurait plus à s'inquiéter à l'idée de sa pension de retraite.

Installé dans son bunker, Gray frappa du poing contre sa paume. La perte de Himmerling était lourde, bien qu'inévitable. Gray savait qu'il aurait dû l'anticiper, mais il ne l'avait pas fait.

Il reporta son attention sur son écran d'ordinateur : on venait de lui envoyer les registres des naissances survenues dans les hôpitaux des plus grandes villes canadiennes pour l'année qui l'intéressait. Le fichier informatique était volumineux et il allait devoir séparer le bon grain de l'ivraie. Heureusement qu'il avait bien connu Rayfield Solomon. Tous deux avaient été bons amis et des concurrents loyaux. Solomon était d'ailleurs le seul de sa génération capable de rivaliser avec lui, question compétences. Gray pouvait même concéder que, sur le terrain, il lui avait été supérieur. Retrouver sa trace ne serait pas facile, mais il avait l'avantage de le connaître intimement.

Pour l'heure, Gray avait consacré ses efforts à traquer le nom du père sur les registres. Difficile de croire que Lesya ait pu utiliser son véritable patronyme. Quant à l'enfant, il avait dû changer d'identité, il était donc inutile de s'y intéresser. Rayfield Solomon était fier de son héritage juif. Lui et Gray s'étaient très souvent entretenus de théologie. Solomon lui disait fréquemment : « Il faut que tu croies en quelque chose, Carter, pas simplement en ton travail. Car lorsque tu quitteras cette vie, tu laisseras ton boulot derrière toi. Si c'est tout ce que tu possèdes, alors tu ne possèdes rien. Et l'éternité est longue quand on a le cœur vide. »

Des mots pleins de sagesse auxquels Gray n'avait pas accordé beaucoup d'importance à l'époque.

Ses doigts voletaient sur le clavier, à la recherche de toutes les combinaisons possibles. La liste se réduisait peu à peu. Soudain, un nom plein de noblesse et de fierté arrêta son regard.

*David P. Jedidiah, II.*

Il eut un sourire. *Tu as gaffé, Ray. Tu as laissé tes intérêts personnels prendre le pas sur tes obligations professionnelles.*

Depuis la disparition de sa famille, Gray était devenu lui aussi un lecteur acharné de la Bible. Ce patronyme paternel avait pour lui une pertinence particulière.

Solomon était le *deuxième* fils de David, le premier enfant légitime qu'il avait eu avec Bethsabée. Jedidiah était le nom que Nathan, le professeur du futur roi Solomon, lui avait donné. En hébreu, Solomon signifiait paix, d'où l'initiale P.

Rayfield Solomon avait signé David P. Jedidiah, II, dans les registres. Carter Gray considéra attentivement le patronyme de la mère, puis celui du bébé. Il décrocha son téléphone et transmit l'information.

– Retrouvez sa trace ! ordonna-t-il.

Il reposa le combiné et s'écria :

– Où es-tu, aujourd'hui, descendant de Solomon ?

# Chapitre 65

L'air du petit matin était frisquet. Seul, mains dans les poches, Harry Finn examinait le trou creusé dans le sol du cimetière national d'Arlington où John Carr était supposé dormir pour l'éternité. Tout n'avait été que mensonges. Pourquoi Finn était-il surpris ? Après tout, le gouvernement ne disait jamais la vérité sur le plus important.

Finn avait mené son enquête.

Les parcours de Judd Bingham, Bob Cole et Lou Cincetti étaient globalement les mêmes. Ils avaient bossé pour la CIA avec une évidente délectation, jusqu'au jour où ils avaient pris leur retraite pour mener une vie oisive et confortable. Des retraites auxquelles Finn avait mis brutalement un terme.

Carr avait un profil différent. Membre d'une unité militaire, il avait péri officiellement au cours d'une de ces escarmouches qui éclatent à intervalles réguliers dans le monde et auxquelles les États-Unis sont moralement, si ce n'est techniquement, obligés de répondre. Avant de rejoindre la division Triple Six, John Carr avait été l'un vétérans les plus décorés de la guerre du Vietnam.

Il avait même été question qu'on lui remette la médaille d'honneur du Congrès, la plus élevée des récompenses militaires, celle qui valait aussitôt à tout soldat un statut d'immortalité même si beaucoup la recevaient à titre posthume.

Finn avait pris connaissance du rapport officiel avec une excitation mêlée d'effroi. Carr avait sauvé à lui seul un peloton de soldats tombés dans une embuscade au cours d'un échange de tirs meurtriers avec des Nord-Vietnamiens. Le sergent John Carr avait évacué un à un sous la mitraille quatre hommes blessés en les portant sur son dos. Touché à deux reprises par le feu ennemi, il avait néanmoins réussi à tuer douze Viêt-cong, dont trois au cours d'un corps à corps, et en avait abattu d'autres juchés en haut des arbres avec une précision si extraordinaire que même le rapport la qualifiait de surnaturelle.

Finn ne pouvait s'empêcher d'éprouver un certain respect pour cet homme. Il s'était toujours considéré comme un soldat de la plus haute envergure, mais John Carr le battait visiblement dans l'art de faire un carton, compétence essentielle aux yeux des militaires professionnels.

Cependant, Carr n'avait pas reçu de médaille. Finn ignorait que cette injustice était due à des raisons politiques et non à un manque d'héroïsme sur le champ de bataille. Comment aurait-il pu savoir que l'homme s'était mis à dos ses supérieurs à cause des sentiments ambivalents qu'il éprouvait pour la guerre ? Son commandant n'avait pas même levé le petit doigt en sa faveur. Sa hiérarchie avait été encore plus loin, en faisant en sorte que, malgré ses mérites, il soit privé du plus grand des honneurs militaires.

Carr avait disparu des rangs de l'armée avant de refaire surface quelques années plus tard, juste le temps de périr dans cette escarmouche et d'être prétendument inhumé à Arlington.

Ce qu'il avait fait dans l'intervalle n'avait aucun secret pour Finn : il était devenu tueur pour le compte de l'État. Cependant, il avait dû affronter lui aussi le spectre de la mort.

Il avait fallu deux longues années à Finn pour découvrir, grâce au piratage de plusieurs banques de données, que la femme de Carr était morte au cours d'un cambriolage nocturne. Leur fille s'était évanouie dans la nature. Finn n'était pas dupe : ce « cambriolage » portait la marque de la CIA. Carr avait dû irriter ses supérieurs. En apprenant son décès, Finn s'était tout d'abord réjoui. L'idée d'éliminer un héros de guerre qu'on n'avait pas jugé bon de récompenser à sa juste valeur, un homme assez courageux pour ruer dans les brancards de la plus puissante agence d'espionnage du monde, lui déplaisait fortement.

Aujourd'hui, la donne avait changé. Si Carr était en vie, Finn savait qu'il devait finir le travail. Sa mère comptait sur lui. Que cela lui plaise ou non. Peu importait que Carr ait été un homme bien, il avait assassiné son père. Sans raison.

Finn quitta le cimetière. Il avait du travail.

John Carr attendrait.

# Chapitre 66

Étant donné qu'il s'agissait d'une infiltration atypique, Finn avait réquisitionné deux employés de son bureau. Le donneur d'ordre fabriquait des vaccins contre des agents infectieux biologiques créés par l'homme et voulait évaluer son système de sécurité.

Escalader la barrière qui se trouvait à l'arrière du laboratoire ne leur posa aucun problème, même si Finn dut donner un coup de main à l'un des gars du bureau, un type obèse prénommé Sam, qui avait du mal à propulser sa carcasse de l'autre côté du tourniquet.

Ils pénétrèrent dans les lieux grâce à une porte de service non verrouillée. La chose paraissait difficile à croire étant donné la valeur inestimable des produits qu'on fabriquait là, mais ce genre d'oubli se produisait tous les jours un peu partout dans le monde.

Arrivés à l'intérieur, ils allèrent chacun dans une direction, leur couverture imaginée à l'avance. Finn avait revêtu la blouse blanche de laborantin qu'il avait apportée dans son sac de marin. Un badge d'identité pendait autour de son cou. Il s'était également muni d'un agenda électronique, afin de prendre des notes. Ainsi équipé, il se dirigea vers le poste de garde, à l'entrée du bâtiment, et donna à l'agent de sécurité le nom d'un scientifique qui travaillait dans les locaux. Finn l'avait déniché sur Internet et n'ignorait pas que le type était en vacances. Il avait trouvé ce renseignement grâce à la photocopie d'un itinéraire de voyage que le « génie » avait négligemment jeté à la poubelle.

Quand le gardien lui répondit que le chercheur était absent, Finn rétorqua :

– C'est exact. Bill m'a averti qu'il emmenait sa famille en Floride.

Il cita alors un autre nom, relevé cette fois dans l'annuaire de la société. Cette manœuvre visait à renforcer sa crédibilité et à mettre à l'aise l'agent de sécurité. Il était indispensable de simuler un lien personnel avec un employé de l'endroit visé.

– Je peux juste faire un saut pour le voir quelques minutes ? demanda-t-il au vigile. Je connais le chemin. Il faut que j'examine quelques résultats de tests pour la série A/B qu'ils ont réalisée la semaine dernière sur les deux nouveaux vaccins expérimentaux. Vous êtes au courant ?

Le garde, un gamin à peine sorti de l'adolescence qui portait fièrement un modèle standard d'arme de poing, répondit :

– Non, on ne m'a rien dit.

Sur ces paroles, il retourna à son café et à son écran d'ordinateur sur lequel Finn aperçut les dernières offres de rendez-vous d'un site de rencontre.

Finn patienta dans l'ascenseur jusqu'à l'arrivée d'un employé. Aussitôt, il brandit une carte en plastique qu'il venait de sortir d'une fente.

– Ce fichu truc RFID fait encore des siennes, dit-il. Ça fait trois fois, ce mois-ci. Et ils n'arrêtent pas de me dire qu'ils l'ont réparé. Tu parles…

– Je connais ça, fit observer l'autre homme en glissant à son tour son badge magnétique dans le lecteur. (Les portes se refermèrent.) Vous allez à quel étage ?

– Au cinquième, répondit Finn en rangeant la carte de bibliothèque de son fils dans sa poche.

Sur le palier du cinquième, Finn repéra la porte qu'il cherchait. Là encore, il lui fallait un badge d'accès. Il se faufila dans les toilettes et aspergea un peu d'eau sur ses jambes de pantalon. Quand il entendit le « ding » de l'ascenseur, il ressortit aussitôt en faisant semblant de se sécher les mains. La cabine s'ouvrit, cédant le passage à une jeune femme. Finn se tint derrière elle, sa carte de bibliothèque à la main tandis qu'elle déverrouillait la porte sécurisée.

L'employée lui jeta un coup d'œil.

– On dirait que j'ai été plus rapide que vous, dit-elle en souriant.

Finn rangea sa carte.

– Mauvaise matinée. J'ai renversé du café sur mon pantalon en venant.

Il indiqua la tache humide.

– Je parie que ça vous a réveillé, gloussa la femme avec un nouveau sourire.

– Ouais, dit Finn en lui emboîtant le pas.

– Vous voulez voir quelqu'un en particulier ? demanda-t-elle.

Finn secoua la tête et leva son insigne subtilement falsifié à l'en-tête de la Sécurité intérieure.

– Juste une petite inspection au hasard. Les fédéraux veulent savoir comment on dépense les impôts.

– Ce n'est pas une tâche facile. Bonne journée ! ajouta-t-elle en s'éloignant.

Finn déambula dans le laboratoire tout en prenant des photos à la dérobée à l'aide de sa caméra miniaturisée. Entre deux signes de tête aux employés, il prenait des notes avec son stylet sur son agenda électronique. La facilité avec laquelle il pouvait aller et venir était vraiment stupéfiante. Il suffisait de se comporter comme si on était de la maison, et personne ne vous posait de questions. Plusieurs personnes lui donnèrent même des informations sur des dilutions de vaccin.

Après un certain temps, grâce aux indications d'un bon Samaritain, il rejoignit l'entrée principale par le même chemin. En émergeant dans le hall, il se raidit.

L'agent de sécurité maintenait Sam, l'adolescent obèse, contre le mur et se livrait sur lui à une fouille amateur.

— Que se passe-t-il ici ? s'écria Finn en se dirigeant vers eux.

— Un espion ! s'exclama le vigile. J'l'ai pris en flagrant délit. J'appelle les flics.

Finn n'avait pas le choix : il sortit son accréditation et avertit leur contact qui se trouvait dans les locaux qu'ils avaient été repérés. Il aurait préféré ne pas en arriver là, mais voilà ce qui se passait quand on s'encombrait de débutants. Heureusement, Finn avait eu le temps de mener l'infiltration prévue.

Tout aurait pu s'arrêter là si Sam n'avait pas réagi de façon stupide : il repoussa le garde et se mit à courir.

L'agent de sécurité pointa son arme en direction des larges épaules de Sam et hurla :

— Stop !

— Arrêtez ! cria Finn en se ruant vers l'homme.

Ce dernier tira à l'instant où Finn lui rentrait dedans. En l'espace d'une seconde, Finn le désarma et lui agita son accréditation sous le nez.

— Prévenez John Rivers, de la sécurité. Il est au courant de…

Il s'interrompit au milieu de sa phrase : Sam était allongé face contre terre, le sang giclant de sa blessure dans le dos.

## Chapitre 67

L'ambulance repartit trente minutes plus tard. Agenouillé près de Sam, Finn avait étanché l'hémorragie et pratiqué une réanimation cardio-pulmonaire. Pendant une fraction de seconde, le cœur de Sam avait cessé de battre, probablement sous l'effet du choc. À leur arrivée, les équipes d'urgence s'étaient montrées rassurantes : Sam vivrait, mais sa guérison serait longue. La balle semblait avoir causé de sérieux dommages à certains organes.

Finn fixa les feux arrière du véhicule jusqu'à ce qu'ils disparaissent. John Rivers, le chef de la sécurité, qui s'était longuement excusé au nom du garde qui avait tiré sur Sam sans raison, se tenait à ses côtés.

— Heureusement que tu étais là, Harry, dit Rivers. Sinon, il serait mort.

— Ouais, mais on ne lui aurait pas tiré dessus si je ne l'avais pas traîné ici.

— On ne nous donne ni le temps ni l'argent pour former nos agents, se plaignit Rivers. Ils dépensent des milliards de dollars dans la sécurité du bâtiment et en technologie, et puis ils confient une arme à un débutant payé dix dollars de l'heure. Ça n'a aucun sens.

Finn ne l'écoutait pas. Jamais il ne lui était arrivé un drame pareil. Sam était un type sympathique, mais juste bon à s'asseoir derrière un bureau. Finn s'était toujours montré réticent à l'idée de partir sur ce genre de mission avec des gens inexpérimentés et n'avait pas hésité à le dire haut et fort. Peut-être que maintenant on l'écouterait.

Il regagna son domicile en voiture et, quelques heures plus tard, conduisit Patrick à son entraînement de base-ball. En silence, il regarda son second fils frapper impitoyablement des lancers automatiques dans le tunnel de frappe. Sur le trajet du retour, Finn ne se montra pas très causant, préférant laisser Patrick raconter avec enthousiasme sa journée d'école. Au cours du dîner, Susie récita le texte de la pièce qu'elle allait jouer – bien que les arbres n'aient pas grand-chose à dire, ce que ses deux frères aînés ne manquèrent pas de relever avec ironie. Elle supporta leurs plaisanteries mais finit par s'exclamer :

– Allez vous faire foutre, espèces de crétins !

Cette remarque lui valut une remontrance sévère de Mandy.

– Au fait, papa, coupa David, tu viens au match de foot vendredi après-midi ? L'entraîneur va me mettre dans les buts.

– J'essaierai, fiston, répondit Finn d'un air absent. Je ne serai peut-être pas libre.

Il devait rendre visite à sa mère. Sa femme n'en serait pas ravie.

Mandy donna à David un peu d'argent de poche en prévision de sa sortie scolaire du lendemain matin. Elle jeta un regard à la dérobée vers son mari dont l'esprit, de toute évidence, se trouvait à dix mille lieues.

– Harry ? Ça va ?

Il sursauta.

– Juste quelques problèmes au travail.

Bien que la police ait été appelée, les journaux n'avaient pas relaté l'accident survenu au laboratoire. En effet, le DHS était intervenu, de peur de voir ruiner tous ses efforts. Le nom de Finn exposé dans la presse nuirait au travail contractuel que sa société accomplissait pour la Sécurité intérieure, travail crucial pour l'intérêt national. Grâce à l'appui du DHS, les flics locaux étaient rapidement repartis. Le jeune agent de sécurité n'avait pas été inculpé ; tout au plus s'était-il vu réprimander pour sa stupidité et son inexpérience. Après lui avoir retiré son arme, on l'avait muté dans un bureau en lui demandant la plus entière discrétion sur ce qui s'était passé sous peine de le regretter le restant de sa vie.

Après le dîner, Finn alla voir Sam à l'hôpital. Ce dernier avait été placé en soins intensifs, mais son état était stable. Il était sous traitement lourd et n'avait pas conscience de la présence de Finn. Ses parents, arrivés de New York en avion dans l'après-midi, patientaient dans la salle d'attente. Finn resta une heure avec eux pour leur expliquer la situation. Il en profita pour minimiser les responsabilités de Sam qui, après tout, s'était fait tirer dessus en cherchant à fuir un gosse nerveux armé d'un gros calibre.

En quittant l'hôpital, il roula au hasard, la radio branchée sur la station d'information continue. Lorsque les mauvaises nouvelles se firent dramatiques puis carrément catastrophiques, il éteignit son poste. Quel monde horrible ils allaient laisser à la prochaine génération !

Il prit la direction du centre-ville, déterminé à ne pas rentrer immédiatement dans sa banlieue. L'expression de Mandy au cours du dîner lui avait clairement indiqué qu'elle avait envie de parler, et il ne le souhaitait pas. Comment allait-il lui annoncer la visite qu'il allait rendre à sa mère ? Avec les nombreuses activités des enfants, son absence lui poserait un véritable problème. Cependant, les dernières nouvelles concernant John Carr rendaient ce déplacement inévitable.

Il traversa le pont Théodore-Roosevelt, dépassa l'île du même nom et, filant tout droit, descendit Constitution Avenue – sans doute la deuxième artère la plus célèbre de la capitale après Pennsylvania. Après avoir tourné à gauche, il fonça en direction de la Maison-Blanche en tentant de se frayer un chemin dans ce quartier de magasins et d'immeubles de bureaux qui renaissait à la nuit tombée. À sa droite se dessinait le squelette de béton et d'acier d'un bâtiment inachevé dont le promoteur avait fait faillite. En attendant que le feu passe au vert, Finn contempla la nouvelle résidence qui s'élevait de l'autre côté du trottoir. Son regard remonta le long des sept étages et s'attarda sur les appartements qui faisaient le coin du luxueux gratte-ciel. Il se raidit légèrement. Il n'était pas venu ici par hasard. Cet itinéraire lui était familier. Le feu de signalisation changea de couleur. Sous ses yeux, une silhouette élancée passa devant l'une des fenêtres. Roger Simpson, le sénateur du grand État d'Alabama, était de retour.

## Chapitre 68

Paddy était affalé dans un fauteuil dans la chambre d'hôtel, Annabelle debout à côté de lui. La fille adressa un signe de tête au père. À ce signal, il décrocha le téléphone.

Avant qu'il ait composé le numéro, elle posa une main sur son épaule.

– Tu es sûr d'être prêt ? lui demanda-t-elle.

– Je m'y prépare depuis des années, répliqua-t-il d'un ton résolu, bien que sa voix tremblât un peu.

*Il n'a pas l'air en bon état*, se dit-elle. Le vieil homme semblait fatigué et effrayé.

– Bonne chance ! lança Annabelle.

Lorsque la communication fut établie, elle décrocha l'autre combiné, qu'elle colla contre son oreille.

– Salut, Jerry. C'est Paddy Conroy. Y a longtemps que t'as pas tué. Remarque, c'est peut-être pas complètement vrai. J'ai entendu dire que t'avais été pas mal occupé dans ce domaine.

Annabelle observa son père. Son attitude avait changé. Sa voix avait gagné en assurance et il arborait un large sourire. Assis droit dans son fauteuil, il paraissait intrépide.

Bagger avait beau être difficile à impressionner, en entendant le nom de son interlocuteur, il sentit ses genoux se dérober sous lui. L'émotion qui suivit lui était plus familière.

– Bon Dieu, comment t'as eu mon numéro, espèce de salaud ? hurla-t-il, manquant broyer le combiné entre ses doigts.

– J'ai juste regardé dans l'annuaire à la lettre E, pour Enculé.

À cette remarque, Annabelle se retint d'éclater de rire.

– T'as vu ta salope de fille récemment ?

– J'ai entendu dire qu'elle t'avait piqué un max. Assez pour réveiller la commission de contrôle du New Jersey. Je dois être un bon prof.

– Ouais, c'est peut-être toi qui es derrière tout ça. Si c'est le cas, je t'arracherai la peau pendant deux jours, promis...

– Arrête de dire des horreurs, Jerry, tu m'excites.

– Qu'est-ce que tu veux ?

– Je veux te donner un coup de main.

– Je n'ai pas besoin d'un connard d'arnaqueur en bout de course.

– Ne prends pas la mouche, Jerry. Aider quelqu'un, c'est lui donner ce qu'il veut. C'est mon cas.

– Comme quoi, par exemple ?

– Devine !

– T'as envie que j' t'arrache les couilles ?

– J'ai Annabelle. Tu la veux toujours ou tu préfères oublier qu'elle t'a fait passer pour le plus grand crétin de la terre ?

– Tu me refilerais ta propre fille en sachant ce que je vais lui faire ?

– Joue pas les sourds avec moi. C'est ce que j'ai dit.

– Tu ferais ça pourquoi ? Par pure générosité ?

– Tu me connais mieux que ça, Jerry.

– Alors tu veux combien pour ta fillette ?

– Rien, pas un centime.

– Pardon ? s'exclama Bagger, incrédule.

– Je n'ai plus besoin d'argent.

– Alors qu'est-ce que tu veux ?

– Je veux que tu me promettes que tu me foutras la paix si je te donne Annabelle. Il me reste peu de temps à vivre et je n'ai pas envie de le passer à regarder par-dessus mon épaule en me méfiant de types comme toi.

– Attends que je comprenne bien. Tu me files Annabelle si je te laisse tranquille ?

– Exactement. Je sais que tu me fais surveiller depuis que je t'ai piqué ces foutus dix mille dollars. Et j'en ai marre.

Bagger hurla dans le combiné.

– *Tu* en as marre ?

– Marché conclu ? Et je veux que tu jures. On peut dire tout ce qu'on veut sur toi, mais tu ne reviens jamais sur ta parole. Tu récupères Annabelle et tu me lâches la grappe pour toujours.

Bagger fixait le plancher, ses veines palpitant sur son cou.

– Je veux t'entendre le dire, Jerry. Je *dois* t'entendre le dire.

– Je te donnerais plusieurs millions pour elle.

– Ouais, bien sûr. Dis-le, Jerry. Dis-le, sinon y a pas de marché.

Paddy jeta un coup d'œil à Annabelle, qui retenait sa respiration, les doigts serrés autour du combiné.

– Pourquoi tu la détestes autant ? demanda finalement Bagger.

– Parce qu'elle a foutu ma vie en l'air à cause de ce qui est arrivé à sa mère. C'est toi qui l'as tuée, mais c'est moi qui ai payé. Depuis, personne ne m'a filé la moindre arnaque à monter. L'heure de ma vengeance a sonné.

Paddy adressa un petit sourire à Annabelle.

– Comment tu vas l'embobiner ? Elle n'est pas stupide. Je sais qu'elle n'a pas confiance en toi.

– Laisse-moi faire.

– Je n'ai pas encore accepté.

– Mais tu le feras. Tu es trop intelligent pour refuser.

– Je peux la retrouver tout seul. J'y suis presque arrivé la nuit dernière. Et si j'ai vraiment de la chance, j' peux te coincer toi aussi.

– Essaie ! Dans deux semaines, quand tu réaliseras qu'elle s'est barrée depuis longtemps, tu ne pourras pas dire que le vieux Paddy t'avait menti. Parce que plus tu attends, plus elle a le temps de se planquer. Tu sais comme moi à quel point cette fille est douée dans tout ce qu'elle entreprend. Prends ton temps, réfléchis. Je te rappellerai.

– Quand ?

– Quand je voudrai.

Ensemble, Paddy et Annabelle reposèrent leurs combinés. Elle le prit par les épaules.

– Tu as été génial. Tu l'as appâté comme il fallait.

Il plaqua ses mains sur les siennes.

– On va lui donner un peu de temps pour gamberger. Comme ça, ton pote aura de la marge pour finir ses préparatifs. Je dois dire que j'ai été surpris qu'il accepte de nous aider sans poser de questions.

– Comme je te l'ai expliqué, c'est un fédéral pas comme les autres. Une chose. (Elle s'arrêta, inquiète. Son père était-il à la hauteur de la situation ?) Tu n'as même pas cherché à savoir où Jerry était descendu.

Il la toisa, un sourire jouant sur ses lèvres.

– Je n'ai pas perdu le coup de main, Annie, si c'est à ça que tu penses. Faut pas y aller trop fort lors du premier round. Les vieux pros comme Jerry reniflent ça à tous les coups. La prochaine fois que je l'appellerai, je lui laisserai faire un faux pas. Puis je frapperai.

– Désolée, je ne sous-entendais pas que tu faisais n'importe quoi.

– Le résultat d'une escroquerie tient à quatre-vingt-dix pour cent dans la préparation. Le reste, c'est de l'instinct, la faculté d'adaptation.

– Mais sans ces dix pour cent, les quatre-vingt-dix autres ne valent rien.

– Exactement.

– Ce truc que tu as dit à Bagger… Comme quoi j'ai foutu ta vie en l'air ?

– C'est moi qui ai tout gâché, Annie. Et ce que j'essaie de faire en ce moment, c'est de réparer un peu mes torts.

Il saisit fermement la main de sa fille entre ses doigts. Il avait l'air vieux, malade, effrayé. Son corps s'écroula de nouveau dans le fauteuil.

– Tu crois vraiment qu'on peut réussir ?

– Oui, mentit-elle.

# Chapitre 69

Revêtu de l'uniforme du personnel de maintenance du Capitole, Finn se trouvait devant le Hart Senate Office Building, la télécommande du détonateur à la main. Il examina la façade du bâtiment jusqu'à ce que ses yeux se posent sur les fenêtres du bureau de Simpson. Ses doigts serraient un petit appareil qui ressemblait à un iPod. En réalité, il s'agissait du récepteur de la caméra vidéo miniaturisée et sans fil qu'il avait dissimulée derrière l'étagère du sénateur. Les images qui défilaient sur le minuscule écran étaient de première qualité. Simpson était en réunion avec les membres de son staff, probablement occupé à débriefer sa fameuse « mission d'enquête » aux Caraïbes.

Finn attendait que la pièce se vide, car seul Simpson devait mourir aujourd'hui. Lorsqu'il vit les autres se lever puis quitter la salle, il se raidit légèrement. Les sens aux aguets, il regarda Simpson vérifier sa coiffure, vérifier son visage dans le miroir, puis ajuster sa cravate avant d'aller s'asseoir à sa table de travail.

L'instant était enfin arrivé. Le doigt de Finn oscilla au-dessus de son BlackBerry. Il enverrait le mail en premier, ce qui lui permettrait de vérifier, d'après la réaction de Simpson, que ce dernier avait bien reçu la photographie de Rayfield Solomon.

Le pouce de Finn descendit sur la touche de son Smartphone. *Adieu, Roger.*

– Hé, papa !

Reconnaissant la voix, Finn leva la tête.

– Merde, souffla-t-il.

Son fils David accourait vers lui, tout sourire.

– Qu'est-ce que tu fais ici ?

Finn planqua en hâte ses appareils dans la manche de son duffel-coat jeté par-dessus ses épaules.

– Salut, Dave, c'est à moi de te poser la question ! Qu'est-ce que tu fiches dans le coin ?

David roula des yeux.

– Tu deviens gaga ? La visite scolaire au Capitole ? Tu as signé l'autorisation ? Maman m'a donné l'argent au dîner, hier soir ?

Finn blêmit. *Oh, merde !*

– Désolé, j'ai l'esprit occupé par tellement de choses, fiston.

David sembla enfin remarquer la tenue vestimentaire de son père.

– C'est quoi, cet uniforme ?

– Je travaille, répondit calmement Harry.

Le visage de David s'illumina.

– Génial, tu veux dire que tu es en mission d'infiltration ?

– Je ne peux vraiment pas en parler, Dave. Tu ferais mieux de partir. En fait, c'est embêtant que tu sois là.

Le cœur de Finn battait si fort qu'il était miraculeux que son fils ne l'entendît pas.

David ne put masquer sa déception.

– Ouais, bien sûr. Je comprends. C'est top secret.

– Navré, Dave. Parfois, je préférerais avoir un travail normal.

– Ouais, moi aussi, dit David en courant retrouver ses copains.

Quand Finn regarda de nouveau l'écran, Simpson avait quitté son bureau. Il tourna la tête en direction de David et de ses amis. Son fils le fixa brièvement du regard puis se détourna. En compagnie des autres élèves, il s'éloigna sur le trottoir qui descendait vers le Capitole.

Finn partit dans la direction opposée. Il ferait une nouvelle tentative un autre jour. Pour l'heure, il devait aller rendre visite à sa mère. Il aurait tellement voulu pouvoir lui annoncer la mort de Simpson ! Absorbé par ses pensées, il ne vit pas l'homme qui émergeait de derrière un arbre pour lui emboîter le pas.

Après les aveux de Max Himmerling la nuit précédente, Oliver Stone était venu repérer le bureau de Roger Simpson, en toute discrétion. C'est Simpson qui avait donné l'ordre de l'éliminer et d'assassiner Solomon. À moins que ce ne fût Gray. Puisque ce dernier était hors d'atteinte, le mieux était de commencer par Simpson. Mais voilà qu'un fait inattendu venait de se produire. L'attitude de Finn avait aiguisé la curiosité de Stone. Son œil entraîné avait immédiatement reconnu le professionnel. Personne, pas même des officiers de police, n'aurait pu suspecter quoi que ce soit d'anormal. Mais Stone n'était pas comme les autres. Jusque-là, il avait suivi de nombreuses pistes inutiles. Son instinct lui disait que celle-là se révélerait cruciale.

Quand Finn sauta dans le métro à la station Capitol-South, Stone l'imita. Les deux hommes empruntèrent la ligne jusqu'au National Airport. Dans l'aérogare, Stone vit Finn s'engouffrer dans les toilettes et en ressortir en vêtements de ville, son manteau toujours posé sur les épaules. Stone était désormais convaincu que son intuition ne l'avait pas trompé.

Finn acheta un billet aller-retour sur un vol à destination de la partie nord de l'État de New York. Planqué, Stone accomplit la même démarche un peu plus tard, grâce à la fausse pièce d'identité et à la somme d'argent qu'Annabelle lui avait données. En franchissant les portiques de contrôle, les battements de son cœur s'affolèrent légèrement lorsque les agents du département de la Sécurité des transports scrutèrent la photographie de son passeport. Arrivé de l'autre côté, Stone laissa Finn prendre de l'avance. Après tout, il connaissait le numéro de la porte d'embarquement.

Stone s'acheta un café et un magazine. Bientôt, le vol fut annoncé. Finn s'installa à l'avant de l'appareil, Stone à l'arrière.

Moins de deux heures plus tard, l'avion atterrit. Désormais, la filature allait se corser. L'aérogare n'était pas immense et il n'y avait pas grand monde. Finn paraissait préoccupé, du moins, c'est l'impression qu'avait Stone. Cependant, s'il était le redoutable assassin des anciens tueurs professionnels de la CIA, il ne fallait pas le sous-estimer.

Stone s'interrogeait sur ce qu'il allait faire par la suite lorsque Finn le surprit. Après avoir contourné le comptoir de voitures de location, il ignora la file des taxis et s'éloigna à pied sur la route qui quittait l'aéroport. Tout en le suivant du regard, Stone s'approcha d'un des chauffeurs.

– Je suis en escale, dit-il en se penchant à la fenêtre. Il y a quelque chose, dans le coin ?

– Quelques résidences, des boutiques, une clinique, répondit l'homme sans cesser de lire paresseusement son journal.

– Une clinique ?

– Ouais, vous voulez vous payer une petite récré entre deux avions ? gloussa-t-il.

Stone se glissa sur la banquette arrière.

– Démarrez lentement.

Le chauffeur haussa les épaules, lâcha son journal et mit le contact.

# Chapitre 70

Herb Daschle était un vétéran de la CIA. Il avait passé des années sur le terrain, voyagé, dirigé un service au cours de la dernière décennie avant d'accepter son poste actuel. Le boulot n'avait rien d'excitant et le public n'en avait jamais entendu parler, mais il était vital pour la sécurité de la CIA et par conséquent de la nation. Du moins, c'est ce qu'affirmait le manuel interne de l'agence.

Depuis deux mois, Daschle se rendait trois fois par semaine dans cette clinique pour s'asseoir à côté d'un type inconscient. L'homme, une grosse légume de la CIA, était détenteur d'informations qui ne devaient pas arriver à la connaissance du grand public. Malheureusement, il avait été victime d'une rupture d'anévrisme et n'était plus tout à fait lui-même. On le croyait capable de révéler involontairement quelques secrets d'État de première importance.

Face à ce genre de risque, la CIA chargeait des hommes comme Daschle de surveiller ses employés frappés d'incapacité. Un agent avait accompagné l'homme au bloc opératoire lorsque le chirurgien avait tenté de soulager la pression sur son cerveau. Un autre avait pris le relais dans la salle de réveil. Depuis son entrée dans cette clinique, la surveillance fonctionnait sept jours sur sept, vingt-quatre heures sur vingt-quatre. Tout le monde espérait que le patient finirait par guérir. Même sa propre famille n'avait pas l'autorisation de rester seule avec lui.

À 14 heures, Daschle quitta sa chaise pour laisser la place à l'un de ses collègues. Les deux hommes échangèrent quelques plaisanteries puis Daschle mentionna deux ou trois détails survenus au cours de son tour de garde, rien de très important.

Mourant d'envie de fumer, il emprunta le couloir menant à la cafétéria dans l'intention de s'acheter une canette de soda et quelques crackers avant de partir. Alors qu'il passait devant une porte, un bruit de voix le fit stopper net. On aurait dit du russe. Stationné pendant neuf ans à Moscou, Daschle connaissait bien cette langue. Cependant, celle qu'il entendait s'apparentait davantage à un mélange de plusieurs dialectes slaves. Il s'approcha du battant resté entrebâillé et tendit l'oreille. Quelques minutes plus tard, il sortait en trombe du bâtiment. Et ce n'était pas dans l'intention de fumer une cigarette.

Après son départ, Stone sortit du recoin où il s'était caché. Lui aussi avait tout entendu. Il suivit des yeux l'homme qui s'éloignait en courant.

*Merde*.


Dans la chambre, Lesya parlait à Finn, qui avait pris place dans un fauteuil.

– Ainsi, John Carr s'est relevé de chez les morts tel un Phénix, dit-elle dans son langage si particulier.

– On le dirait bien, répondit Finn. Mais je n'en suis pas certain.

– Et le sénateur est toujours vivant ?

– Pas pour longtemps.

– Et Carr ?

– J'y travaille. Je te l'ai dit. Mais je n'ai aucune idée de l'endroit où il se trouve, ni même s'il est réellement en vie. Ils ont simplement déterré son cercueil. Je n'en sais pas plus.

Elle eut une violente quinte de toux.

– Le temps est compté.

*Pour toi ou pour moi ?* se demanda Finn. Il pensait sans cesse à sa rencontre avec son fils. *Si près du but. Trop près.*

– Mais tu le découvriras. Je t'aiderai.

– Laisse-moi m'occuper de ça.

– Je peux te dire ce que je sais sur lui.

– J'en sais déjà beaucoup. (Il se tut un instant.) Je ne pense pas qu'il soit comme les autres.

Elle le toisa, l'air sévère.

– Que veux-tu dire par là ?

– Je crois que l'agence a essayé de le tuer. Je crois aussi qu'ils ont assassiné sa femme. Et peut-être sa fille. À mon avis, il a beaucoup souffert. Et c'est aussi un héros de guerre.

– Il est exactement comme les autres. Un homme diabolique. Un meurtrier !

– Pourquoi ? Parce qu'il a obéi aux ordres et éliminé mon père qui était aussi ton mari ?

– Tu ne sais pas ce que tu dis, Harry. Tu ne te rends pas compte.

– J'étais sur le point de tuer Simpson ce matin quand David est arrivé. Il a failli me prendre sur le fait.

– David, ton fils ?

Finn hocha la tête.

– Doux Jésus ! s'écria Lesya en plaquant sa paume contre sa bouche. Il s'est douté de quelque chose ?

– Non, mais je m'étais juré que je ne laisserais jamais cette partie de mon existence influer sur ma famille. Et, maintenant, c'est fait !

Lesya vint à côté de lui et saisit sa main entre ses doigts osseux. Cette sensation le dégoûtait légèrement, désormais.

– Harry, mon fils, mon fils adoré, ce sera bientôt fini.

– Comment peux-tu en être sûre ? Ça se terminera peut-être par ma mort.

Elle dégagea son étreinte.

– Et maintenant ?

– Simpson, puis Carr.
– Tu le feras. Tu le jures ?
Finn acquiesça d'un signe de tête.

Sa mère scruta son visage un long moment puis, d'un pas traînant, alla ouvrir un tiroir d'où elle sortit une photographie. Elle la lui tendit.

– Pour Carr, dit-elle d'une voix pleine d'amertume avant de cracher par terre. (Elle se rallongea sur son lit.) Laisse-moi te raconter une histoire, Harry.

Il se laissa glisser au fond de son fauteuil, mais pour la première fois il ne l'écouta pas.

Quand la porte de la chambre s'ouvrit, ils se tournèrent d'un seul mouvement.

– Qu'est-ce que vous voulez ? s'exclama Lesya en anglais d'un ton furieux. Je reçois une visite.

Lorsque l'homme répondit en russe, sa respiration se bloqua dans sa gorge.

– Qui êtes-vous ? demanda Finn.

– Jusqu'ici, on m'appelait John Carr, répondit Oliver Stone. (Il regarda Finn.) Vous avez raison. Je ne suis pas comme les autres. Et il faut que vous partiez d'ici, tous les deux, le plus vite possible.

# Chapitre 71

Quand Paddy rappela, Bagger décrocha dès la deuxième sonnerie.

– Ouais.

– T'as eu le temps de comprendre que j'avais raison ? commença Paddy poliment.

– Tu sais combien de fois je t'ai tué mentalement depuis ton dernier coup de fil ?

– C'est agréable de se sentir désiré. Mais j'ai besoin d'avoir ta réponse.

– Comment tu veux organiser ça ? demanda franchement Bagger.

– On n'organisera rien tant que tu ne m'auras pas dit ce que je veux entendre.

– Fais un saut à mon hôtel, je te le dirai de vive voix. Je sais qu'elle est à Washington, alors tu dois y être aussi.

Paddy sourit.

– Pour que tu me colles une balle dans la tête ? Non, merci. En plus, je ne fréquente pas les quartiers de merde, Jerry. Les fripouilles comme toi aiment se vautrer dans la racaille.

– Ah ouais ? Mais je fais plus de fric en une seconde que toi t'en as fait dans toute ta vie.

– L'argent n'est pas tout, Jerry. Ça n'achète pas la classe. Je me contrefous que t'habites dans les parages de cette putain de

Maison-Blanche, même si je doute qu'on y laisse entrer des types comme toi.

– Faut du blé pour avoir vue sur la Maison-Blanche. Ça coûte mille dollars la nuit.

Paddy ricana et pointa son doigt sur Annabelle qui, en retour, leva le pouce dans sa direction.

– Tu me donnes ta parole ou je raccroche ? Parce qu'une fois que cette ligne sera coupée, je ne te rappellerai pas.

Bagger jura entre ses dents et articula très lentement :

– Si tu me donnes Annabelle, je te jure que je n'essaierai plus jamais de te coincer.

– Et que ni toi ni tes hommes ne vous prendrez à moi. Tu me donnes ta parole ?

– D'accord.

– J'ai besoin que tu le dises, Jerry.

– Pourquoi ?

– Parce que je sais qu'une fois que ces mots seront sortis de ta bouche je serai vraiment en sécurité.

– Ni moi ni mes hommes ne nous en prendrons à toi. Je te donne ma parole.

Cette dernière phrase lui fut si douloureuse à prononcer que Bagger abattit son poing sur la table.

– Merci.

– Tu ne m'as pas encore expliqué comment je la récupère.

– Elle va te tomber directement dans les bras, Jerry. Je m'en occupe.

Paddy raccrocha et regarda Annabelle tandis qu'un sourire se dessinait sur ses lèvres.

– Mille dollars la nuit pour une vue splendide sur la Maison-Blanche. Il ne doit pas y en avoir des masses !

– C'est sûr, répondit Annabelle.

# Chapitre 72

– Vous pouvez me trouver la liste des hôtels de Washington qui ont vue sur la Maison-Blanche pour mille dollars la nuit ? demanda Annabelle à Alex lors de leur deuxième rendez-vous dans le *coffee shop*.
– Pourquoi ?
– Ça fait partie de ces détails dont je vous ai parlé.
– O.K., je vais vous dégoter l'info. Vous avez besoin d'un coup de main ?
Annabelle s'apprêtait à répondre non, mais s'arrêta.
– Comment vous vous débrouillez avec vos pieds ?
– Pardon ?
– Vous courez vite ?
– Je suis agent des services secrets. C'est mon métier.
– Alors vous allez pouvoir m'aider.

Un peu plus tard dans la journée, Annabelle s'engouffrait dans le deuxième hôtel figurant sur la liste que lui avait fournie Alex. Arrivée devant le comptoir de la réception, elle sortit discrètement sa fausse carte du FBI.

– De quoi s'agit-il ? demanda l'employé d'une voix nerveuse.

– Potentiellement d'un gros problème pour votre établissement, mais on pourra peut-être l'éviter si vous coopérez. J'ai une unité d'intervention qui m'attend dehors.

Stupéfait, l'homme jeta un coup d'œil par-dessus l'épaule d'Annabelle.

– Vous ne pouvez pas les voir d'ici, dit-elle. On ne va pas se trahir, pas vrai ?

– Je pense que je ferais mieux d'appeler mon supérieur, dit le réceptionniste, mal à l'aise.

– Non, je crois que vous feriez mieux de rester ici et de répondre à mes questions, William, siffla-t-elle calmement en examinant son badge.

– Quel genre de questions ?

– Avez-vous un client nommé Jerry Bagger ?

– Je ne peux vraiment pas vous donner ce genre de renseignement. C'est confidentiel.

– Très bien, je suppose qu'on va devoir employer la méthode forte. (Annabelle sortit de sa poche un petit talkie-walkie qu'elle avait acheté dans un magasin de sport.) Bravo One à X-Ray, unité d'intervention. Prêts à enfoncer tous les accès ? Affirmatif. Chef d'escadron, règle de base, aucun tir à moins d'une absolue nécessité. Je répète, à moins d'une absolue nécessité. Risque de dommages collatéraux dans le hall.

– C'est une blague ! s'exclama l'employé.

Sur un signe d'Annabelle, Alex quitta le pilier derrière lequel il s'était dissimulé et s'approcha. Cassant sa haute silhouette en deux, il s'adressa au réceptionniste.

– Il y a un problème ? lâcha-t-il en sortant sa carte des services secrets avant de pointer un doigt sur son badge et sur l'arme qu'il portait à la ceinture.

William indiqua Annabelle.

– Elle dit qu'elle est avec le FBI, qu'elle cherche un type et qu'ils vont envoyer un truc d'intervention…

Alex se pencha davantage vers lui.

– On ne dit pas un « truc d'intervention », ça s'appelle une unité d'intervention. C'est moi qui la dirige. Nous faisons partie d'une force conjointe opérationnelle antiterroriste. J'ai vingt-cinq agents en Kevlar, munis de mitraillettes MP 5, prêts à faire irruption ici parce que « ce type », comme vous dites, est numéro deux sur notre liste des personnes les plus recherchées après Oussama. Ça fait deux ans que je traque « ce type » et je ne vais pas laisser un petit con de votre espèce foutre en l'air mon boulot. Alors soit vous regardez votre ordinateur pour nous dire s'il est descendu ici, soit je vous arrête pour obstruction.

– Quel merdier ! s'exclama l'employé. Vous avez le droit de faire ça ?

– Oui, avec le sourire, en plus !

Alex se tourna vers Annabelle et lui fit un signe de tête.

– Poursuivez, agent Hunter.

Annabelle sortit une liasse de papiers de sa poche.

– Nous avons un mandat de perquisition et d'arrestation pour M. Bagger et ses complices. (Elle lança un regard sévère au réceptionniste.) Nous détestons faire du tort aux innocents, mais ce Bagger est un assassin, un trafiquant de drogue et d'armes, coupable de toutes les horreurs imaginables. Si vous coopérez, on peut le prendre en filature et l'entraîner loin de cet hôtel. Je pense que votre supérieur appréciera.

William la dévisagea un instant puis se mit à taper sur son clavier.

– Nous avons pas de Bagger sur notre registre, bredouilla-t-il.

– Ça m'étonnerait qu'il utilise sa véritable identité. (Elle lui décrivit Bagger en détail.) Il se balade toujours avec des gros musclés.

– Je pense qu'un mec pareil a tendance à sortir de temps en temps, pas vrai ? ajouta Alex.

William acquiesça.

– Il est bien descendu ici, sous le nom de Frank Walters. Il a loué la meilleure suite de l'hôtel. Une vue magnifique sur la Maison-Blanche.

– Je m'en serais douté. Merci pour votre aide, William. Mais ne dites rien à personne. Vous me comprenez ?

– Absolument. Bonne chance, m'sieur l'officier, répondit William d'une toute petite voix.

Après l'avoir gratifié d'un petit hochement de tête et d'une grande claque sur le bras, Alex repartit avec Annabelle. Dehors, Alex appela une équipe pour surveiller l'hôtel. À compter de cet instant, Bagger ne ferait plus un pas sans eux.

– Vous êtes un rapide. C'était génial, dit Annabelle alors qu'ils s'éloignaient en voiture.

– Venant de vous, c'est un vrai compliment. Maintenant, qu'est-ce qu'on fait ?

– On appuie sur la détente.

# Chapitre 73

Finn, Lesya et Stone se dévisagèrent un long moment. Puis Lesya se leva lentement de sa chaise en marmonnant un juron. Elle paraissait sur le point de lancer à la tête de Stone la petite boîte en bois qu'elle avait ramassée sur sa table de chevet.

– John Carr ! cracha-t-elle. Vous ? Assassin !

Stone se tourna vers Finn.

– Un homme écoutait votre conversation. D'après son expression, je devine qu'il a compris ce que vous disiez, du moins en partie. Il s'est sauvé en courant. J'ai noté le numéro de la chambre d'où il est sorti. Accidentellement, j'ai jeté un œil par la porte. Il y avait un type à l'intérieur qui montait la garde près d'un autre patient.

Finn n'avait pas bougé le moindre muscle.

– Qui est ce type ?

– À la CIA, on les surnomme les gardiens de la crypte. Lorsqu'un agent, atteint de lésions cérébrales gravissimes, est susceptible de révéler des informations, on le place sous surveillance jusqu'à ce qu'il meure ou qu'il guérisse. Je pense que c'est le cas ici.

– La CIA est là ? souffla Lesya, une expression d'incrédulité sur le visage.

– Et l'homme qui nous espionnait était sans doute un gardien de la crypte qui avait fini son service. Il nous a écoutés et a pigé ce qu'on disait ? énonça lentement Finn.

– La langue que vous utilisiez fournit une bonne couverture. La plupart des gens ne la comprendraient pas.

– Mais vous, vous avez compris ? insista Finn.

Stone hocha la tête.

– Voilà pourquoi il faut partir. Immédiatement.

– Pourquoi devrions-nous vous faire confiance ? demanda Finn. C'est peut-être un piège.

– C'est exact, s'écria Lesya. Un piège. Comme ils ont fait à ton père.

– Si c'était mon intention, j'aurais simplement attendu que vous repartiez, répliqua Stone en fixant Finn. Et je vous aurais abattu sur le chemin de l'aéroport. Sur la route, il y a une petite forêt particulièrement commode. Quant à votre mère, sa chambre n'est pas bien surveillée. Une porte non verrouillée, un oreiller, une lutte rapide. (Il haussa les épaules.) Si je bossais avec la CIA, je ne serais pas venu vous prévenir. Je les aurais laissés vous embarquer.

– Comment avez-vous pensé à venir ici ? demanda Finn.

– Je vous ai suivi depuis Washington. Je vous ai vu devant le bureau du sénateur Simpson, ce matin. Votre comportement était suspect.

– Pourquoi vous trouviez-vous devant chez Simpson ?

– Parce que l'affaire Rayfield Solomon est redevenue une priorité pour la CIA.

– Pour quelle raison ? s'enquit prudemment Finn.

Stone le regarda attentivement. L'impression qu'il en tira lui parut évidente. *Il me fait penser à moi quand j'étais plus jeune.*

– Quand on tue par vengeance, on veut que la victime sache pourquoi. Alors, soit on lui envoie une sorte de message à l'avance, soit on le lui donne avant d'appuyer sur la détente. Je pense que c'est ce qui s'est passé pour Cincetti, Bingham et Cole. Et aussi pour Carter Gray. Ce dernier a compris que ça avait un rapport avec Rayfield Solomon. Et, bien évidemment, Gray n'est pas mort.

– Quoi ? hurla Lesya en dardant un regard accusateur sur son fils.

Finn ne cilla pas.

– Carter Gray est vivant ? répéta-t-il.

Stone opina du chef.

– Et l'homme qui s'est enfui tout à l'heure est…

– …allé informer Gray, acheva Finn à sa place.

Il tira le sac de voyage de sa mère de dessous le lit et y fourra ses quelques affaires.

– Qu'est-ce que tu fais ? cria-t-elle.

Finn la saisit par le bras.

– Partons !

Stone secoua la tête.

– Les vols doivent être surveillés, à l'heure qu'il est. Ils ignorent ma présence, du moins pour l'instant. Je louerai une voiture à l'aéroport. Ce bois, dont je vous ai parlé, je vous récupère là-bas dans vingt minutes.

– Ne lui fais pas confiance, Harry. C'est un assassin. Il a tué ton père ! s'écria Lesya dans un russe parfait.

Stone lui répondit dans la même langue.

– C'est moi qui dirigeais l'équipe qui a éliminé votre mari. Aujourd'hui, je sais qu'il était innocent. J'ai perdu brutalement ma propre femme et ma fille à cause du travail que j'accomplissais pour mon pays. J'ai passé les trente dernières années de ma vie à essayer de me faire pardonner. Je doute d'avoir assez de temps devant moi pour rembourser ma dette. Je sais que vous n'avez aucune raison de me faire confiance. Mais je vous jure que je serais prêt à sacrifier ma vie pour vous sauver tous les deux.

– Pourquoi ? Pour quelle raison feriez-vous ça ? demanda Lesya.

Sa voix était redevenue plus calme, et elle s'exprimait maintenant en anglais.

– Parce que je me suis contenté d'obéir aux ordres sans poser de questions. Parce que j'ai ôté la vie à un innocent et que je n'en avais pas le droit. Et parce que vous avez suffisamment souffert.

Cinq minutes plus tard, ils quittaient la clinique par la porte de service. En dépit de son déambulateur, Lesya parvenait à marcher à un rythme soutenu. Elle n'était pas aussi handicapée qu'elle l'avait laissé croire.

Après les avoir déposés dans la forêt, Stone se rua à l'aéroport, où il loua une voiture avec la carte de crédit qu'Annabelle lui avait fournie. L'activité fébrile qui commençait à régner autour de lui n'augurait rien de bon pour leur fuite. Quand ils furent tous les trois à bord du véhicule, ils empruntèrent un réseau de petites routes pour rejoindre l'autoroute. Une carte sur les genoux, Finn lui indiquait l'itinéraire.

– Où allons-nous, maintenant ? demanda-t-il.

– À Washington, répondit Stone.

# Chapitre 74

À force de faire les cent pas, Jerry avait presque réussi à creuser une tranchée dans la moquette de sa chambre d'hôtel. Quand le téléphone sonna, il retrouva immédiatement son calme. Il était Jerry Bagger et les Conroy étaient de la merde. Cependant, il se contenterait de la fille puisque Paddy était désormais hors d'atteinte. Cette pensée lui donna envie de s'arracher le cœur. Il se vengerait sur Annabelle et la torturerait pour deux.

— Salut, Jerry, dit Paddy. Tu es prêt à danser avec la princesse ?

— Tu l'as ? Prouve-le, répliqua Bagger.

— Tu le constateras par toi-même bien assez tôt.

— Passe-la-moi au téléphone.

— Pour être franc, elle est un peu saucissonnée, à l'heure qu'il est. Et bâillonnée.

— Débâillonne-la, le coupa fermement Bagger. Je veux entendre le son de sa voix.

Une minute plus tard, Annabelle prit le combiné.

— Je suppose que tu as gagné, Jerry, murmura-t-elle d'un ton abattu. D'abord Tony, maintenant moi.

Jerry se laissa tomber sur une chaise et sourit.

— Annabelle, ne mêle pas ton nom à celui de ce raté. Mais je voulais que tu saches que je suis vraiment très impatient de te voir.

– Va te faire foutre, espèce de salaud.

– On se débat jusqu'au bout, hein ? C'est une honte, vraiment… On aurait pu former une équipe formidable.

– Non, Jerry, c'était impossible. Tu as assassiné ma mère.

– Et toi, tu m'as piqué quarante millions, salope ! hurla-t-il. Tu as foutu en l'air ma réputation. Tu m'as pris tout ce que j'ai construit en une vie de travail.

– Pour moi, ce n'est pas encore assez. La seule chose que je veux, c'est voir ton affreuse grosse tête au bout d'une pique.

Au prix d'un immense effort, Jerry recouvra son sang-froid.

– Tu sais quoi ? Je vais oublier cette dernière remarque. Quand on va mourir, on raconte des conneries. Et je vais te dire autre chose. Tu vas souffrir comme ça ne t'est jamais arrivé. Je ne vais pas te torturer lentement, je vais y aller à fond la caisse. Après que tu m'auras avoué où est mon fric. Tu sais pourquoi je fais ça ? Par égard pour ton talent. Ton talent que tu as gâché. Si tu avais appris la notion de respect, tu aurais vécu plus longtemps.

– Dis-moi un truc. Combien tu as payé mon vieux pour qu'il me trahisse ?

– C'est le plus drôle. Ça ne m'a pas coûté un centime. Tu es une gonzesse bon marché.

– Au revoir, Jerry.

– Non, pas au revoir, chérie. C'est juste un bonjour.

Paddy reprit le téléphone.

– Bon, ça y est, Jerry ? Vous avez échangé vos petites plaisanteries. Il est temps de parler affaires.

– Où et quand ? Et ne me réponds pas devant la Maison-Blanche, le Washington Monument ou une connerie pour Hollywood, sinon, le marché ne tient plus. Si tu veux que je te foute la paix, je veux un endroit peinard.

– Tu connais le nouveau stade de base-ball en construction près de la rivière Anacostia ?

– J'en ai entendu parler. Qu'est-ce qu'il vient faire là-dedans ?

– On détruit plein de bâtiments dans le quartier. Il y a plein d'endroits déserts. Ce soir, à 23 heures, je te téléphonerai pour te donner l'adresse d'un vieux parking. Un van de couleur blanche sera garé au deuxième niveau. Dans le coffre, tu trouveras Annabelle enroulée soigneusement dans un tapis. Les clés seront sur le tableau de bord.

Bagger raccrocha et se tourna vers ses hommes de main.

– C'est peut-être un piège, patron, commenta Mike Manson.

– Tu crois, Mike ? J'ai beau être persuadé que Paddy Conroy ne travaille que pour lui-même, je ne suis pas stupide. C'est possible qu'il soit en rogne contre sa fille parce qu'elle l'accuse de la mort de sa mère. Et c'est peut-être pour ça qu'il veut me la refiler. Mais avec ce salaud, on n'est jamais sûr de rien.

– Alors qu'est-ce qu'on fait ?

– On attend qu'il nous indique l'adresse. Puis vous, les mecs, vous irez chercher le van à minuit. Vous le conduirez dans un lieu où je vous attendrai. Un endroit beaucoup plus intime qu'un parking abandonné.

– Et on part comme ça avec elle ? Si on est suivis ?

Bagger ricana et ramassa son journal.

– On dit là-dedans qu'il y aura une conférence sur la finance mondiale aujourd'hui en ville, des dîners de gala et des discours un peu partout. Des gros fumiers qui arrivent des quatre coins du monde.

– Et alors ? s'enquit Mike.

– Alors je dis que ça tombe bien, si vous vous gourez pas de sortie !

# Chapitre 75

Carter Gray avait de nouveau émergé de son bunker. La faiblesse et l'incompétence de son agence adorée allaient-elles l'obliger à appuyer lui-même sur la détente pour éliminer Lesya et son fils ? Après des recherches infructueuses dans tout le pays, ils avaient eu une occasion de leur mettre la main dessus dans cette improbable clinique au nord de l'État de New York, mais ils étaient arrivés trop tard. La chambre était vide, les deux oiseaux s'étaient envolés. Une troisième personne avait été vue en leur compagnie. Quelque chose disait à Carter Gray que John Carr s'était remis en travers de sa route. Gray était désormais dans l'obligation de modifier son plan, afin de les coffrer tous les trois.

Que fabriquait John Carr avec les personnes qui cherchaient à le tuer ? Leur avait-il menti sur son identité ? Les avait-il embarquées de force ? Les avait-il enrôlées ?

*Ce retournement de situation pourrait bien me faciliter la tâche*, pensa-t-il.

Par le hublot de l'hélicoptère en route pour Langley, Gray examina la topographie du terrain qu'il survolait. Carr, Lesya et son fils se trouvaient quelque part en bas. Après tout, ses ennemis n'étaient qu'au nombre de trois et l'un d'eux était une septuagénaire. Gray possédait des ressources humaines illimitées, de l'argent et pas mal d'atouts. Leur capture ne serait qu'une question de temps. Le fils de Patrick P. Jedidiah était maintenant recherché avec toute la puissance dont disposait l'empire de renseignements américain. Et il y avait une autre manière d'accélérer les évènements. Dès que l'hélicoptère atterrit à la CIA, Gray mit en œuvre son plan d'attaque.

Ils entrèrent dans l'État du Maryland en début de soirée. Finn tenait le volant. Assise sur la banquette arrière, Lesya paraissait épuisée et terrorisée. Stone l'entendait murmurer en russe à intervalles réguliers : « Ils vont tous nous tuer. »

Il jeta un coup d'œil à Finn. Ce dernier fixait la route, droit devant lui. De temps en temps, il vérifiait son rétroviseur.

– Vous avez une famille ? demanda Stone.

Finn eut une hésitation et répondit :

– Restons concentrés sur la tâche qui nous attend.

Lesya se pencha par-dessus le siège avant.

– Quelle tâche ? Sur quoi on se concentre, maintenant ? Dis-le-moi.

– Rester en vie, riposta Stone. Et avec Carter Gray à nos trousses, ça ne va pas être facile.

– Ils ont déterré votre cercueil, lâcha Finn tandis que la voiture roulait sur la Capital Beltway.

– C'était une idée de Gray pour me débusquer.

– Il savait que vous étiez vivant ?

– Oui. On avait atteint une sorte de modus vivendi. Il me laissait tranquille et je le laissais tranquille.

Lesya pointa un doigt accusateur sur Stone.

– Tu vois ? Ils sont alliés, mon fils. Ils travaillent ensemble. Nous sommes entre les mains de l'ennemi.

Stone se retourna et planta son regard dans le sien.

– Lesya, vous avez été l'une des plus grandes espionnes que l'Union soviétique ait jamais connues. On dit que vous avez retourné plus d'agents étrangers que n'importe qui.

– Je suis russe. Je bossais pour mon pays. Comme vous, John Carr. Et vous avez raison, j'étais la meilleure.

En voyant la fierté illuminer ses traits émaciés, il garda le silence.

– Alors, montrez-le, reprit-il sèchement après lui avoir laissé savourer sa tirade quelques secondes. Cessez ces remarques hystériques et stupides ! Préférez-vous rester assise ici et laisser votre fils mourir ?

Elle le toisa froidement, les yeux étrécis par une soudaine colère. Puis son expression s'adoucit. Elle regarda Finn puis à nouveau Stone.

– Vous avez raison, avoua-t-elle platement. Je suis stupide. Nous devons garder à l'esprit que Carter Gray a d'énormes ressources à sa disposition. Mais parfois, avoir d'énormes ressources, c'est un inconvénient. Ça empêche la souplesse. Ils vont peut-être s'apercevoir qu'on a dans notre poche un ou deux tours qu'ils n'avaient pas prévus.

Finn ne pouvait détacher ses yeux du rétroviseur. Jamais sa mère n'avait eu ce timbre de voix, cette froide assurance. Son accent russe avait disparu. On aurait dit qu'elle avait rajeuni de trente ans. Elle se tenait même plus droite !

– Ils ignorent peut-être le rôle de mon fils dans cette affaire, du moins pour l'instant, mais ils en seront vite informés.

– Comment ? questionna Finn.

– En surveillant les vols à l'arrivée. Ils compareront les descriptions. L'endroit n'est pas immense, ça ne leur prendra pas longtemps.

– Je n'ai pas utilisé ma véritable identité. J'avais un faux passeport.

– Les caméras de surveillance de l'aérogare, précisa Stone. Ils confronteront votre visage à diverses banques de données. Je suppose que vous apparaissez au moins dans l'une d'elles. (Finn hocha la tête.) Ça risque de compromettre votre famille.

– Appelle-les immédiatement, supplia Lesya.

En le voyant agripper le téléphone, Stone perçut la terrible pression qu'il subissait. Finn parla d'une voix brisée.

— S'il te plaît, chérie, aucune question pour l'instant. Contente-toi de conduire les enfants dans un motel. Il y a un portable dans le tiroir de mon bureau. Utilise-le pour me joindre. Il n'est pas localisable. Prends du liquide dans un distributeur automatique. Ne donne pas ta carte de crédit à l'hôtel, ni ton vrai nom. Ne bouge pas de là-bas. Pas d'école, pas de base-ball, de foot ni de natation, rien. Et ne parle à personne. S'il te plaît. Je t'expliquerai plus tard.

Stone et Lesya entendaient les réponses paniquées de sa femme. Un filet de sueur coulait sur le front de Finn. Sa voix se transforma en murmure, ce qui aida finalement Mandy à retrouver son calme.

— Je t'aime, chérie. Je vais arranger tout ça. Je le jure.

Il raccrocha et s'affaissa sur son siège. Lesya lui pressa l'épaule de la main.

— Je suis désolée, Harry. Je suis désolée de te faire ça. Je… Je…

Elle se tut brutalement et se tourna vers Stone.

— Et vous, Carr ? Avez-vous des proches dont Gray pourrait se servir pour vous atteindre ? Pour vous faire sortir du bois de nouveau ? Manifestement, quelqu'un à la clinique nous a vus partir et a donné notre description. Gray saura que vous êtes avec nous. Il comprendra que le meilleur moyen de nous coincer, c'est de vous mettre la main dessus. Alors, vous avez des proches ?

— Oui, certaines personnes qu'il pourrait utiliser, mais je les ai prévenues avant d'aller vous voir.

Elle secoua la tête.

— Un avertissement ne signifie rien à moins qu'il ne soit suivi d'effet. Ils sont capables de prendre soin d'eux et de suivre des ordres, vos amis ? demanda-t-elle en scrutant son visage. N'arrangez pas la réalité, il faut qu'on sache exactement à quoi s'en tenir.

— L'un d'entre eux est parfaitement de taille et il est actuellement avec un autre de mes copains. Mais le troisième…

*Caleb, s'il te plaît, ne fais rien de stupide.*

– Alors c'est ce flanc-là que Gray va enfoncer. Dites-moi, vous tenez beaucoup à cette personne ?

– Énormément !

– Alors je suis désolée pour vous deux.

Stone se laissa aller contre le dossier de son siège. Son cœur tapait dans sa poitrine. Il détestait ce que venait de dire cette femme, mais il savait qu'elle avait raison.

Elle ajouta :

– Si jamais les choses se gâtent, nous donnerez-vous en échange de votre ami ? ajouta Lesya.

Stone se retourna et vit qu'elle le regardait. Il n'avait jamais vu de regard plus perçant que celui dardé sur lui en cet instant. Non, il se trompait. Il avait déjà vu une expression semblable : sur le visage de Rayfield Solomon, juste avant qu'il le tue.

– Non.

– Alors, faisons en sorte qu'on n'en arrive pas là, John Carr. Ainsi, vous pourrez peut-être vous racheter pour l'assassinat de mon mari. (Elle jeta un regard par la fenêtre.) J'étais le meilleur agent qu'ait jamais eu l'Union soviétique. Mais Rayfield était meilleur que moi.

– Pourquoi ? demanda Stone.

– Parce que je suis tombée amoureuse de lui. Et qu'il m'a retournée.

– Quoi ?

– Vous ne le saviez pas ? Je travaillais pour les Américains quand vous l'avez éliminé.

# Chapitre 76

Depuis sa conversation avec Paddy Conroy, Jerry Bagger avait pris une décision. Dans toute confrontation, son instinct le poussait habituellement à rendre coup pour coup jusqu'à ce que l'autre s'écroule. Cette fois, il allait agir différemment. Pour de nombreuses raisons. D'abord parce qu'il avait vu Annabelle en action. Il savait à quel point elle pouvait se montrer douée et convaincante. Et son petit doigt lui disait que frapper le premier risquait d'avantager celui qui possédait un bon crochet du gauche, un uppercut capable de mettre ses adversaires à terre. Il n'avait pas l'intention de se retrouver dans cette position.

Cependant, il ne pouvait se résoudre à refuser l'aventure. L'occasion de mettre la main sur Annabelle – si Paddy jouait franc jeu avec lui – était trop belle pour qu'il la laisse passer. Il devait saisir sa chance et foncer. Mais prévoir une stratégie de secours. En l'arnaquant, Annabelle lui avait enseigné une précieuse leçon. L'imprévu était une chose merveilleuse.

Il téléphona d'abord à son financier en lui demandant de planquer une grosse somme en liquide dans un paradis fiscal avec possibilité de retrait immédiat et absolue intraçabilité. L'argent permettait tout. Il avait renvoyé son jet à Atlantic City, afin qu'on lui rapporte quelques affaires, dont son passeport. Le pilote avait reçu l'ordre d'atterrir au retour sur un aérodrome privé du Maryland.

Ensuite, il appela un autre de ses partenaires, un type en qui il avait toute confiance. L'homme était doué d'un talent unique : il était capable de faire exploser n'importe quoi. Bagger lui passa commande et s'entendit répondre qu'il serait livré dans deux heures. Outre le prix fixé, Bagger ajouta une gratification de cinq mille dollars.

– T'es sacrément en demande, fit observer son complice.

Exact. Bagger avait méchamment besoin d'un engin explosif.

De tels gadgets provoquaient toujours des hécatombes, des tas de cadavres. Mais, dans ce cas précis, une personne en réchapperait.

Lui.

– Parfait ! lança Annabelle à Alex et à son père. Amenez-moi jusqu'à ce van.

Paddy secoua la tête, sans bouger d'un pouce.

– J'ai bien peur que non, Annie.

– Quoi ? s'écria-t-elle en lançant un regard perçant à Alex.

Ce dernier semblait aussi étonné qu'elle.

– Tu ne monteras pas dedans, répliqua Paddy. C'est moi qui vais y aller.

– Ça ne fait pas partie du plan. C'est moi que Jerry veut, pas toi.

– Je lui ferai croire que tu m'as doublé. Il le gobera. Il sait fichtrement bien à quel point tu es maligne.

– Paddy, je ne te laisserai pas approcher Jerry.

– Tu as toute la vie devant toi, Annie. Si ça foire et que ça me retombe dessus, peu importe.

– Pourquoi tu ne m'as pas prévenue ?

– Parce que je savais que tu ne serais pas d'accord. On est allés trop loin pour reculer maintenant.

– Alex ! Raisonnez-le !

– Ce qu'il dit est sensé, Annabelle.

– Vous me planquez dans le van, continua Paddy. Je gagnerai du temps avec Jerry en lui expliquant comment tu m'as couillonné, et je reviendrai s'il me laisse une chance.

– Paddy, il te tuera dès qu'il te verra.

– Je connais Jerry depuis bien plus longtemps que toi. Je sais comment le manœuvrer, tu dois me faire confiance.

– Je ne te laisserai pas faire…

– Il le faut. Pour un tas de raisons.

Le regard d'Annabelle alla de son père à Paddy puis se posa de nouveau sur ce dernier.

– Et si ça se passe mal ?

– Alors, tant pis ! conclut Paddy. Maintenant, en route. Je ne rajeunis pas. (Il pointa Alex du doigt.) Encore une chose. N'envoyez pas la cavalerie avant que ce salaud ait avoué l'assassinat de Tammy.


L'appel téléphonique arriva à 21 heures. À 21 h 30, les hommes de Bagger pénétrèrent dans le parking et localisèrent le van de couleur blanche garé au deuxième niveau. Dans le coffre, un corps était soigneusement enroulé dans un morceau de moquette.

– Merde ! hurla Mike Manson en braquant sa torche sur la tête de l'individu. C'est un mec.

Ils déroulèrent le tapis dans lequel se trouvait Paddy Conroy. Affaibli par ses liens qui l'entravaient, il fallut l'aider à se mettre debout. Manson agita un revolver sur son visage en sueur.

– Bon Dieu, c'est quoi, ce bordel ? Vous êtes qui ?

– Ma salope de fille m'a baisé.

Un sourire étira le visage de Manson.

– Vous êtes Paddy Conroy ?

– Non, je suis le roi des Irlandais, espèce de crétin.

Manson le poussa violemment dans le van, et Paddy heurta la portière avant de s'effondrer, inconscient. Manson téléphona la nouvelle à Bagger.

Si le patron du casino était ravi de s'être emparé de son vieil ennemi, il n'appréciait pas cette modification de dernière minute. Ça voulait dire qu'Annabelle était en liberté quelque part.

– Amenez-le ! ordonna-t-il à Manson.

– On va faire une petite balade, déclara Mike en raccrochant. Mais d'abord, faut vérifier…

Aidé de son acolyte, il fouilla Paddy d'une main experte, à la recherche d'un émetteur-récepteur. Une minute plus tard, le véhicule quittait le parking sur les chapeaux de roues, tournait abruptement sur la gauche et, après s'être engouffré dans une ruelle, obliquait à droite et pilait derrière trois 4×4 noirs garés les uns derrière les autres.

Manson poussa Paddy dans celui du milieu, puis les trois breaks démarrèrent en trombe. Au carrefour, l'un partit à gauche, l'autre à droite tandis que le troisième continuait tout droit.

Bientôt, les véhicules de Bagger se fondirent dans le cortège des chefs d'États et des hauts fonctionnaires.

À 22 h 30, Bagger quitta l'hôtel en compagnie de ses hommes et gagna un entrepôt désaffecté que ses équipes avaient repéré dans une zone industrielle en ruine de Virginie. Arrivés sur les lieux, ils attendirent l'arrivée du 4×4 noir dans lequel avaient pris place Mike Manson et Paddy Conroy.

Lorsqu'il aperçut Paddy, Bagger fonça sur lui et le frappa à la bouche. Paddy tomba à la renverse contre la portière du véhicule puis tenta de se ruer sur lui, mais les sbires de Bagger l'en empêchèrent.

– Voilà pour les dix mille dollars que tu m'as piqués. Ça faisait longtemps que j'attendais ce moment-là.

– C'est le plus beau paquet de fric que j'aie jamais volé, bégaya Paddy en crachant du sang.

– Ouais, on verra ce que t'en penseras dans quelques minutes. Tu n'as pas idée à quel point je me sens bien. Pas d'Annabelle, alors plus de marché. L'accord qu'on a passé pour que je te foute la paix est « nul et non avenu », comme disent ces connards d'hommes de loi.

Il détailla les traits grisâtres et décharnés de Paddy, ses vêtements râpés.

– On dirait que la vie t'a pas fait de cadeau. Tu es pauvre, malade, ou les deux ?

– Qu'est-ce que ça peut te foutre ?

– Je me sens insulté. Même si tu étais en pleine forme, tu ne serais pas assez bon pour moi. Tu t'es cru malin en venant à moi avec des guenilles et l'air de sortir de la tombe ?

Paddy regarda les hommes armés qui l'entouraient.

– En ce moment, je me sens pas vraiment malin, non.

Bagger s'assit sur une caisse sans quitter Paddy des yeux.

– Alors Annabelle t'a doublé ? Comment elle a fait, Paddy ?

– Comme je te l'ai déjà dit, je crois que j'ai été un trop bon professeur.

– Tu es sûr de ça ?

– Qu'est-ce que ça veut dire ?

– Vous vous êtes peut-être mis d'accord pour me baiser. Qu'est-ce que tu penses de cette théorie ?

– Ma fille me déteste.

– C'est ce que tu prétends.

– Non, je le sais. Si tu ne m'as pas cru, pourquoi tu as accepté ce marché ?

– Tu sais pourquoi. Pour l'instant, toi, tu es là, et pas Annabelle. Alors elle est où ?

– Aucune idée, Jerry.

Bagger se leva lentement.

– Je pense que tu peux faire mieux que ça. On va avoir une petite conversation, juste toi et moi.

– Je ne suis pas d'humeur à parler.

Bagger tira un couteau à cran d'arrêt de la poche de sa veste et enfila un gant en plastique.

– Je peux être sacrément persuasif…

Il regarda ses hommes et leur fit un signe. En moins d'une minute, Paddy fut dépouillé de son pantalon et de ses sous-vêtements.

Bagger saisit violemment les testicules de Paddy.

– J'ai utilisé cette technique sur un trou-du-cul nommé Tony Wallace, au Portugal, après une petite discussion avec le couple de bonniches qui s'occupaient de sa propriété grâce à mon fric. Laisse-moi te dire qu'il a parlé, et bien parlé avant qu'on lui éclate le crâne. C'était le seul moyen de remonter jusqu'à Annabelle. Maintenant, tu vas faire pareil pour moi, espèce de croulant. Tu sais où est Annabelle et tu vas me le dire. Quand t'auras terminé je te tuerai rapidement, sans douleur. Si tu refuses de parler… Tu ne vas même pas essayer, fais-moi confiance.

Paddy se débattit, mais les hommes de Bagger étaient plus forts que lui. En voyant le couteau s'approcher de la zone où aucun homme n'aurait supporté un instrument tranchant, Paddy cria :

– Pour l'amour de Dieu, arrête. Colle-moi plutôt une balle dans la tête !

– Dis-moi où est Annabelle et je te promets de te tuer vite. C'est le seul marché que je te propose désormais. Si tu détestes vraiment ta fille, ça ne devrait te poser aucun problème de me dire où elle est, hein ?

– Si je le savais, je ne serais pas là, espèce d'idiot.

Bagger le gifla en pleine face.

– Un peu de respect, s'il te plaît !

– Tiens, le voilà, mon respect ! (Paddy lui cracha à la figure.) Ça, c'est pour Tammy.

– Ta vieille bonne femme que t'as laissée à ma disposition ?

– J'étais en prison le soir où tu l'as assassinée, salopard. Sinon, tu aurais été obligé de me passer sur le corps. C'est la seule personne que j'aie jamais aimée. Je jure devant Dieu que j'avais l'intention de te loger une balle dans le crâne, comme tu lui as fait.

– Avant ou après que j'ai tué ta fille ?

– Peu importe le prix à payer ! hurla Paddy. J'avais décidé de le faire.

– Mais Annabelle a tout fait foirer, hein ? Hein, mon vieux ?

– Je ne peux pas lui reprocher d'avoir voulu se venger.

– Puisque tu avais prévu de me tuer pour me faire payer le meurtre de ta femme, ça te dirait que je te raconte ses derniers instants ? Ça te plairait ?

– Je trouverai un moyen de te dessouder, Jerry. Je le jure.

– Je considère ça comme un oui. On a fait irruption chez elle et elle m'a reconnu tout de suite. Tu sais ce qu'elle a dit ? Elle a dit : « Pourquoi fais-tu ça, Jerry ? Pourquoi veux-tu me tuer ? Je ne t'ai rien fait. » À ton avis, qu'est-ce que je lui ai répondu ? « C'est parce que ton dégonflé de mari m'a piqué des ronds en te laissant le paquet sur les bras. Voilà comment il t'aime, l'imbécile. » Et puis je lui ai collé un pruneau en pleine cervelle. Tu veux savoir autre chose avant que je te défigure ?

– Non, ça suffit ! le coupa une voix féminine.

Ils firent volte-face et virent Annabelle et Alex surgir de derrière une pile de caisses. Alex tenait son arme pointée sur Bagger, mais lui et Annabelle étaient tenus en joue par les huit revolvers des gros bras de Bagger.

– Comment t'es arrivée, ici ? demanda Jerry.

– Avec le FBI, répondit Annabelle.

– Personne n'a pu suivre mes hommes.

– C'est toi qu'on a suivi. La zone est cernée, Jerry. Tu ne peux pas t'échapper.

– Ah oui ? Tu travailles pour le FBI, maintenant ? Écoute, ma chérie, tu m'as eu une fois, tu ne m'auras pas deux.

Sa voix était pleine d'assurance, mais son regard démentait ses paroles.

– Elle dit la vérité, connard ! hurla Alex. Alors jette tes armes avant qu'il soit trop tard.

– Flinguez-les ! s'écria Bagger.

À cet instant, toutes les portes de l'entrepôt s'ouvrirent à la volée et deux douzaines d'agents en gilet pare-balles se ruèrent en avant, mitraillettes à la main.

– FBI, lâchez vos armes ! Immédiatement !

Bagger laissa tomber son couteau. Devant cette démonstration de force, ses hommes jetèrent leurs revolvers.

Le regard de Bagger alla d'Annabelle à Paddy.

– Deux escrocs qui travaillent avec les fédéraux ?

– Fais ce que tu as à faire, Jerry, dit Paddy en renfilant rapidement ses vêtements.

Bagger se tourna vers l'un des agents du FBI et reprit immédiatement son air fanfaron.

– Cette salope m'a volé quarante millions ! cracha-t-il. Elle s'est donné la peine de vous le dire quand elle m'a dénoncé ?

– Ce n'est pas mon problème.

– Ah ouais ? De quoi on m'accuse, exactement ?

– Vous êtes inculpé non seulement de kidnapping et d'agression, mais aussi des meurtres de Tammy Conroy, de trois personnes au Portugal et de celui de Tony Wallace, qui est décédé hier.

Bagger renifla.

– J'ai une douzaine de témoins qui affirmeront que je n'étais pas là-bas quand ces gens ont été tués.

Annabelle brandit un magnétophone.

– Nous avons ta confession sur cette bande, Jerry. Je dois l'avouer, tu t'exprimes très clairement.

Elle tendit l'appareil à l'officier en chef.

Bagger considéra un à un les hommes du FBI, puis Paddy et Alex avant de poser les yeux sur Annabelle.

– Je suppose que c'est la fin, alors…, dit-il en glissant une main dans sa poche.

– Sors-moi ça ! s'exclama l'un des agents. Lève cette main en l'air très lentement.

Bagger s'exécuta. Ses doigts enserraient un objet.

– C'est un détonateur, les mecs ! s'écria-t-il. Si mon pouce lâche ce truc, le pain de C4 qui se trouve dans le 4×4 derrière moi fera tout sauter dans un rayon de cent mètres. (Il fit un signe de tête à l'officier en chef.) Viens voir si tu ne me crois pas.

L'agent se tourna vers l'un de ses hommes, qui alla jeter un coup d'œil à l'arrière du véhicule. Le regard qu'il adressa à son supérieur constitua une réponse suffisante.

– Voici ce qu'on va faire, proposa Bagger. (De sa main libre, il indiqua Annabelle et Paddy.) Eux viennent avec moi.

– Nous ne vous laisserons pas quitter ce bâtiment, riposta le commandant.

– Dans ce cas, je vais tous nous envoyer au paradis.

– Je ne vous crois pas, répondit l'agent.

– La seule chance qui me reste, c'est une injection létale, pas vrai ? Alors, pas question que je parte tout seul. Si vous pensez que je n'en suis pas capable, vous ne me connaissez pas. (Il fixa les deux tireurs qui venaient de lui placer deux points rouges sur le front.) Si vos gars me tirent dessus, saleté de flic, j'enlève mon doigt, que ça vous plaise ou non.

La commandant jeta un regard inquiet sur Alex Annabelle.

Cette dernière fit un pas en avant.

– O.K., Jerry, c'est toi qui as gagné. Allons-y.

Alex s'avança à son tour.

– Je viens aussi, dit-il.

– Non, pas question, Alex !

Bagger eut un sourire malicieux.

– Alex ? Alex, c'est ça ? On dirait que tu t'es enfin trouvé un copain, Annabelle. Je ne veux pas te priver de tes amis. (Il se tourna vers Alex.) Félicitations, crétin, tu nous accompagnes. (Il lorgna le commandant.) Comme tu le sais, je suis un mec réglo. Tu peux garder quelques-uns de mes gars pour avoir l'air moins con ! (Il indiqua Mike.) Y compris celui-là.

– Monsieur Bagger ! protesta Mike.

– Ferme-la ! cracha Bagger avant de se retourner vers Annabelle et les deux autres. Montez dans le 4×4.

Certains des hommes de Jerry ramassèrent leurs armes, et tout le monde s'exécuta.

Tandis qu'Alex, Annabelle et Paddy se glissaient sur la banquette du milieu, Bagger s'installa à l'avant avec un de ses gorilles, et trois autres se calèrent à l'arrière. Bagger baissa sa vitre.

– Si je vois une bagnole ou que j'entends un hélico, je fais exploser tout le monde, compris ?

Le 4×4 quitta l'entrepôt pendant que Bagger agitait la main en direction des agents du FBI.

– Où on va, monsieur Bagger ? demanda le chauffeur.

– Dans un aéroport privé du Maryland où le jet nous attend. J'avais prévu qu'on serait peut-être obligés de partir à toute allure. Je vais leur demander de faire chauffer les moteurs. (Il regarda Annabelle.) Je suis désolé de vous annoncer que tous les trois, vous ne venez pas avec nous.

# Chapitre 77

Carter Gray avait fait bosser ses hommes jusqu'à épuisement, consulté une montagne de fichiers informatiques à en faire sortir ses yeux de leurs orbites. Et, malgré tout ce labeur, il n'avait déniché qu'un nom : Harry Jedidiah, fils de Lesya et de Rayfield Solomon, alias David P. Jedidiah le second.

Il avait tenté de mettre la main sur les drôles de copains d'Oliver Stone : l'imposant ex-militaire Reuben Rhodes, qu'il avait connu à Murder Mountain ; le rat de bibliothèque Caleb Shaw, qui, depuis quelques jours, ne s'était rendu ni chez lui ni à son travail à la Bibliothèque du Congrès ; et Milton Farb, le génie au visage de chérubin, atteint de troubles obsessionnels compulsifs. Gray possédait un dossier sur chacun de ces hommes, mais ces derniers avaient disparu corps et biens. Farb et Shaw n'avaient pas utilisé leurs téléphones portables ; quant à Rhodes, il n'en possédait pas à son nom. Il avait d'ailleurs récemment déménagé sans laisser d'adresse. Cependant, étant donné les ressources dont Gray disposait, aucun homme n'aurait dû pouvoir disparaître. Inutile de se demander pourquoi il était presque impossible de découvrir les cellules terroristes dormantes. L'Amérique était un pays bien trop grand et bien trop libre. Au fond, les Soviétiques avaient raison : « Espionnez tout le monde, car n'importe quel ami peut se transformer en ennemi. »

Il concentra ses recherches sur le fils de Lesya. Et plus spécialement sur un point qui, à ses yeux, offrait une moindre résistance. Il se leva et alluma la télévision. Puis il appuya sur un bouton de la télécommande qu'il tenait à la main.

Les images avaient été prises au Hart Senate Office Building. En pariant sur le fait que Roger Simpson était l'une des cibles prioritaires du fils de Lesya, on pouvait s'attendre à ce que le sénateur soit abattu chez lui ou à son bureau. Gray avait épluché les bandes des caméras de surveillance disséminées dans l'immeuble où vivait Simpson. Il n'avait rien remarqué. Voilà pourquoi il s'intéressait maintenant à son lieu de travail.

Il observa une à une les personnes qui, heure après heure, entraient et sortaient du bâtiment. Leur nombre était tel qu'elles en étaient réduites à de simples silhouettes. Puis Gray pensa à un nouvel angle. Il glissa un autre DVD dans le lecteur, se rassit et scruta le palier devant le bureau de Simpson. Durant trois heures, il vérifia méthodiquement chaque individu apparaissant dans le cadre.

Enfin ! Il se redressa et revint en arrière. Le type qui réparait la porte de Simpson. Il zooma sur le visage de l'homme. Percer les camouflages était depuis longtemps l'une de ses spécialités. Y avait-il quelque chose de Rayfield Solomon dans la forme de la pommette ? Le menton et les yeux étaient-ils ceux de Lesya ? Contrairement à ce qu'il avait déclaré au Président, il connaissait bien cette dernière.

Il passa plusieurs coups de fil et parvint rapidement à récapituler les évènements. Aucun membre du staff de Simpson n'avait fait appel à un serrurier assermenté. Cependant, d'après la réceptionniste, l'ouvrier avait déclaré avoir reçu un ordre de mission. Rien n'indiquait néanmoins qu'il était entré dans le bureau. La bande que Gray avait visionnée et les autres images prises par les caméras de surveillance ne révélaient aucune tentative d'infiltration. On fit venir un chien renifleur de bombe.

En pure perte, car ce dernier n'aboya même pas. Personne ne prit la peine de vérifier si quelqu'un avait posé des micros, car on ne pouvait pas tuer avec un système d'écoute.

L'étape suivante consista à prendre le serrurier en photo puis à en tirer un portrait-robot sommaire pour le confronter à tous les fichiers mis à la disposition du FBI. On fit de même avec les vidéos fournies par l'aéroport et les descriptions établies à la clinique.

Même si l'informatique permettait d'accélérer le processus, l'analyse complète des données risquait de prendre pas mal de temps. Gray n'avait pas le loisir d'attendre. Il ne pouvait pas laisser les autorités arrêter Lesya. Elle en savait trop. Et, de toute évidence, elle avait transmis ses secrets à son fils. Si Carr se trouvait avec eux, lui aussi devait mourir. La situation était claire : aucun des trois ne pouvait rester en vie. Ce serait catastrophique pour le pays, pour le monde entier. Et surtout pour Carter Gray.

## Chapitre 78

Bagger ordonna à son chauffeur de traverser le centre-ville. Ils s'arrêtèrent brièvement, le temps de changer de plaque d'immatriculation au cas où le FBI aurait relevé le numéro. Puis ils reprirent la route, se fondant dans la circulation.

Bagger se renfonça dans son siège avec un air satisfait et appuya sur le bouton du détonateur pour le désamorcer. Paddy restait immobile, le regard fixé sur le patron du casino. Annabelle regardait droit devant elle. Comme Paddy, Alex ne quittait pas Bagger des yeux, plus précisément son pouce.

– Une bombe, Jerry ? dit Annabelle. Ça ne te ressemble pas de t'enfuir comme ça.

Bagger sourit.

– C'est toi qui m'as appris la leçon. L'imprévu. Parfois, on apprend plus en se faisant botter le cul qu'en remportant une victoire. Au lieu de t'en prendre au casino, c'est moi que t'as baisé. Alors je te rends la pareille, je t'ai arnaquée. Jerry Bagger ne recule jamais, il affronte la bagarre. Et c'est très agréable, chérie.

– Ravie de t'avoir montré l'exemple, répliqua-t-elle sèchement.

– C'est quoi, ton plan ? demanda Alex. Tu vas nous abandonner dans les bois sur la route de l'aérodrome ?

– Qu'est ce que ça peut te foutre ? Tu seras mort.

– Quand tu te seras débarrassé de nous, tu n'auras plus d'otages. Tu crois qu'ils vont te laisser déguerpir comme ça avec ton avion ?

– Ils ne savent pas que j'ai mon jet dans le coin ni où il se trouve. Je serai hors de la juridiction fédérale dans deux heures.

– Nous avons des accords d'extradition avec tous les États.

– Je connais les failles du système, fais-moi confiance.

– Et le Pompeii va couler.

Bagger se retourna, un large sourire aux lèvres.

– Tu crois vraiment qu'un type comme moi n'a pas pensé à planquer son fric ailleurs ?

– Bien sûr que si. Mais tu ne pourras pas t'échapper.

– Ah ouais ? Qui dit ça ?

– Moi.

Bagger se tourna vers Annabelle et se frappa la tempe.

– Tu aurais vraiment pu dégoter un mec un peu plus malin, Annabelle. D'abord Tony Wallace, et maintenant ce crétin.

– Tu sais pourquoi tu ne pourras pas t'échapper ? répéta Alex.

– Non, dis-le-moi, je meurs d'envie de le savoir.

Alex regarda par la vitre. Ils traversaient le pont enjambant la rivière Potomac.

– Parce que le FBI sait exactement où tu vas.

– Ah ouais ? Comment ? Ils sont télépathes, maintenant ?

Alex défit quelques boutons de sa chemise et l'ouvrit, révélant un câble collé contre sa peau.

– Jamais tu penses à vérifier si tes otages ont des micros, espèce de débile ?

– Merde ! cria Bagger.

À cet instant, Alex bondit en avant et repoussa violemment le patron du casino contre le chauffeur, avant d'envoyer ce dernier valser tête la première dans la vitre latérale.

D'un bond, Paddy arracha le détonateur de la main de Bagger. Le chauffeur s'écroula sur le volant, son pied enfonçant la pédale d'accélérateur. Échappant à tout contrôle, le 4×4 fonça en direction des voitures arrivant en face. D'un même mouvement, Alex ouvrit d'un coup de pied la porte du passager, attrapa Annabelle et sauta. Annabelle agrippa la main de son père. Tandis qu'elle dégringolait du break, elle sentit Paddy dégager ses doigts avec une force qui l'étonna. La dernière image qu'elle vit avant d'atteindre le bitume, ce fut l'œil de son père braqué sur elle. Il tenait toujours le détonateur.

Annabelle s'écrasa sur Alex, au milieu de la chaussée. Une seconde plus tard, le 4×4 fonçait contre un pylône du pont en ciment, le percutait et se pulvérisait en vol.

Le souffle de l'explosion déchira l'air. Alex et Annabelle s'arquèrent violemment sous le choc. Les morceaux du 4×4 dégringolèrent dans la rivière en dessous. Tandis qu'ils retombaient en pluie autour d'eux, Alex couvrit Annabelle de son corps. Moins d'une minute plus tard, ils se relevèrent sur leurs jambes tremblantes et, contusionnés, le visage en sang, s'approchèrent en titubant de la rambarde fracassée du pont et regardèrent en contrebas. Ce qu'il restait du 4×4 et de ses occupants disparaissait déjà dans le Potomac.

Lorsque le dernier fragment d'épave s'enfonça dans l'eau, Annabelle fit demi-tour et descendit lentement la route. Elle semblait en état de choc.

Des automobilistes s'arrêtèrent sur le pont, histoire d'assouvir leur curiosité. D'autres se précipitèrent sur Annabelle et Alex.

– Êtes-vous blessé, monsieur ? demanda un homme.

Un autre, plus âgé, s'exclama :

– Que s'est-il passé, madame ?

Alex leur brandit son badge au visage.

– services secrets. Retournez à vos véhicules et filez d'ici. Immédiatement !

Il se fraya un chemin dans la foule, glissa un bras protecteur autour d'Annabelle, repoussa une nouvelle grappe de badauds, puis ils s'évanouirent dans la nuit.

# Chapitre 79

Stone, Lesya et Harry se trouvaient dans la cave d'un immeuble inoccupé depuis dix ans. Les lieux infestés de rats dégageaient des relents pestilentiels, mais pour l'instant cette cachette était la seule où ils se sentaient en sécurité. L'unique source de lumière provenait d'une lanterne à piles, et pour s'asseoir il n'y avait qu'un tas de détritus. Oliver Stone ne venait ici que lorsqu'il n'avait nul autre endroit où aller.

Stone s'appuya contre le mur de brique froid et humide et regarda Lesya, assise sur une pile de vieux tapis. Elle était perdue dans ses pensées. Finn se tenait près de la porte, tous ses sens en alerte. Stone se tourna vers lui.

– Vous avez éliminé Cincetti, Bingham et Cole et avez tenté de tuer Carter Gray en faisant exploser sa maison avec une balle incendiaire après avoir ouvert le gaz. Vous êtes arrivé par la falaise puis vous êtes reparti en plongeant dans l'eau.

– Ne lui réponds pas ! le coupa sèchement Lesya en lançant à Stone un regard soupçonneux. J'ai accepté de coopérer avec cet homme pour garder la vie sauve, mais ça ne veut pas dire qu'il faut lui faire confiance.

– Je n'attendais pas de réponse, reprit Stone. J'exprimais simplement mon admiration. Ce n'est pas facile d'éliminer de tels assassins.

– Ils ont tué votre femme, n'est-ce pas ? demanda Finn.

– Parce que je voulais partir. Et ils ont failli m'abattre. Pour aggraver les choses, Roger Simpson a adopté ma fille, qui n'était encore qu'un bébé. Elle n'a jamais su qui était son véritable père.

– Simpson ! (Lesya cracha sur le sol.) Voilà ce que je pense de Roger Simpson.

– Vous prétendez que vous étiez à la solde des Américains à cette époque, attaqua Stone. Mais, d'après ce qu'on nous a dit, vous aviez retourné Solomon et vous travailliez tous les deux pour les Soviétiques. C'est pour ça qu'on nous a demandé de l'éliminer, parce que c'était un traître.

– On vous a menti, fit remarquer Lesya.

– Je le sais, aujourd'hui. Mais si vous étiez des nôtres, pourquoi voulaient-ils votre mort ? Et la sienne ?

– À cause d'une mission confidentielle et à haut risque qu'on nous avait confiée, à Rayfield et à moi. On l'a menée avec succès avec l'aide d'un groupe de Russes qui m'étaient restés fidèles.

– Quelle mission ?

– Je n'en ai jamais parlé à personne, pas même à mon fils.

– Pourquoi ?

– J'étais une espionne. On ne révèle pas nos secrets comme ça.

– Si je décide de vous donner un coup de main, j'ai besoin de connaître la vérité.

– Vous, l'assassin de mon mari, vous avez des exigences ?

– On ne peut pas battre Carter Gray sur son terrain, mais on peut penser plus vite que lui. Pour vous aider, j'ai besoin de connaître toute la vérité.

Lesya ne paraissait pas convaincue. Finn se planta devant elle.

– J'ai foutu une trouille bleue à ma famille. Je ne sais même pas s'ils sont vraiment en sécurité. Si je tente de les rejoindre, je prends le risque d'amener Carter Gray à leur porte.

– Je t'avais dit que c'était dangereux, très dangereux.

– Comme si j'avais pu te tourner le dos ! s'emporta Finn. Tu m'as préparé toute ma vie à cette mission. C'était mon devoir de m'en acquitter correctement. Tu disais que j'étais la seule personne qui puisse le faire.

– Tout homme a toujours le choix, riposta Lesya. (Elle indiqua Stone.) Lui, par exemple. Il a choisi de suivre les ordres au lieu de les remettre en question et il a tué un homme innocent.

– C'était un soldat. Il était formé pour obéir.

– Bingham, Cincetti et Cole l'étaient aussi, fit observer sa mère. Pourquoi serait-il différent ?

– Parce qu'il est venu nous avertir. Sans lui, toi et moi serions morts à l'heure qu'il est. C'est la différence. Je pense qu'il a gagné notre confiance. Ta confiance.

– Je ne me suis jamais fiée à personne de toute ma vie, à part à ton père.

– Et à moi, compléta Finn.

– Et à toi, concéda-t-elle.

– Alors si tu me fais vraiment confiance, écoute-moi ! Tu ne peux pas passer ta vie à penser que tout le monde t'en veut.

– Cette philosophie m'a été bien utile pendant de nombreuses années.

– Et si tu n'avais pas fait confiance à Rayfield Solomon ?

Lesya resta silencieuse un instant. Elle observa attentivement son fils puis se tourna lentement vers Stone.

– À quel point connaissez-vous l'histoire soviétique ?

– Je me suis rendu là-bas à de nombreuses reprises, si ça veut dire quelque chose à vos yeux.

– Connaissez-vous les deux chefs du parti communiste avant l'arrivée au pouvoir de Gorbatchev ?

Stone hocha la tête.

– Youri Andropov et Konstantin Tchernenko.

– Les dirigeants soviétiques étaient généralement connus pour leur longévité. Cependant, Andropov n'a dirigé le pays que treize mois à peine, et Tchernenko un peu moins.

– C'étaient des vieillards en mauvaise santé, répliqua Stone. Des bouche-trous après la mort de Brejnev. Personne ne s'attendait à ce qu'ils restent longtemps au pouvoir.

Lesya claqua des mains.

– Précisément. Personne ne s'attendait à ce qu'ils restent longtemps au pouvoir. Du coup, quand ils sont morts, nul n'a été surpris.

– Vous voulez dire qu'on les a tués ?

– Ce n'est pas très difficile d'éliminer des hommes âgés et malades. Même quand ils sont les chefs de l'Union soviétique.

– Qui a donné l'ordre de les tuer ?

– Votre gouvernement.

Finn la fixa avec stupéfaction.

– C'est impossible !

Elle rit.

– Andropov et Tchernenko étaient vieux, certes, mais c'étaient des communistes purs et durs. Et l'Union soviétique était dos au mur. On murmurait de plus en plus que le parti communiste songeait à prendre des mesures désespérées pour que le pays reprenne sa place de superpuissance. Il était hors de question que ça se produise. Il fallait donner le pouvoir à Gorbatchev. Nous n'avions pas la faiblesse de croire qu'il mettrait fin à l'Union soviétique, mais nous avions la certitude qu'avec lui au pouvoir la menace de guerre diminuerait prodigieusement. Puis Eltsine est arrivé après Gorbatchev. Personne n'aurait pu prévoir que ce serait lui qui démantèlerait l'URSS. Nous avons exposé nos arguments aux Américains. Ils sont tombés d'accord avec nous. Mais ce n'est pas nous qui avons imaginé ces assassinats. Ce sont les États-Unis. (Elle scruta Stone.) Vous me croyez, n'est-ce pas ?

– Gorbatchev était informé du complot ? s'enquit Stone.

– Bien sûr que non. Seuls quelques-uns d'entre nous étaient au courant.

– Par qui avez-vous reçu cet ordre ? demanda Stone.

– Par notre contact côté américain.

– C'était qui ?

– Roger Simpson, bien sûr.

– Et vous et votre équipe avez tué Andropov et Tchernenko ?

– Disons qu'on les a aidés à rejoindre la tombe prématurément.

– Rayfield Solomon était mouillé dans l'affaire ?

– Jusqu'au cou. Les Soviétiques pensaient qu'il travaillait pour eux.

– Comment savez-vous que ce projet était approuvé par le gouvernement américain ?

– Je viens de vous le dire. Simpson gérait le dossier. Et il en référait directement à Carter Gray. Et Gray au patron de la CIA.

– Vous avez obéi aux ordres sans poser de questions.

– Oui.

– Et vous avez tué Andropov et Tchernenko, deux innocents ? intervint Harry Finn.

Lesya et Stone échangèrent un long regard.

– Oui, admit-elle.

– Pourquoi les Américains auraient-ils tué mon père et tenté de t'éliminer si vous aviez rempli votre mission avec succès ? Pourquoi vous faire passer pour des traîtres ?

Ce fut Stone qui répondit.

– Parce que le gouvernement américain n'a pas ordonné ces assassinats. C'est la CIA ou Simpson et Gray qui les ont organisés de leur propre chef. Et, le travail accompli, il leur fallait discréditer les participants puis se débarrasser de tous ceux qui étaient au courant. (Il regarda Lesya.) C'est ça, hein ?

– Oui. Et que croyez-vous qu'ils vont faire pour éviter que la vérité éclate aujourd'hui ? Ça provoquerait une guerre entre la Russie et les États-Unis. À votre avis, qu'est-ce qu'il va se passer ? répéta-t-elle.

– Ils vont éliminer tous les témoins, devina Finn.

– Malheureusement, nous sommes David et eux Goliath, ajouta Lesya amèrement. Les Américains sont toujours Goliath.

– Mais David a vaincu Goliath. Nous pouvons y parvenir si nous leur mettons la main dessus en premier, fit remarquer Stone.

– À nous trois ? demanda Lesya d'un ton sceptique.

– Nous ne sommes pas seuls, répliqua Stone. J'ai des amis.

*S'ils sont toujours en vie.*

# Chapitre 80

Alex avait décidé de ne pas attendre l'arrivée des autres fédéraux. Le 4×4 carbonisé et les corps flottant sur l'eau qui les attendaient leur fourniraient une explication suffisante. Il téléphona, en revanche, au commandant du FBI pour l'avertir de l'accident et lui annoncer qu'Annabelle et lui étaient les seuls survivants.

– Si vous avez besoin de nous, nous serons chez moi, lui dit-il. Je suis dans l'annuaire.

Devant les protestations de l'officier, Alex précisa :

– On en a eu assez pour la journée. Allez ramasser les morceaux, on se parlera plus tard. Ce n'est pas comme si vous deviez traîner Bagger en justice. Désormais, il va devoir répondre de ses actes devant un juge plus exigeant.

Le taxi les déposa devant le domicile d'Alex, à Manassas, un ranch à un étage auquel on accédait par une allée de gravier. Dans le garage à une place était garée la Corvette rouge datant de 1969 qu'Alex avait restaurée et qui constituait sa seule extravagance. Sa voiture de fonction était stationnée devant la maison.

– Vous avez faim ? demanda-t-il à Annabelle, qui hocha à peine la tête.

– Je suppose qu'il serait stupide de vous demander si vous allez bien.

– Je survivrai.

– Je suis désolé, Annabelle.

Elle se laissa tomber sur une chaise.

– Pendant toutes ces années, j'ai détesté mon père car je pensais qu'il avait laissé mourir ma mère. Puis j'ai découvert que c'était faux…

Sa voix se suspendit.

– Et, maintenant, voilà que vous le perdez aussi, conclut Alex en finissant sa phrase à sa place. Au moins, vous l'avez appris avant qu'il disparaisse, Annabelle.

– Il aurait pu sauter de ce break. Il pourrait être en vie à l'heure qu'il est.

– Pour vivre encore six mois avec un cancer qui aurait fini par le bouffer ?

Elle leva les yeux sur lui.

– Pour rester six mois avec moi. J'aurais pris soin de lui. Il a cru que c'était une meilleure solution de se faire exploser.

– Non, peut-être voulait-il la peau de Bagger plus que vous. Peut-être souhaitait-il venger sa femme, votre mère. À défaut du reste, il faut admirer son courage.

– Je l'admire, avoua-t-elle. Mais j'aurais préféré qu'il n'aille pas jusque-là.

– C'est lui qui vous a fait cette cicatrice. Ce n'était pas le meilleur père du monde.

– Mais c'était le mien, dit-elle posément.

– Et un criminel.

– Alex, moi aussi, je suis une criminelle.

– À mes yeux, non. (Il y eut un silence gêné qu'Alex finit par rompre.) Vous m'avez dit que vous n'aviez pas faim, mais je vais préparer un peu de café. Quand vous serez prête à parler, on parlera. Qu'est-ce que vous en pensez ?

– Est-ce que je peux prendre une douche avant ?

Il lui indiqua le chemin de la salle de bains puis se rendit dans la cuisine où il fit la vaisselle, alluma sous la cafetière et se débarbouilla sommairement. Quand il eut terminé, elle avait fait sa toilette. Elle le rejoignit, enveloppée dans l'un de ses peignoirs.

– Ça ne vous gêne pas, j'espère ? demanda-t-elle.

Ses cheveux mouillés pendaient sur ses épaules.

– La douche vous a fait du bien ?

– Pas vraiment.

Ils burent leur café en silence. Puis Alex prépara un feu dans la cheminée du salon. Annabelle s'assit à même le sol, devant le foyer, les mains tendues vers les flammes.

– Je suppose que le FBI aura des milliers de questions à me poser, fit-elle remarquer d'une toute petite voix.

– Sans doute. Mais je vous aiderai à y répondre, si vous le voulez.

– Merci de votre soutien.

– Vous aussi, vous mettez votre vie en jeu.

Elle leva les yeux sur lui.

– Est-ce que vous pouvez vous asseoir près de moi ? Juste un moment ?

Alex se laissa tomber à côté d'elle. Et, tandis que la lueur des flammes s'éteignait, ils restèrent tranquillement devant le feu.

Carter Gray broyait du noir. Aucun des amis de Carr n'avait été localisé. Soudain, une autre option surgit dans son esprit : l'agent des services secrets, Alex Ford. Il était proche de Stone. Les deux hommes avaient été ensemble à Murder Mountain. Il connaissait la vérité sur ses agissements aussi bien que Stone. Pouvait-il utiliser ce flic comme appât ? L'affaire exigeait du doigté. Après tout, l'homme était agent fédéral. On ne pouvait pas le kidnapper en claquant des doigts. À moins de le discréditer avant ? Cette tactique était l'une des préférées de Gray. D'abord détruire la réputation de la victime – la faire passer pour une criminelle – puis l'atteindre dans ce qu'elle avait de plus vulnérable. L'entreprise était plus aisée à exécuter qu'on ne pouvait le penser. Et, lorsque le pot aux roses était découvert, cela n'avait plus d'importance. Gray passa un ou deux coups de fils et lança l'opération.

Peu de temps après, l'une de ses taupes au FBI le contacta. L'homme avait recueilli des renseignements intéressants. Il lui raconta en détail les évènements de la nuit entre Ford et Jerry Bagger. Et il l'informa également que Ford était avec une femme au passé manifestement douteux. Tous deux venaient d'échapper à une énorme explosion à Washington. Ford avait dit au FBI qu'il lui donnerait des explications le lendemain. Il était visiblement rentré chez lui avec cette fille.

Gray remercia son espion et raccrocha. Ces nouvelles informations changeaient magnifiquement la donne.

La carrière d'Alex Ford était sur le point de prendre un virage déplaisant.

## Chapitre 81

Quand Annabelle partit se coucher, Alex resta assis dans la cuisine devant une autre tasse de café. De temps en temps, il jetait un coup d'œil en direction de la chambre en réfléchissant à la situation. Mais y avait-il réellement matière à réflexion ?

L'affaire était terminée, les méchants éliminés. C'est là que s'achevait le film et qu'apparaissait le générique, suivi peut-être de la séquence des scènes supprimées. Dans la vraie vie, rien n'était aussi simple. Il faudrait remplir des tonnes de paperasses, de quoi déboiser une forêt entière. Il y aurait ensuite l'inévitable enquête interne destinée à s'assurer qu'Alex n'avait pas commis d'erreurs susceptibles d'avoir expédié des hommes dans la rivière Potomac. Chacun s'expliquerait, puis le tout serait corroboré. En toute confiance, Alex estimait que le dossier serait rapidement classé, disons, dans plusieurs mois.

Cependant, il n'en avait pas envie. Pas vraiment. Parce que ce scénario signifierait le départ d'Annabelle. Il soupira. Même sans cela, elle partirait. Sans doute était-ce la meilleure solution. Après tout, elle était une criminelle, lui un flic. L'association des deux revenait à mélanger de l'huile et de l'eau.

Il jeta de nouveau un coup d'œil en direction de la chambre. *Non, rien n'est aussi simple, n'est-ce pas ?*

Quand elle se réveillerait, que pourrait-il tenter ? Lui demander de rester ? Il pourrait inventer un mensonge. *Vous ne pouvez pas partir tant que l'enquête officielle n'est pas bouclée.* Mais Annabelle ne serait pas dupe.

Dans la seconde qui suivit, ce problème disparut de son esprit. Ils étaient sur le point de recevoir de la visite.

Alex se baissa et se glissa vers la fenêtre pour regarder au-dehors. Au bout de l'allée, presque camouflé, se trouvait un véhicule qu'il ne connaissait pas. Il s'agissait d'un van de couleur noire d'apparence banale. Alex détestait les vans de couleur noire d'apparence banale. Ils avaient tendance à transporter des hommes quelconques dotés de gros revolvers et de mauvaises intentions. Après avoir braqué une paire de jumelles de vision nocturne dans le jardin, ses craintes se confirmèrent. Il y avait une antenne de récepteur satellite sur le toit du van. Les mouvements dans les buissons, près de la maison, dispersèrent le peu de doutes qu'il aurait pu encore avoir. Des types dans les fourrés, des véhicules satellites, peut-être le reflet d'un fusil à lunette dans le clair de lune – tout cela déplaisait fortement à Alex. Avoir failli mourir une fois dans la soirée était bien suffisant.

La situation, cependant, ne ressemblait en rien à son affrontement avec Jerry Bagger. Elle sentait l'unité d'intervention gouvernementale à plein nez. Mais pourquoi le gouvernement s'intéresserait-il à l'un de ses agents ? La réponse à cette question fusa presque immédiatement dans l'esprit d'Alex.

N'ayant pas réussi à mettre la main sur Stone, Carter Gray avait décidé d'étendre ses recherches à d'autres personnes. Mais, dans le doute, Alex n'avait pas l'intention de prendre le temps de vérifier la véracité de son hypothèse. Il avait déjà affronté la mort face à Carter Gray à Murder Mountain et n'avait aucune envie de renouveler l'expérience.

Il détacha son trousseau de clés du crochet suspendu au-dessus du téléphone de la cuisine et courut dans la chambre. Pour éviter qu'Annabelle, arrachée à son sommeil, ne se mette à hurler, il plaqua une main sur sa bouche.

– Il y a quelqu'un dehors, murmura-t-il. Habillez-vous. Vite. Il faut qu'on se tire d'ici.

À peine Annabelle avait-elle enfilé ses vêtements et attrapé son sac que deux hommes surgirent sur le seuil de la maison tandis que d'autres entraient par-derrière. Ils portaient des gilets pare-balles et des MP 5. Le revolver d'Alex ne ferait pas le poids contre un tel attirail. Il opta pour la fuite par la porte de la cuisine donnant dans le garage.

– Arrêtez-vous ! hurla un des types en gilet Kevlar depuis l'entrée.

Alex n'avait aucune intention d'obéir. Sa seule idée était de prendre ses jambes à son cou, et son unique préoccupation d'ouvrir assez grands les vantaux du garage pour filer au volant de la Corvette.

Il passa une vitesse ; la voiture bondit dans l'allée et dépassa le van à l'instant où la porte d'entrée du ranch s'ouvrait à la volée. Tandis que la Corvette envoyait valser les graviers, des tirs de mitraillette fusèrent au-dessus de leurs têtes. Annabelle plongea sous son siège.

– Merde ! cria Alex.

– Vous êtes blessé ? s'inquiéta Annabelle en se rasseyant.

– Non, mais je pense que la voiture a été touchée.

Il fonça droit devant lui, sur la route principale, gardant le pied au plancher. Un coup d'œil lancé dans le rétroviseur le rassura. Personne ne les suivait.

– Alex, qu'est-ce qu'il se passe ?

– J'aimerais le savoir, Annabelle.

– Où allons-nous ?

– J'aimerais le savoir aussi. Attendez.

Il composa en hâte le numéro d'un de ses copains du service WFO, le Washington Field Office, dont il dépendait.

– Bobby, c'est Alex. Y a quelque chose de vraiment bizarre, vieux.

– Quoi ?

Alex lui expliqua les grandes lignes.

– Je ne sais pas qui étaient ces hommes, mais ils avaient une sacrée quincaillerie. Essaie de trouver des infos de ton côté et rappelle-moi.

Il raccrocha et regarda Annabelle.

– Bobby est un type sympa, il va nous sortir de là.

– Pourquoi ne pas aller simplement à votre quartier général, comme vous l'appelez ? On serait en sécurité, là-bas.

– Je le ferais s'il n'y avait pas un petit problème.

– Lequel ?

– J'ai déjà vu les combinaisons que ces hommes portaient.

– Où ça ?

– Lors d'un exercice dans l'un des camps d'entraînement de la CIA.

– La CIA ! Vous êtes en train de me dire que c'est notre propre gouvernement qui est à nos trousses ?

– C'est exact.

– On s'est débarrassés d'un patron de casino psychopathe, mon père s'est fait exploser la tête, et maintenant la CIA nous poursuit ?

– Ce résumé me semble excellent.

– Je dois dire que vous prenez tout ça avec un calme étonnant.

– À défaut d'autre chose, le service enseigne le sang-froid à ses agents. Mais je dois admettre que c'est de plus en plus difficile, à l'heure qu'il est.

– Je suis ravie de voir que vous êtes encore un être humain. Qu'est-ce qu'on fait, maintenant ?

– Je déteste cette idée, mais on doit se débarrasser de la Corvette et trouver une planque. Ensuite, on attendra des nouvelles de Bobby en espérant qu'elles seront bonnes. Je ne sais pas pourquoi, mais j'en doute.

# Chapitre 82

Ils se débarrassèrent de la Corvette d'Alex, prirent un taxi pour Old Town Alexandria et gagnèrent à pied un motel voisin. Pendant qu'Alex se dissimulait à l'extérieur, Annabelle régla la note en liquide et signa le registre avec une fausse carte d'identité. Arrivés dans la chambre, ils verrouillèrent la porte. Une heure plus tard, Bobby rappela. Ce qu'il murmura fut suffisant pour éclairer Alex.

– D'après la version officielle, tu as ouvert le feu sur des agents fédéraux qui essayaient de t'arrêter à ton domicile. On dit que tu abrites une inconnue, une fugitive. Aucun de nous ne croit ça, Alex, et le boss vient de s'engueuler au téléphone avec le directeur de la CIA.

– Ces soi-disant agents fédéraux essayaient de me tuer ou de me kidnapper, Bobby ! Et la seule chose que j'abrite, c'est une violente envie de botter le cul à une certaine personne pour avoir des réponses.

– Hé, je suis de ton côté. Tu n'es pas devenu un traître juste après avoir quitté le bureau. Je crois que tu ferais mieux de venir ici et de donner ta version. (Il se tut un instant.) Alex, tu es réellement avec quelqu'un ?

Alex jeta un coup d'œil à Annabelle, qui le regarda à son tour, l'air anxieuse.

344

– Merci, Bobby. Je te rappelle.

Il raccrocha et jeta le téléphone sur le lit avec dégoût.

Annabelle prit place à côté de lui et lui souffla :

– Merci de m'avoir sauvé la vie ce soir. À deux reprises.

– Je suis désolé, Annabelle. Je n'ai vu venir ce coup tordu qu'un peu trop tard.

– Pourquoi la CIA en aurait-elle après nous ?

– La seule chose qui me vient à l'esprit, c'est mon lien avec Oliver. Carter Gray a dû démissioner à cause d'OIiver.

– Donc, Oliver sait quelque chose sur Carter Gray et il s'en est servi pour l'obliger à quitter son boulot ?

– C'est ça.

– Mais Gray est mort.

– On n'a jamais retrouvé son corps. Et nous sommes pris au piège au milieu de ce bordel.

– Il faut qu'on retrouve Oliver.

– Ça ne va pas être facile. Si la CIA est impliquée, vous pouvez parier qu'elle va forcer les autres agences à coopérer ou à se retirer de l'affaire.

– Mais nous venons d'aider le FBI, rappela Annabelle.

– Peu importe. La Sécurité nationale a priorité sur tout. Ça veut dire que notre marge de manœuvre va être limitée. Et, contrairement à ce qu'on voit à la télé ou au cinéma, il est presque impossible d'échapper aux flics. Des millions d'yeux sont braqués sur nous. Quelqu'un va nous repérer et ce sera la fin. Ils savent à quoi je ressemble.

Annabelle attrapa son sac.

– Je peux peut-être corriger ça. Venez dans la salle de bains.

Elle demanda à Alex de s'asseoir sur le rebord de la baignoire tandis qu'elle ouvrait une petite trousse et préparait son matériel. Une heure plus tard, Alex Ford ne ressemblait plus à Alex Ford.

Il se contempla dans la glace.

– Vous êtes douée, dans ce domaine.

– Ça peut servir. Demain matin, on dénichera un magasin de perruques, on achètera des vêtements et des trucs pour améliorer le déguisement. Laissez-moi m'occuper encore un peu de vous, et je doute que Mme Ford reconnaisse son mari.

– Ça ne sera pas difficile puisqu'il n'y a pas de Mme Ford.

Elle rangea son matériel.

– Je me rends compte que je suis morte de faim.

– J'ai repéré un McDonald's dans la rue.

– Un super size pour moi, dit Annabelle.

Tandis qu'ils marchaient, Alex reçut un appel téléphonique de Stone.

– Bagger, c'est maintenant de l'histoire ancienne, mais Gray a failli nous avoir, raconta-t-il à son ami. Paddy est mort, et Annabelle le vit assez mal.

– Je suis sincèrement désolé d'entendre ça, mais j'ai peur d'avoir encore besoin de ton aide.

Alex l'écouta quelques minutes puis annonça à Stone que lui et Annabelle le retrouveraient deux jours plus tard, le temps que les évènements se calment un peu. Il raccrocha et partit à pied vers le McDo, où il acheta deux menus super size. Sur le trajet du retour, les bras chargés de cholestérol, il se demanda s'il ne s'apprêtait pas à déguster son dernier repas.

## Chapitre 83

En apprenant la fuite d'Alex Ford, Carter Gray se laissa aller à une fureur incontrôlée, ce qui ne lui était pas souvent arrivé au cours de sa carrière. Avec un regard de mépris, il congédia les agents impassibles qui se tenaient devant lui. Ils avaient raté Carr, Lesya, son fils, et maintenant ce flic ! *Dans le temps, on n'aurait jamais vu une telle incompétence*, se dit-il. Quand il disposait d'hommes tels que John Carr…

Trois profondes inspirations plus tard, Gray était à nouveau au travail. Il avait subi un revers, certes, mais seulement un revers. Une demi-heure auparavant, il avait reçu un tuyau sensationnel.

Le visage de l'homme de l'aéroport avait été comparé à ceux d'une banque de données. L'individu qui accompagnait Carr et Lesya se nommait Harry Finn. C'était un ancien Seal de la Navy qui travaillait aujourd'hui comme consultant pour le département de la Sécurité intérieure en tant que membre de l'équipe Red Cells. Peut-être fallait-il employer le verbe « travailler » au passé, car Gray n'imaginait pas comment ce type allait pouvoir poursuivre sa carrière puisqu'il était de toute évidence le fils de Lesya Solomon. Et un assassin.

Gray avait déjà envoyé ses hommes au domicile de Finn. Ce dernier vivait en banlieue, dans une maison confortable ; il avait une jolie femme et trois enfants chéris. Il enseignait le football pendant ses loisirs et, selon tous les témoignages, avait tout du citoyen modèle. Gray aurait parié que lorsque ses agents arriveraient sur place l'endroit serait désert. Le coup de téléphone qu'il reçut dix minutes plus tard le lui confirma.

Cependant, ses hommes ne rentrèrent pas les mains vides. Dans un coffre-fort caché dans le garage, ils avaient découvert des renseignements intéressants. Ils avaient aussi mis la main sur les factures d'un entrepôt. Arrivés sur les lieux, ils avaient touché le jackpot. Partout des dossiers sur Bingham, Cole et Cincetti. Sur Carter Gray et Roger Simpson. Et enfin sur John Carr. Même s'il n'y avait aucune information sur Lesya et Rayfield Solomon, Harry Finn était indubitablement leur homme. Où était-il, maintenant ? Où se cachaient sa femme et ses enfants ? À Carter de les débusquer ! Il espérait simplement que la chance allait tourner en sa faveur.

Mais il n'en doutait pas. Il avait l'intuition que Stone, Lesya et Harry Finn n'étaient pas bien loin, même si l'idée pouvait sembler stupide au premier abord. Il n'y avait plus qu'à attendre qu'ils commettent une erreur. Ou qu'ils soient victimes d'une bourde de la part de quelqu'un d'autre ! Car il ne fallait pas oublier un certain facteur dans l'équation : Finn avait une famille très ordinaire.

Il souleva le combiné du téléphone.

— Surveillez-moi tous les mouvements de comptes bancaires, les moindres appels sur les portables et sur la ligne fixe de la famille Finn. Vous savez où il bosse, alors je veux une surveillance permanente de ses collègues et de son bureau. Planquez devant les écoles des gamins et le club de lecture de la mère. S'ils se montrent, embarquez-les. Remuez ciel et terre, mais coincez-les.

# Chapitre 84

Ils avaient passé une autre journée dans la cave, et à présent l'obscurité s'installait. Stone, Finn et Lesya avaient occupé leur temps en dressant un plan d'action. La nuit suivante, Stone regrouperait son équipe pour le mettre à exécution.

Finn, qui avait fait les cent pas dans une agitation croissante, s'écria soudain :

– Je dois voir ma famille. Tout de suite !

– Où sont-ils ? demanda Stone en dépit des protestations de Lesya.

Quand Finn l'eut renseigné, Stone se tourna vers Lesya.

– Vous restez ici. Je l'accompagne.

– Vous allez me laisser toute seule ? s'inquiéta la vieille femme.

– Juste un petit moment, répondit Stone. Vous ne craignez rien.

Les deux hommes quittèrent la cave.

– Votre femme l'a mal pris ? À quel point ? s'enquit Stone.

– Mal pris, oui ! Et je ne vois pas comment on pourrait lui en vouloir !

– On n'a qu'à y aller en métro puis on finira à pied.

– Vous étiez dans les forces spéciales au Vietnam, dit Finn. J'ai fait mon enquête.

– Et vous ?

– J'étais Seal dans la Navy. Écoutez, il nous faut des armes. À l'heure qu'il est, ils ont déjà dû fouiller ma maison. J'ai un entrepôt avec pas mal de matériel dedans, mais je suppose qu'ils l'ont découvert aussi.

– J'ai des armes planquées quelque part, reconnut Stone.

Une demi-heure plus tard, pendant que Stone l'attendait dehors, Finn pénétra dans la chambre du motel situé dans un quartier délabré au sud d'Alexandria.

En le voyant, ses enfants volèrent vers lui, manquant l'écraser contre le mur. Alors qu'il les serrait contre lui, leurs larmes se mêlant aux siennes, Finn aperçut sa femme au travers d'un petit espace qui séparait David et Susie. Mandy sanglotait tout bas, sans pour autant faire mine de s'approcher de lui.

Après quelques minutes d'intense émotion, de pleurs et de baisers, Finn parvint à faire asseoir ses enfants sur le lit. Susie se cramponnait à l'ourson que sa grand-mère lui avait donné, des larmes ruisselant sur ses joues rebondies. Patrick mordillait nerveusement ses ongles rongés jusqu'au sang. Finn savait qu'il le faisait avant chaque contrôle ou chaque match de base-ball. Mais il était chagriné de constater que cette fois il en était le responsable.

David lança un regard anxieux à son père.

– Papa ? Qu'est-ce qui se passe ?

Finn prit une grande inspiration. Il ne pouvait pas plus avouer la vérité que décrocher la lune. Sur le chemin, il avait réfléchi à un mensonge crédible, mais soudain aucune excuse ne lui paraissait plausible. Il ne pourrait jamais leur dire : « Mes chéris, je suis un assassin et les flics sont après moi. » Non, c'était impossible, ils étaient ses enfants. Eux et Mandy représentaient tout ce qu'il avait. La lutte contre l'injustice n'excusait pas ses actes.

– Il s'est passé quelque chose au travail, Dave, commença-t-il, pendant que Mandy relevait la tête.

Dans ses yeux se lisait une terreur absolue, mais aussi un sentiment qui dévasta Finn : de la méfiance. Il tendit la main vers elle, mais elle eut un léger recul.

Il décida d'abandonner sa couverture. Il se leva et s'adossa contre le mur. Quand il se sentit prêt à parler, il les regarda fixement.

– Tout ce que je vous ai dit sur vos grands-parents, ma mère et mon père, est un mensonge. Votre grand-père n'est pas irlandais et il n'est pas mort dans un accident de voiture voilà bien long-temps. Votre grand-mère ne vient pas du Canada. Et elle n'est pas dans une clinique parce qu'elle est malade.

Il essaya d'ignorer l'air stupéfait qu'affichaient Mandy et les enfants.

Et il leur raconta toute l'histoire. Le véritable nom de leur grand-père était Rayfield Solomon. Il avait été espion pour les Améri-cains. Leur grand-mère s'appelait Lesya. Elle était russe et avait travaillé pour les services secrets soviétiques jusqu'au moment où elle avait choisi le camp de Solomon, qu'elle avait ensuite épousé.

– Ils étaient encadrés par des gens de la CIA, ajouta-t-il. La photographie de Rayfield Solomon est accrochée au « mur de la honte » à Langley. Mais il ne mérite pas cette place. Il a été tué par ces mêmes gens, afin qu'on ne sache jamais la vérité. Votre grand-mère a survécu, mais depuis cette époque-là elle se cache.

Au grand soulagement de Finn, ses enfants paraissaient accepter volontiers son explication et semblaient même excités par ces révélations.

– C'est quoi, cette vérité ? demanda David. On les encadrait pour faire quoi ?

Finn secoua la tête.

– Je ne peux pas te le dire, fiston. J'aimerais bien, mais c'est impossible. Je n'ai découvert tout ça qu'il y a peu de temps.

– Où est grand-mère ? demanda Patrick.

– Je vais la rejoindre en vous quittant.

Susie mit ses bras autour des jambes de son père.

– Papa, tu ne peux pas partir. Tu ne peux pas nous laisser, gémit-elle.

Le bruit de ses sanglots brisait le cœur de Finn. Les larmes qui coulaient sur le visage de sa fille l'empêchaient presque de respirer. Il la releva et la serra contre lui.

351

– Je suis désolé, chérie, mais je te promets une chose. Tu m'écoutes ? Peux-tu écouter papa juste une minute ? S'il te plaît, mon cœur, s'il te plaît ?

Susie s'arrêta de pleurer. Elle et ses frères ne quittaient pas leur père des yeux. Ils étaient immobiles, retenant leur souffle.

– Je vous promets ceci : papa va tout arranger. Puis je reviendrai tous vous chercher et on rentrera à la maison. Tout sera à nouveau comme avant. Je vous le promets. Je vous le jure.

– Comment ?

Tout le monde se retourna vers Mandy, qui s'avançait vers son mari.

– Comment ? répéta-t-elle d'une voix plus forte. Comment vas-tu tout arranger ? Comment vas-tu faire pour que tout redevienne comme avant ? Comment pourras-tu faire cesser ce… cauchemar ?

– Mandy, s'il te plaît !

Finn jeta un regard aux enfants.

– Non, Harry. Non ! Tu nous as trompés, moi et les petits. Depuis combien de temps est-ce que ça dure ? Depuis combien de temps, Harry ?

– Trop longtemps, répondit-il avec calme. (Il ajouta :) Je suis désolé, si tu savais…

– Nous ne voulons rien savoir. (Elle lui arracha des bras Susie, qui se débattit.) J'ai appelé Doris, notre voisine. Elle m'a dit que des hommes étaient venus fouiller notre domicile aujourd'hui. Quand elle leur a demandé ce qui se passait, ils ont répondu qu'ils te recherchaient, Harry. Ils ont déclaré que tu étais un criminel.

– Non ! Non ! hurla Susie. C'est pas vrai, c'est pas vrai !

Elle se mit à donner des coups à sa mère. Finn l'attrapa et la serra fort contre lui.

– Susie, ne fais plus jamais ça, ne frappe plus jamais ta mère. Elle t'aime plus que n'importe qui au monde. Ne recommence pas. Promets-le-moi.

– Mais tu n'es pas un méchant, hein ? bredouilla la petite fille entre deux sanglots.

Finn lança un regard empreint de désespoir à Mandy puis se tourna vers ses fils qui le fixaient, pâles comme la mort, les yeux agrandis d'effroi.

– Non, ce n'est pas un méchant, Susie. Ton père est un homme bien.

Tous firent volte-face en direction d'Oliver Stone, qui venait de se glisser dans la pièce.

– Qui êtes-vous ? demanda Mandy d'une voix apeurée.

– Je m'efforce d'aider votre mari. C'est un homme bien…

– Je te l'avais dit, maman ! le coupa Susie.

– Comment vous appelez-vous ? répéta Mandy.

– Aucune importance. Ce qui compte, c'est que Harry vous ait dit la vérité, du moins ce qu'il pouvait dire sans risquer votre sécurité. C'était extraordinairement dangereux de venir ici ce soir, mais il a insisté. Il était tellement inquiet qu'il a même quitté sa mère, qui est pourtant vieille et fragile. Il fallait qu'il vous voie. (Il regarda Mandy.) Il le fallait.

Le regard de Mandy alla de Stone à son mari. L'air hésitant, Finn lui tendit la main. Elle la prit.

– Pouvez-vous arranger les choses ? demanda Mandy en fixant Stone d'un œil anxieux.

– On va agir au mieux, dit-il.

Finn reposa Susie par terre et ramassa l'ourson qu'elle avait laissé tomber.

– J'ai dit à grand-mère à quel point tu aimais cet animal.

Susie attrapa l'ours d'une main sans lâcher la jambe de son père.

Il s'écoula vingt minutes avant que Stone annonce à Finn qu'il était temps de partir. Sur le seuil, Mandy enlaça son mari. Ils échangèrent un baiser tandis que Stone et les enfants les regardaient dans un silence respectueux.

– Je t'aime, Mandy, plus que tout au monde, lui murmura Finn à l'oreille.

– Arrange les choses, Harry. Arrange tout et reviens-nous. S'il te plaît.

Quand ils furent loin du motel, Finn se tourna vers Stone.

– Merci pour ce que vous avez fait.

– La famille, c'est ce qu'il y a de plus important.

– On dirait que vous savez de quoi vous parlez.

– J'aimerais que ce soit le cas, Harry. J'aimerais. Malheureusement, ce n'est pas vrai.

# Chapitre 85

Bouleversé par les évènements de la nuit précédente, David accueillit avec bonheur l'occasion de quitter le motel pour faire un saut à l'épicerie. La chambre qu'ils avaient louée était dotée d'une kitchenette dans laquelle leur mère avait pu préparer les repas.

C'est seulement arrivé à la caisse que l'adolescent réalisa qu'il n'avait pas emporté assez de liquide. Il sortit la carte de crédit que sa mère lui avait donnée tout en l'exhortant à ne s'en servir qu'à la dernière extrémité.

*Après tout, je ne vois pas quel mal cela pourrait causer,* se dit-il.

À peine avait-il glissé la carte dans l'appareil qu'un signal électronique retentit dans une salle située à trois mille kilomètres de là. Après avoir été transmise au quartier général de la CIA, l'information atterrit presque instantanément sur le bureau de Carter Gray. En deux minutes, quatre agents furent dépêchés à l'endroit où la carte avait été débitée.

David avait parcouru la moitié du trajet de retour qui le séparait du motel quand une voiture s'arrêta, laissant deux hommes en sortir. La longue silhouette du garçon disparut immédiatement entre les deux gorilles. Il fut jeté dans le véhicule, qui démarra aussitôt. Le tout avait duré moins de cinq secondes. Une demi-heure plus tard, il était à trente kilomètres de là, dans une chambre plongée dans l'obscurité, attaché à une chaise. Son cœur battait si fort qu'il pouvait à peine respirer.

– Papa, viens à mon secours, murmura-t-il doucement. S'il te plaît.

La voix surgit des ténébres.

– Papa ne viendra pas, David. Papa ne reviendra plus jamais.

Stone, Finn, Lesya et le reste du Camel Club, ainsi qu'Annabelle et Alex étaient réunis dans le sous-sol. Au centre de la cave, Stone fit les présentations puis leur raconta toute l'histoire. Captivés, ils se calèrent sur leurs sièges. Certains lançaient de temps à autre, un regard à Lesya ou à Finn.

– Avec mon équipe, j'ai éliminé Rayfield Solomon, conclut Stone. Nous avons tué un innocent.

– Tu l'ignorais, Oliver, protesta Milton, aussitôt approuvé par Reuben et Caleb.

Stone était heureux de constater que ses amis du Camel Club avaient accueilli sans grande surprise son passé d'assassin du gouvernement, attaché à la division Triple Six de la CIA.

Caleb avait fait remarquer : « On se doutait que tu n'étais pas un bibliothécaire à la retraite, Oliver. Je repère ce genre de type très facilement. »

– Pourquoi vous appellent-ils Oliver ? s'étonna Lesya. Votre nom est John Carr.

Milton, Reuben et Caleb échangèrent des regards intrigués. Stone se tourna vers Lesya.

– Avez-vous gardé votre véritable identité pendant toutes ces années ?

Lesya secoua la tête.

– Eh bien, moi non plus. Pour des raisons évidentes.

Stone s'adressa à Alex Ford.

– Alex, tu es le seul qui connaisse le droit parmi nous. Et, puisque ce que je propose n'est pas tout à fait réglo, tu peux te porter caution dès maintenant.

Alex haussa les épaules.

– Je me soucie autant de la vérité que les autres. (Il jeta un coup d'œil à Lesya.) Mais laissez-moi me faire l'avocat du diable un instant : comment savons-nous que son histoire est véridique ? Après tout, nous n'avons que sa parole. Et si Solomon était réellement un espion ? Si elle n'avait pas choisi le camp américain ? J'ai entendu parler de Rayfield Solomon. Il semblerait qu'il était coupable de ce dont on l'accusait.

Tous les regards se braquèrent sur Lesya.

– J'ai de bonnes raisons de la croire, et quelqu'un, à la CIA, le sait, comme moi, répliqua Stone.

– Soit, dit Alex. Mais nous prenons de gros risques. Alors, j'aimerais être bien certain que c'est pour la bonne cause. Après tout, si elle a été cette espionne formidable dont tout le monde parle, elle doit savoir mentir.

Devançant Stone, qui s'apprêtait à prendre la parole, Lesya agita une main et se leva.

– Si vous me le permettez, je vais me défendre. En fait, je suis surprise que la question n'ait pas surgi plus tôt.

Elle attrapa son déambulateur, le renversa pieds en l'air, ôta l'une des poignées en mousse et dévissa l'embout du tube de métal. Deux rouleaux de papier en tombèrent.

– Ce sont les ordres écrits que nous avons reçus de la CIA. Vu l'importance de ce qu'on nous demandait de faire, on a insisté pour les avoir.

Les documents passèrent de main en main. Ils étaient adressés à Lesya et à Rayfield Solomon et portaient l'en-tête de la CIA. La première lettre leur demandait de perpétrer l'assassinat de Youri Andropov ; la seconde, celle de son successeur, Konstantin Tchernenko. Chacune d'elles portait la signature de Roger Simpson. Tout le monde parut stupéfait.

– J'en déduis que vous ne lui faisiez pas confiance, fit observer Stone.

– Nous n'avions confiance qu'en nous deux, répliqua-t-elle.

– C'est la signature de Simpson, ajouta Stone. Je la connais bien.

– Ce n'est même pas paraphé par le Président ! s'exclama Alex d'un ton incrédule. Vous êtes en train de me dire que vous avez tué deux dirigeants de l'Union soviétique sur l'instruction d'un bureaucrate de seconde zone ?

– Pensez-vous que le Président des États-Unis signerait un tel ordre de mission ? répliqua Lesya avec le même ton. Nous fonctionnions au sein d'une chaîne de commandement. Lorsqu'un ordre nous arrivait, c'est qu'il avait été approuvé par la hiérarchie. Mettre cela en doute nous aurait empêchés de faire notre travail.

– Elle a raison, dit Stone. Le Triple Six fonctionnait de la même façon.

Il étudia de nouveau la lettre à la lueur de l'unique ampoule. Puis il regarda Lesya.

– Il y a une ligne chiffrée près du filigrane.

Elle hocha la tête.

– Ce papier spécialement encodé n'était utilisé qu'à l'échelon au-dessus de Simpson.

– Carter Gray ?

– Oui. On savait que les ordres étaient transmis par Gray. L'expérience nous avait appris que s'ils transitaient par Gray c'est qu'ils venaient en réalité du sommet. On ne faisait pas vraiment confiance à Simpson. Il était imprévisible.

– Mais Gray a pu aussi se servir de vous comme boucs émissaires, fit remarquer Stone. Peut-être que le Président n'a pas autorisé ces assassinats.

Elle haussa les épaules.

– Cette possibilité existe. Je suis désolée, mais je n'ai pas pu me rendre à la Maison-Blanche pour demander personnellement au Président s'il voulait que je tue deux dirigeants soviétiques, ajouta-t-elle d'un ton agacé.

– Pourquoi ne pas avoir apporté cette lettre aux autorités, à l'époque ? demanda Alex.

– Jusqu'à l'assassinat de Rayfield, je n'avais aucune raison d'envisager une telle démarche. Je ne savais même pas qu'il avait été tué par les Américains. Je l'ai appris bien plus tard. Puis on a attenté à ma vie lorsque Harry était encore enfant. À ce moment-là, j'ai compris qu'on avait été trahis. On a dû se cacher. J'ai mis des décennies avant de découvrir la vérité et le nom des coupables. Mais comment aurais-je pu utiliser ces preuves ? J'étais une espionne russe. Seuls Rayfield, Simpson et Carter Gray savaient que j'étais un agent double. Si j'avais réapparu, personne ne m'aurait crue. Ils m'auraient tuée. (Elle se tut et les considéra les uns après les autres. Tous la fixaient avec incrédulité.) Vous croyez que votre pays se refuse à ce genre de chose ? (Elle jeta un coup d'œil à Stone.) Demandez-lui.

– Je vous crois, Lesya, déclara Stone. Je sais que les évènements ont pu se dérouler exactement comme vous les racontez.

– Rayfield et moi, nous nous sommes mariés en Union soviétique. J'étais déjà enceinte de Harry. Nous ne pouvions révéler à personne que nous étions mari et femme, ni aux Russes ni aux Américains. Nous avons adopté une double vie, une nouvelle identité et nous nous sommes finalement installés aux États-Unis. Rayfield passait le plus de temps possible avec nous. Quand Harry était encore petit, il a coupé presque tous les liens qui le rattachaient à nous. Il était traqué. Il le savait. Ses craintes se sont confirmées à São Paulo. Il travaillait toujours pour les Américains, son propre pays. Et ils l'ont tué.

– Oliver, intervint Alex, pourquoi ne pas simplement transmettre maintenant cette preuve aux autorités ?

– C'est ce que je me disais, ajouta Annabelle.

Stone secoua la tête.

– Nous ne savons pas si la CIA et le Président de l'époque n'ont pas ordonné ces assassinats. S'ils l'ont fait, d'autres, qui sont toujours au gouvernement, sont peut-être également au courant.

– Et on va nous envoyer valser, observa Alex.

– On ne nous reverra plus jamais, ajouta Lesya. Regardez ce qui est arrivé à mon pauvre mari.

– Révéler cela au grand public peut déclencher une troisième guerre mondiale, dit Stone. Vu l'état actuel de la Russie et la mauvaise image qu'ont les États-Unis, je doute que les Russes

soient heureux d'apprendre qu'on a assassiné deux de leurs dirigeants, même si ça a favorisé la chute de l'URSS.

– Alors, quel est ton plan ? s'enquit Alex.

– Il faut coincer Carter Gray, répondit-il. Et je pense savoir
comment.

Stone commençait à exposer son plan lorsque le téléphone de
Finn vibra. Il écouta, raccrocha et regarda les autres. Son visage
était pâle comme un linge.

– C'était Mandy. David n'est pas rentré de l'épicerie.

– Carter Gray l'a kidnappé, affirma Lesya calmement. Il va
s'en servir comme appât.

Finn se leva.

– Bon, c'est terminé. Je vais me rendre en échange de la vie
de mon fils.

– Vous serez tués tous les deux, s'opposa Stone. Gray ne laisse
jamais de témoins derrière lui…

– Je dois récupérer David, le coupa sèchement Finn.

– On va le récupérer, Harry. Je te le promets, dit Stone.

– Comment ? s'exclama Lesya. Comment ferez-vous s'il se
trouve dans les pattes de Gray ? Vous venez d'affirmer que cet
homme ne laissait jamais de survivants.

– Il faut échanger quelqu'un contre David, quelqu'un d'autre
que vous et Harry.

– Qui vois-tu ? demanda Reuben.

– Quelqu'un que Gray ne peut pas se permettre de perdre.

– Roger Simpson ! s'exclama aussitôt Lesya.

# Chapitre 86

Roger Simpson travaillait à sa table de travail, dans son bureau du Hart Building, quand son ordinateur s'éteignit. Une seconde plus tard, une photographie se matérialisa sur l'écran.

Simpson eut un hoquet. C'était le portrait de Rayfield Solomon. *Comment est-ce possible ?*

Une phrase saisie au clavier s'afficha en bas de l'écran.

« J'espère que vous reconnaissez votre vieil ami. »

– Qu'est-ce que… ? s'exclama Simpson en regardant autour de lui. Bon sang, qu'est-ce qui se passe ?

– Bon sang, qu'est-ce qui se passe ? répéta soudain une voix qui faillit le faire tomber de sa chaise.

Le son provenait du récepteur sans fil que Finn avait dissimulé dans le bureau du sénateur lorsqu'il s'y était introduit.

– Qui êtes-vous ? Où êtes-vous ? s'écria Simpson, terrorisé.

– La seule chose qui compte, c'est qu'il y a une bombe cachée dans votre ordinateur.

– Quoi ? s'exclama Simpson en se soulevant de son siège.

– Si vous essayez de quitter cette pièce, elle explosera.

Simpson se laissa aussitôt retomber sur sa chaise.

– Mais tout mon bureau a été soumis à une fouille.

– Dévissez l'arrière de votre PC. Il y a un tournevis dans votre tiroir ; je l'ai vu lors de ma dernière visite.

– Mais…

– Obéissez !

Les mains tremblantes, Simpson trouva le tournevis, dévissa l'arrière de l'ordinateur et vit l'appareil que Finn y avait déposé.

– Ce petit boîtier est programmé pour faire exploser les composants chimiques et électroniques de l'unité centrale de traitement. Au fait, je surveille vos moindres faits et gestes. Alors, si vous essayez de désarmer ce truc, je vous fais sauter la tête. Compris ?

Simpson opina lentement du chef.

– Pas de signe. Je veux entendre votre réponse. Vous comprenez ?

– Je comprends. Pour l'amour du ciel, je comprends.

– Un homme va se présenter sous peu dans votre bureau. Vous le suivrez sans résistance. Si vous essayez de donner l'alerte, j'actionnerai la bombe et tout partira en fumée. Une fois dehors, si vous tentez quoi que ce soit, si vous adressez la parole à quelqu'un ou si vous essayez de vous enfuir, votre femme mourra. Vous pigez ?

– Vous avez enlevé Donna ?

– L'ancienne miss Alabama va très bien pour l'instant. Mais cette situation pourrait ne pas durer ; ça dépend de votre degré de coopération. Compris ?

– Oui, répondit Simpson d'une voix abattue.

– Bien. Maintenant, calmez-vous et attendez l'arrivée de cet homme. Jusque-là, j'écouterai et je regarderai tout ce que vous faites. Ce type va vous expliquer qu'il vous emmène à une réunion urgente à Langley pour régler une crise imprévue à laquelle le président de la commission de renseignements se doit d'assister. Vous confirmerez cette information à votre staff. O.K. ?

– Oui.

Quelques minutes plus tard, on frappa à la porte du bureau de Simpson. Peu de temps après, pâle mais digne, le sénateur émergea de l'ascenseur escorté par un Oliver Stone vêtu d'un costume noir ; ses yeux étaient dissimulés par des verres teintés.

Ils montèrent dans une voiture conduite par Reuben. Quand le véhicule démarra, Stone ôta ses lunettes de soleil et regarda Simpson.

– Salut, Roger ! Ça fait longtemps !

Le souffle de Simpson se bloqua dans sa gorge.

– Je suppose que je n'ai pas changé autant que je le pensais, s'amusa Stone. Je crois que j'ai surtout vieilli en travaillant avec toi et Gray.

– John, s'il te plaît…, bafouilla Simpson. Je n'ai rien à voir avec ce qui t'est arrivé, à toi ou à ta femme. Et on a pris soin de Jackie, on lui a donné beaucoup d'amour, ajouta-t-il en hâte.

Stone coinça son coude dans les côtes de Simpson.

– Ma fille s'appelait Elizabeth, pas Jackie.

– C'est Gray qui nous l'a confiée. Il ne nous a pas prévenus que c'était ta fille. Il ne m'a avoué la vérité que très récemment.

– Qui a ordonné mon élimination ?

– J'ai mon idée là-dessus, répondit Simpson.

– Gray ?

– Possible, articula lentement Simpson. Il a dit que tu voulais quitter le Triple Six. Il n'aimait pas ça du tout. C'est la vérité.

– Apparemment, il n'était pas le seul. C'est toi qui as décidé les assassinats d'Andropov et de Tchernenko, pas vrai ?

Simpson manqua s'étouffer.

– Qui t'a dit ça ?

– C'est toi ?

– C'est du passé. Mais si j'avais organisé un complot de cette ampleur, ce que je nie, j'aurais reçu l'autorisation au plus haut niveau.

– Je suis sûr que tu as fait gaffe à tes fesses. J'ai parlé à Max Himmerling, avant sa mort.

Une veine pulsa sur la tempe gauche de Simpson.

– Himmerling ?

– Ouais. Gray l'a fait tuer quand il a appris qu'il m'avait tout raconté. Max connaissait tous vos sales petits secrets.

– Qu'est-ce qu'il t'a dit ? s'enquit Simpson nerveusement.

– Tout ce que j'avais besoin de savoir, répondit tranquillement Stone. Par exemple, que c'était toi ou Gray qui aviez décidé mon élimination.

Simpson était presque incapable de parler.

– Tu vas me tuer ? murmura-t-il.

– Ça dépend de toi. (Stone remit ses lunettes de soleil et se renfonça sur la banquette.) Et de la valeur que Gray t'accorde. S'il ne mord pas à l'hameçon, tu ne m'es d'aucune utilité.

# Chapitre 87

Simpson parlait lentement au téléphone. Tout ce qu'il disait avait été écrit. Et, s'il lui avait pris la moindre envie de dévier du script, le revolver que Stone braquait sur son crâne aurait été de taille à l'en dissuader.

– Ils veulent un rendez-vous, Carter, poursuivit-il d'une voix contrainte.

– Je ne vois vraiment pas de quoi tu parles, répondit Gray. De qui tu parles ?

– Tu sais bien de qui !

– Eh bien, dis à ces personnes, quelles qu'elles soient, que si elles enregistrent cette conversation elles auront bien de la chance si elles arrivent à s'en servir.

– Carter, bordel, ils m'ont kidnappé ! Et ils ont quelque chose qui t'intéresse.

– Vraiment ?

– Ils sont au courant, pour David.

– Je ne vois toujours pas de quoi tu veux parler.

– Ils ont les ordres de mission que j'ai signés, tu vois lesquels…

– Non, absolument pas.

– C'est toi qui as donné ton accord, Carter ! hurla Simpson, furieux.

– Bon, même si je ne comprends toujours pas ce dont tu parles exactement, je peux essayer de faire une proposition.

– Moi, en échange de ce garçon.

– Non, lui, en échange des ordres de mission !

– Et moi, alors ?

– Quoi, « toi, alors », Roger ?

– Ils vont me tuer !

– Je suis désolé de l'apprendre. Mais tu as eu une belle vie, bien remplie. Où veulent-ils organiser la transaction ?

– Espèce de fils de pute !

Stone s'empara du combiné.

– On te rappellera pour te donner le lieu et l'heure. Et on t'y balancera Simpson gratuitement. Je ne veux pas le garder.

– John, c'est bon de t'entendre. Sais-tu à quel point tu m'as compliqué les choses ?

– Désormais, c'est le seul truc qui m'intéresse dans la vie.

– Bien sûr, tu ne tenteras rien pour me coincer.

– Tu dois prendre le risque, comme moi.

– Et si je ne viens pas ?

– J'adresserai les documents relatifs aux assassinats d'Andropov et de Tchernenko à cinq personnes à Washington qui ne font pas partie de tes amis. Et nous laisserons le distingué sénateur te trahir pour sauver sa peau. Je pense qu'il fera un magnifique témoin.

– Tu crois vraiment que ça intéresse encore quelqu'un, après toutes ces années ?

– Parfait, si tu penses que ça n'a pas d'importance, pourquoi t'embêter à venir ? On transmettra les ordres de mission et tu assumeras le merdier, Carter !

– Attends !

Il y eut un instant de silence.

– Je n'entends rien, reprit Stone.

– Comment as-tu obtenu ces ordres ? Par Lesya ?

– Tu n'as pas besoin de le savoir. Roger les a vus. À en juger par sa pâleur, je dirai qu'il les trouve très convaincants.

– Il a toujours été du genre émotif. D'accord, John, mais si tu veux vraiment qu'on fasse un marché, je veux l'enregistrement original que tu as fait à Murder Mountain.

– Ce n'est pas négociable.

– Oh, que si ! Tu as planté ma carrière. Je veux le récupérer. Et n'essaie pas de faire des copies à toute allure. On dispose maintenant de technologies pour repérer les faux.

– Et si je dis non ?

– Je n'ai pas besoin de t'exposer les conséquences, n'est-ce pas ?

Stone regarda Finn.

– D'accord. Je te rappellerai pour te donner l'heure et l'endroit. Sois là en personne, sinon, le marché ne tient plus.

– Dans ce cas, je préfère choisir le lieu.

– Je sais, c'est pour ça que c'est moi qui décide. Une chose encore. S'il arrive quoi que ce soit à David Finn, tu ne t'en sortiras pas vivant.

– Tu n'es plus ce que tu étais, John. Je dispose aujourd'hui d'une cinquantaine d'hommes aussi bons que toi.

Gray reposa le téléphone et essuya la sueur qui lui coulait sur le visage.

# Chapitre 88

Reuben, Caleb et Alex transférèrent Mandy et les enfants dans une nouvelle cachette. Lesya se joignit au groupe. Caleb resta avec eux pour monter la garde ; il avait reçu l'instruction de téléphoner immédiatement au moindre évènement suspect. Reuben et Alex les quittèrent pour mettre sur pied avec les autres l'échange entre David Finn et Simpson.

De retour dans la cave, Stone expliqua clairement et succinctement que seuls lui et Harry participeraient à l'opération.

– Oliver, tu n'as aucune idée du nombre d'hommes que Gray va amener avec lui, dit Alex. Souviens-toi de Murder Mountain, il y avait plein de types armés de mitraillettes.

– Cette fois, nous aurons l'avantage. (Il regarda Annabelle.) Cependant, il nous faut quelqu'un pour évacuer David. Pour un certain nombre de raisons, vous remplissez toutes les conditions. Vous êtes partante ?

Alex s'interposa entre eux.

– Attends une minute. Si quelqu'un doit vous accompagner, ce sera moi, pas Annabelle.

– Elle ne sera là que pour sortir David du bâtiment. La stratégie que nous avons mise en place nous évitera toute confrontation avec Gray et ses hommes. (Il jeta de nouveau un coup d'œil en direction d'Annabelle.) Je connais votre sang-froid, mais je ne vous demanderais pas ça si j'avais une autre solution. (Il ajouta tranquillement :) Et je comprendrais que vous refusiez de m'aider. Je vous ai laissée tomber quand vous aviez besoin de moi.

La jeune femme regarda Stone puis Alex.

– Je suis des vôtres. Où est-ce que ça va se passer ?

– Au Visitor Center du Capitole, répondit Finn.

– Il n'est pas encore achevé, observa Milton.

– C'est exactement pour ça qu'on a choisi ce lieu.

– La société pour laquelle je travaille a décidé d'opérer une infiltration au Visitor Center, expliqua Finn. C'est dans le cadre d'un contrat avec la Sécurité intérieure, afin de vérifier la sécurité de certaines installations. On mène ce genre de mission dans les aéroports, les ports d'embarquement, les centrales nucléaires ; il s'agit toujours d'opérations stratégiques et hautement sensibles.

– Mais, comme l'a fait remarquer Milton, le Visitor Center n'est pas encore ouvert, dit Reuben. Pourquoi la Sécurité intérieure veut-elle tester ses défenses maintenant ?

– C'est exactement ce que pourrait penser un terroriste. Frappons-le tout de suite avant qu'il démarre son activité. La raison la plus importante, c'est que le Visitor Center est relié par des tunnels à la fois au Capitole et à la Bibliothèque du Congrès. Des terroristes pourraient profiter de ces souterrains pour attaquer l'un de ces deux bâtiments. J'ai déjà fait plusieurs visites de reconnaissance. Je sais comment y accéder et aussi comment en sortir mon fils.

– Quand est-ce que l'opération aura lieu ? demanda Annabelle.

– Demain soir, répondit Stone.

– Mais c'est le soir de l'exercice d'alerte antiterroriste à Capitol Hill ! s'écria Alex. On a reçu une note interne, il y a quelque temps. Le quartier va être sens dessus dessous, Oliver. Les ambulances, la police, les camions de pompiers, les victimes, ce sera un bordel pas possible.

– Le chaos facilite toujours la fuite, fit remarquer Stone.

– Si vous y arrivez à vous enfuir ! corrigea Annabelle. En gros, tous les deux, vous allez pénétrer dans un bâtiment inachevé et quasiment sans issue pour y rencontrer des tueurs au service du l'État, des types lourdement armés, dirigés par un mec visiblement brillant et impitoyable.

– Vous avez merveilleusement résumé la situation, dit Stone.

– Comment tu sais que Gray ne va pas simplement tuer Simpson ? Il a pu faire semblant d'accepter l'échange, et ses hommes vous flingueront tous. (Tous se tournèrent pour regarder Milton, qui conclut :) Quand on a longtemps fréquenté Oliver, on a tendance à devenir un peu parano.

Stone esquissa un sourire.

– Tu as absolument raison, Milton. Je pense que Gray n'aurait aucun scrupule à éliminer Simpson et à nous coller ce meurtre sur le dos. Mais je possède quelque chose qu'il désire vraiment. Et je savais qu'il le demanderait.

– La preuve dont tu t'es servi pour l'obliger à démissionner ? s'enquit Alex.

– C'est la seule raison qui va le faire venir. Les documents que nous possédons sur les assassinats d'Andropov et de Tchernenko n'impliquent que Simpson.

– Alors Gray débarque avec toute sa puissance de feu, on fait l'échange, et dès qu'il a ce qu'il veut… Comment vous allez faire pour sortir David du Visitor Center en toute sécurité ? demanda Annabelle.

– Il y a un moyen, annonça Stone. Et nous allons avoir besoin de l'aide de tout le monde pour y parvenir.

## Chapitre 89

L'équipe Red Cells de Finn avait préparé une semi-remorque en vue du projet d'infiltration du Visitor Center. Mais ce plan avait été mis en veilleuse après l'accident survenu à Sam.

Néanmoins, lorsque Finn avait parlé à Stone des possibilités qu'offrait le camion, l'ancien Triple Six lui avait demandé d'aller le chercher.

Puisqu'il était en possession du trousseau de clés et qu'il avait accès à l'entrepôt sécurisé dans lequel il était stationné, Finn avait obtempéré sans difficulté.

Il traversait maintenant la capitale au volant de la semi-remorque.

Autour de l'entrée du Visitor Center, les préparatifs de l'exercice antiterroriste avaient commencé. Finn arrêta le camion dans la zone de chargement et descendit de la cabine. Il avait revêtu l'uniforme adéquat et s'était muni d'un badge d'identité.

Ses bons de livraison étaient factices, mais suffisamment bien imités pour abuser un pistolero fédéral accablé d'ennui. Il montra son attestation au garde et ouvrit les portes arrière du poids lourd. Le vigile inspecta le chargement, allant jusqu'à soulever le couvercle de certaines caisses pour regarder dedans.

Sachant que les ouvriers du bâtiment devaient quitter leur travail avant 18 heures à cause de la fausse alerte, Finn était arrivé sur les lieux à 18 h 30. La prochaine équipe n'arriverait que le lendemain matin. L'échange avec Gray aurait lieu à minuit, dès que Stone aurait passé le coup de fil. Cela leur donnerait le temps nécessaire pour planifier leur plan d'évacuation et empêcher Gray d'organiser ses propres préparatifs.

Milton attendait dans une voiture en stationnement au bas de la rue, un téléphone portable à la main. À lui seul, il incarnait leur dispositif de sécurité. Si l'opération tournait mal, il devait appeler la police, le FBI, les pompiers, tous ceux auxquels il pouvait penser. Ces derniers se trouvant à proximité, ils ne mettraient pas longtemps à intervenir, du moins pouvait-on l'espérer. Caleb avait regagné la planque pour prendre soin de Lesya et du reste de la famille Finn. Reuben et Alex patientaient dans les parages, attendant un ordre de Stone.

– Ça va prendre du temps, expliqua Finn au garde. Je ne dois pas seulement décharger le matériel, il faut aussi que je le déballe. Et mon coéquipier est malade.

– Combien de temps ? demanda le vigile.

– J'aurai probablement terminé après minuit.

– Vous feriez mieux de vous y mettre, alors, conclut l'homme en s'éloignant sans prendre la peine de proposer son aide.

Finn utilisa un chariot manuel à moteur électrique pour décharger les caisses contenant le matériel HVAC et pour les transporter dans le Visitor Center. Quatre d'entre elles étaient dotées d'un ingénieux système à double fond. Des deux premières surgirent Annabelle et Stone. Puis ils tirèrent de la troisième Roger Simpson, toujours ligoté et bâillonné. La dernière contenait des armes, y compris les fusils à lunette que Stone utilisait quand il exerçait dans la division Triple Six. Finn les évalua d'un œil dubitatif.

– Ils marchent encore très bien, le rassura Stone. Malgré leur… euh, grand âge.

– Pas de matériel de vision nocturne ?

– Non.

– Les hommes de Gray en auront, et je parie qu'en plus il sera ultramoderne, énonça lentement Finn.

– En réalité, j'y compte bien.

– Ils seront aussi équipés de gilets pare-balles dernière génération.

– Je vise toujours la tête.

Ils déposèrent Simpson derrière un cageot rempli de tuiles, et Finn montra à Stone et à Annabelle les différentes salles, pour la plupart encore inachevées.

Stone fit halte dans l'une des pièces et leva les yeux.

– Un balcon ?

Finn hocha la tête.

– C'est le hall principal. Il surplombe la grande zone visiteurs. Il y a également un atrium, l'auditorium du Congrès, une galerie d'art, des théâtres et une salle de restaurant.

– J'aime cet endroit, apprécia Stone en contemplant le mur en ciment de près d'un mètre de haut qui faisait office de balustrade. Les étages supérieurs sont toujours les meilleurs. Maintenant, montrez-moi où se trouve le poste d'alimentation le plus proche.

La visite terminée, Finn les conduisit au-delà d'une série de portes menant à un long couloir derrière une porte fermée à clé.

– C'est le souterrain qui aboutit au Capitole. Il est condamné pour l'instant.

– Comment je sors David de là ? demanda Annabelle.

Finn fit un signe de tête et pointa un doigt vers le haut.

– Les conduits de ventilation. C'est par là qu'on devait mener notre opération d'infiltration. Cette gaine vous conduira directement dans le Capitole. Je vous ai fait un plan.

Il lui tendit une feuille de papier et lui montra comment le tuyau débouchait dans une sorte de minuscule entrepôt.

– Vous n'aurez qu'à prendre un petit couloir et vous trouverez une porte pour sortir. Elle n'est pas gardée et on peut l'ouvrir de l'intérieur. Lors de notre visite de reconnaissance, un de mes collègues l'a utilisée. Le passage était étroit pour lui, mais il était plus costaud que vous et David. Vous ne devriez avoir aucun problème, vous êtes minces tous les deux.

Stone regarda Annabelle.

*David Baldacci*

– C'est pour ça que vous étiez idéale pour le job. Reuben ou Alex n'auraient jamais pu entrer là-dedans. Caleb et Milton sont assez petits, mais…

– Je sais, le coupa Annabelle. S'il y a des problèmes, j'essaierai de m'en sortir.

– Alex et Reuben seront garés près de la sortie que vous emprunterez. Si besoin, Alex pourra utiliser son attestation des services secrets pour vous faire passer les barrages de sécurité.

– Où voulez-vous que je me mette, Oliver ? demanda Annabelle.

– Juste ici, près de l'entrée du conduit. On vous amènera David.

Elle examina tour à tour Finn et Stone, qui étaient tous deux grands et bien bâtis.

– Je ne comprends pas. Harry et vous, vous ne pouvez pas entrer dans la gaine, c'est évident. Alors, comment allez-vous sortir du Visitor Center ?

– Laissez-nous nous inquiéter de ça, Annabelle, lui répondit Stone.

# Chapitre 90

Durant les deux heures suivantes, Stone et Finn réglèrent méticuleusement la chorégraphie des futurs évènements de la nuit. Même si, dans ce genre d'opération, Finn possédait une solide expérience, il dut finalement convenir que, lorsqu'il s'agissait de tuer des gens tout en se mettant dans les meilleures conditions pour survivre, Oliver Stone lui était nettement supérieur.

Finalement, ils furent aussi prêts qu'ils pouvaient l'être. Stone téléphona à Gray, puis ils attendirent chacun à leur poste. Stone aurait parié qu'avant de se montrer Gray allait envoyer un agent pour reconnaître les lieux. C'est effectivement ce qui se passa. Deux heures plus tard, plusieurs hommes vinrent renifler les environs ; leurs badges avaient sans doute suffisamment intimidé les vigiles qui surveillaient l'entrée.

Puis Gray arriva à son tour. De sa position de sniper, Stone comprit immédiatement pourquoi il lui paraissait plus rondouillard qu'à l'accoutumée : il portait un gilet pare-balles. Mais il en fallait plus pour déstabiliser Stone, qui, comme il l'avait dit à Finn, visait toujours la tête. Les gens ne survivaient pas sans cerveau. Même si à Washington quelques-uns y parvenaient assez bien.

Près de Gray, un homme poussait un chariot sur lequel était posé un sac de voyage. Après en avoir ouvert la fermeture Éclair, il fit sortir le garçon. David Finn avait les yeux bandés et des écouteurs sur les oreilles. Il resta planté, vacillant, à côté de Gray, qui inspectait du regard l'immense hall encore inachevé.

– Eh bien ! s'écria-t-il, s'adressant au vide qui l'entourait. Nous sommes là.

Harry Finn surgit, tirant par la main un Simpson toujours bâillonné.

– Donnez-moi le garçon.

Gray parut légèrement agacé qu'on s'adresse à lui de cette manière.

– Harry Finn, le fils de Lesya et Rayfield. Vous tenez plus de votre mère que de votre père.

– Rendez-moi mon fils !

– Où sont les ordres de mission ? Et où est mon enregistrement ?

Finn sortit une liasse de papiers et un téléphone portable de la poche de sa veste. Il les brandit au-dessus de sa tête.

– Je veux que David vienne à côté de moi.

Finn poussa Simpson en direction de Gray. Sur les derniers mètres, le sénateur se mit à courir. Lorsqu'il rejoignit Gray, ce dernier le débarrassa immédiatement de son bâillon et des liens qui lui enserraient les mains.

Le garde donna une bourrade à David, le propulsant vers Harry. Finn attrapa son fils et le prit dans ses bras.

– Tout va bien, David, tu es avec moi.

Il lui ôta son bandeau et ses écouteurs.

– Papa…, murmura David d'une voix tremblante en se serrant contre son père.

Gray tendit la main.

– Donnez-les-moi. Immédiatement.

Finn lui jeta les documents.

– Il est difficile de croire que ces trucs-là ont survécu à toutes ces années, fit remarquer Gray, les yeux sur les papiers.

– Beaucoup de choses ont survécu à toutes ces années. Y compris ma mère, riposta Finn en poussant David derrière lui.

Il sentait que tout le monde avait le doigt sur la détente.

Gray écouta l'enregistrement du téléphone portable, puis le tendit à un homme qui l'accompagnait. Ce dernier le glissa dans un petit engin électronique et appuya de nouveau sur la touche « Play ». Une information s'afficha sur l'écran LED situé sur le côté de l'appareil.

– C'est bien l'original, il a été copié une fois.

Stone avait déjà donné un exemplaire à Gray.

Gray eut un sourire, empocha le portable et regarda Finn.

– Comment va votre mère ?

– Elle est veuve, merci à vous.

Gray laissa errer son regard autour de lui.

– John, je sais que vous êtes là. Sans doute êtes-vous entouré de votre petite bande de voyous. Mais, histoire d'être sur un pied d'égalité, je vous signale que cet endroit est cerné et barricadé. On l'a interdit à la police, au FBI, aux services secrets et à tous ceux sur lesquels vous pouviez compter. Vous savez sûrement qu'un exercice antiterroriste se déroule en ce moment à l'extérieur. C'est d'ailleurs probablement pour cette raison que vous avez choisi ce lieu, ce soir. Vous pensiez que ça vous aiderait à fuir. Le résultat sera tout autre, je vous l'assure ; si on tire un coup de feu ici, personne ne l'entendra.

Effectivement, en tendant l'oreille, on discernait dans le lointain des bruits de sirène, des tirs de mitraillette et des explosions, comme le prévoyait l'alerte.

Gray reporta son attention sur Finn.

– Vous avez peut-être envie de remercier ce jeune homme, John. Il a tué Bingham, Cincetti et Cole. Vous n'avez aucun moyen de le savoir, mais vos trois anciens collègues appartenaient à l'équipe envoyée pour vous tuer. Certes, ils vous ont raté, mais ils ont eu votre femme. Cole s'est vanté d'en être l'assassin, mais Bingham lui a disputé ce succès. D'ailleurs, ils étaient volontaires pour le job. Je suppose qu'ils ne vous aimaient pas beaucoup.

Seul le silence accueillit cette pique verbale. Gray patienta un instant puis ajouta :

– Ça vous dirait de venir voir qui j'ai rencontré en venant ici…

# Chapitre 91

En apercevant Milton encadré par deux hommes de Gray, le cœur de Finn se serra. Derrière le parapet en ciment, sur la galerie, Stone approcha son doigt de la détente de son fusil. S'il le voulait, il pouvait descendre ces deux types avant qu'ils aient le temps de faire du mal à Milton. Malheureusement, il ignorait où se planquait le reste de l'unité d'intervention de Gray. Il devait d'abord les débusquer.

– Je pense que l'échange est terminé, estima Finn avec calme.

Gray secoua la tête.

– La nuit ne fait que commencer, Harry.

Il fit signe à ses hommes, qui reculèrent au fond de la salle avec Simpson. Désormais à l'écart et en sécurité, Simpson cria :

– Au fait, John, c'est moi qui ai ordonné ton élimination. Personne ne quitte le Triple Six de son propre chef. Mon seul regret, c'est qu'on t'ait raté à l'époque. Mais les bonnes choses arrivent toujours à ceux qui savent attendre.

Du haut de la galerie, Stone évalua l'endroit où se trouvait Simpson. Le sénateur s'était montré assez malin pour mettre un mur épais entre eux. L'espace d'une seconde, Stone sentit son esprit se vider de toute substance, puis il se reprit. Il avait une mission à accomplir, et aucune parole de Simpson ne l'en empêcherait. Il s'élança vers un immense treuil électrique qu'ils avaient installé un peu plus tôt dans la soirée.

Au signal, Finn empoigna son fils et le projeta au sol. Puis il tira un revolver de sa ceinture et se coucha sur David, lui faisant un bouclier de son corps. L'instant d'après, un énorme objet tomba des chevrons. Stone venait de jeter une lourde glissière en béton avant de retourner rapidement à sa position de tir.

Le projectile atterrit exactement à l'endroit prévu, à trente centimètres devant Harry et David. Le père et le fils s'abritèrent immédiatement derrière.

Les deux hommes de Gray mirent en joue Milton, la cible la plus facile. Avant qu'ils aient eu le temps d'appuyer sur la détente, Stone tira à deux reprises, à quelques secondes d'intervalle, les abattant net tous les deux.

Près de Stone pendait un long câble électrique relié à une multiprise. Stone appuya sur un bouton, et la salle fut plongée dans le noir.

En courant, Stone descendit de la galerie. Ayant mémorisé le nombre de marches et de coudes que comportait l'escalier, il ne fut pas obligé de ralentir à cause de l'obscurité. Il se laissa tomber sur un chariot à roulettes qu'ils avaient déniché dans un entrepôt, le genre d'appareil que les mécaniciens glissent sous les voitures. Puis, allongé à plat ventre sur l'engin, il se propulsa à travers le hall, en direction de Milton. Le plan initial visait à évacuer en priorité Finn et son fils. Mais Milton était désormais le plus en danger.

– Finn ! Couvrez-moi ! cria-t-il.

Aussitôt, Finn se mit à tirer.

Toujours lancé à toute vitesse, Stone cligna des paupières pour accoutumer ses yeux à l'obscurité. Lorsque le chariot télescopa un corps, il arracha d'un geste sec les jumelles de vision nocturne qui pendaient au ceinturon du cadavre.

– Milton ! s'écria-t-il en les ajustant sur son visage.

– Je suis là, répondit une petite voix.

Stone alluma le capteur des jumelles et regarda sur sa droite. Milton était étendu par terre, les mains sur la tête, le corps de l'agent mort affalé sur lui.

– Tu es blessé ? demanda Stone.

– Non.

Stone dégagea son ami et, allongés l'un sur l'autre sur le chariot, ils retraversèrent la salle en direction de l'escalier menant à la galerie. Pendant ce temps, Finn vidait deux de ses chargeurs pour couvrir leur fuite.

– Je t'accompagne auprès d'Annabelle, expliqua Stone à Milton quand ils furent à l'abri. Elle, toi et David, vous allez sortir par la canalisation qui donne dans le Capitole. Le passage est un peu étroit, mais tu peux y arriver.

– Oliver, je ne pourrai jamais passer par là.

– Pourquoi ?

– Je suis claustrophobe.

Stone poussa un long soupir.

– O.K., tu sortiras avec moi.

– Pas par un chemin trop exigu, plaida Milton nerveusement.

– Tout est exigu, ici, Milton, répliqua sèchement Stone. Tu as vu le nombre d'hommes que Gray a amenés avec lui ?

– Une douzaine.

– Alors, il lui en reste dix.

Leur fuite impliquait désormais de traverser en courant un large espace découvert. Et les hommes de Gray devaient surveiller leurs moindres faits et gestes grâce à leurs jumelles de vision nocturne. En fait, Stone comptait là-dessus. Elles étaient merveilleuses, mais elles avaient leur faille.

Stone ôta ses jumelles, se raidit, puis appuya de nouveau sur le bouton de la multiprise. Les lumières s'allumèrent aussitôt dans la salle, déclenchant des hurlements de douleur. Sous une source lumineuse trop vive, le port d'un appareil de vision provoquait un douloureux éblouissement pendant au moins une minute.

Stone et Milton s'élancèrent en avant.

À peine s'étaient-ils mis à couvert que les hommes de Gray, qui avaient repris leurs esprits, ouvrirent un feu nourri. Laissant Milton sur place, Stone repartit en courant. Finn et son fils étaient toujours dissimulés derrière la barrière, collés au sol sous la pluie de balles. Stone s'empara du diable motorisé rempli de marchandises et fonça vers Finn et David. Les balles rebondirent sur le métal épais. Dissimulés derrière ce bouclier de fortune, les trois hommes reculèrent jusqu'à une zone plus sûre et récupérèrent Milton. Puis, comme des flèches, ils traversèrent le hall, franchirent une série de portes avant de confier David, terrifié, à Annabelle.

– Mon Dieu, qu'est-ce que vous faites ici ? s'écria Annabelle en apercevant Milton.

– C'est une longue histoire, pas le temps de raconter, répliqua Stone. Sortez par le conduit avec David. Milton va venir avec nous.

Finn enlaça son fils, qui sanglotait, ses bras serrés autour de lui.

Finalement, Finn relâcha son étreinte.

– Tu dois partir avec Annabelle, lui expliqua-t-il. Et tu dois aider ta maman. Je viendrai dès que je pourrai.

– Papa, ils vont te tuer. J'en suis sûr.

– J'ai déjà fréquenté des endroits plus dangereux, crois-moi, répondit Finn en s'efforçant de sourire.

Annabelle regarda Stone et lui prit la main.

– Ne mourez pas, Oliver. S'il vous plaît, ne mourez pas.

Après avoir poussé David et la jeune femme dans le conduit avec l'aide de ses compagnons, Finn guida Stone et Milton jusqu'à un souterrain parallèle à celui dans lequel ils se trouvaient. Il avait été aménagé pour le cas où des ouvriers, obligés d'évacuer les lieux, seraient dans l'impossibilité d'emprunter la sortie principale du Visitor Center.

Leur progression s'interrompit devant une porte sécurisée. Stone tira une balle dans le verrou et Finn ouvrit le battant, révélant un large couloir.

– Il conduit au Jefferson Building, dit Finn.

Stone opina du chef.

– Caleb m'a expliqué comment sortir du Jefferson sans se faire repérer. Harry, passe devant, Milton, mets-toi au milieu, je fermerai la marche.

Milton scruta le long couloir plongé dans l'obscurité.

– Tu es certain que c'est sans danger ?

– Aussi sûr que…

Stone ne sut jamais d'où le coup était parti. D'ailleurs, il l'entendit à peine. Rien n'imprégna son champ de vision, ni Finn qui levait son arme pour riposter, ni le sniper qui s'écroulait.

Il ne vit que l'expression qui traversa le visage de Milton. Ses yeux s'écarquillèrent légèrement comme s'il était à peine surpris. Puis il tomba à genoux, sans lâcher Stone du regard. Un filet de sang s'écoula de sa bouche. Il prononça un seul mot.

– Oliver ?

Puis il s'écroula face la première sur le sol en béton. Son corps tressauta une fois puis s'immobilisa tandis que le gros trou au milieu de son dos virait à l'écarlate. Stone avait souvent vu ce type de blessure, elle était fatale.

Milton Farb était mort.

Finn baissa les yeux sur la longue silhouette inerte.

– Mon Dieu !

Stone se laissa tomber à genoux, souleva le corps de son ami et alla le déposer dans un coin avec une infinie douceur. Il lui ferma les yeux et apposa ses longues mains fines sur la poitrine désormais immobile. Ensuite, il se releva, empoigna son fusil et contourna Finn sans prononcer une parole. Il ne courait pas se mettre à l'abri, il retournait dans le Visitor Center.

Harry Finn jeta un coup d'œil sur la porte qui menait au Jefferson Building et à la liberté. Son fils était sain et sauf. S'il partait maintenant, il le rejoindrait dans quelques minutes. Ce combat n'était plus le sien. John Carr avait tué son père. Que lui devait-il ?

*Tout. Il m'a sauvé la vie, ainsi que celle de ma mère et de mon fils. Je lui dois tout.*

Les doigts crispés sur son arme, il s'élança sur les traces d'Oliver Stone.

# Chapitre 92

Ce soir-là, ce ne fut pas le gardien de cimetière débonnaire et d'un certain âge qui fonça dans la bataille. Mais la machine à tuer appelée John Carr, un robot rajeuni de trente ans, en pleine possession des talents et de la férocité qui l'avaient poussé durant une vie entière à raccourcir l'existence de ses semblables. Ses aptitudes étaient intactes. Les balles qui auraient dû avoir raison de lui à maintes reprises l'épargnèrent chaque fois à quelques centimètres près. Le désastre programmé n'eut pas lieu. Peut-être l'heure de la justice avait-elle enfin sonné. Sur l'instant, cette idée ne lui traversa même pas l'esprit. Il se borna à tuer, transformant le Visitor Center inachevé en charnier. Tandis que Finn s'était contenté d'abattre un seul homme, Stone en avait achevé six, dont deux avec une adresse si incroyable que Finn ne comprenait toujours pas comment il avait réussi. On aurait dit qu'il avait simplement souhaité que ses balles touchent leur cible.

Stone avait une autre explication pour justifier sa survie. Bien sûr, les agents de Gray étaient plus jeunes, plus forts, plus rapides et très bien formés. Avant l'attaque, ils bénéficiaient toujours d'une suprématie écrasante. Ils avaient tué des milliers de fois – du moins à l'entraînement.

Mais, dans la réalité, tout devenait différent. En comptant le Vietnam, Stone avait probablement abattu plus de types que tous les hommes de Gray réunis. Et la plupart du temps il n'avait pu compter que sur lui-même. Ce genre de situation vous rendait supérieur à l'ennemi.

Quand le dernier homme tomba enfin, Finn et Stone quittèrent le complexe par l'issue de secours, rejoignant le Jefferson Building grâce au chemin indiqué par Caleb. Stone portait la dépouille de Milton sur ses épaules. Pendant qu'il attendait, le cœur gros, caché derrière un buisson, Finn parvint à dérober une tenue d'infirmier dans un véhicule de secours stationné près de l'épicentre de l'exercice antiterroriste. Puis il repéra près de la bibliothèque une ambulance dont les clés étaient restées sur le contact. Quelques minutes plus tard, Stone et Finn chargèrent le malheureux Milton à l'arrière du break, le visage recouvert d'un drap. Grâce au chaos qui régnait alentour, personne n'aurait pu faire la différence entre un cadavre et un vivant. Tandis que Stone s'installait à l'arrière, Finn démarrait à toute vitesse, gyrophare allumé.

Il jeta un coup d'œil dans le rétroviseur. Stone était assis à côté de son ami, tête baissée. Il n'était pas sorti indemne de l'affrontement. Une balle lui avait transpercé le bras droit, laissant une entaille sanglante ; une autre lui avait éraflé la partie gauche du crâne. Stone ne s'en était même pas aperçu. Pendant qu'il gardait les yeux rivés sur son ami décédé, Finn avait bandé ses blessures grâce au matériel qu'il avait trouvé dans l'ambulance.

Stone souleva le drap, saisit la main encore chaude de Milton dans la sienne et la serra avec force. Puis il murmura des mots que Finn n'entendait pas vraiment, mais qu'il comprenait d'instinct.

– Je suis désolé, Milton. Je suis désolé.

Une larme coula sur le visage tanné de Stone et tomba sur le drap.

À contrecœur, Finn dut interrompre ce moment d'intimité.

– Où voulez-vous emmener Milton ? dit-il.

– Chez lui. Nous l'emmenons chez lui, Harry.

Abandonnant l'ambulance à trois blocs de la maison, ils transportèrent le corps de Milton à travers bois. Stone le déposa dans son lit et se tourna vers Finn.

– Donnez-moi cinq minutes.

Finn acquiesça et se retira respectueusement.

Stone avait connu dans sa chair plus de déchirements qu'il n'aurait dû. À chaque nouveau coup du sort, il avait résisté stoïquement, s'efforçant de regarder l'avenir au lieu de se retourner sur le passé. Mais, devant le corps de son ami, dans l'obscurité, le souvenir de toutes les tragédies qui avaient endeuillé son existence l'assaillit soudain.

Et pour l'une des rares fois de sa vie, Oliver Stone sanglota sans retenue. Il pleura si fort que ses jambes se dérobèrent sous lui ; il se laissa glisser à terre, le corps recroquevillé, comme un enfant désespéré, revivant l'horreur des innombrables cauchemars enfouis au plus profond de lui. Ces derniers surgissaient aujourd'hui comme une lame de fond submergeant une digue écroulée.

Une demi-heure plus tard, vidé de toutes ses larmes, il se leva et effleura le visage de Milton du bout des doigts.

– Adieu, Milton.

# Chapitre 93

Après l'échange, Gray et Simpson avaient rapidement quitté le quartier du Capitole.

– Quand sauras-tu si Carr et le fils de Lesya sont bel et bien morts ? demanda Simpson.

– D'un moment à l'autre. Au fait, tu as été gonflé d'avouer à Carr que c'était toi qui avais décidé son élimination.

– Je ne voulais pas qu'il meure idiot. J'en aurais été frustré.

– Peut-être, mais je n'aurais jamais fait ça, conclut Gray.

Simpson s'empara des anciens ordres de mission de Gray et les lut.

– Le monde s'en trouve mieux grâce à nous.

– Je suis d'accord. Deux dirigeants soviétiques en moins. Nous avons favorisé la paix.

– Pourtant, nous n'avons jamais reçu l'hommage que nous méritions.

– C'est parce qu'on a agi sans autorisation. On a géré l'affaire tout seuls.

– Les véritables patriotes vont au bout de ce qu'ils doivent faire. Et maintenant ?

– On va détruire ces documents et ce téléphone portable.

Il reprit les papiers des mains de Simpson.

– Qu'est-ce qu'il y a sur cet enregistrement ? s'enquit le sénateur. Je n'ai pas pu entendre, tout à l'heure.

– Ne t'en plains pas, Roger. Sinon, j'aurais été obligé de te tuer toi aussi.

Simpson le fixa avec incrédulité.

– Tu plaisantes ?

– Bien sûr, mentit Gray.

À 4 heures du matin, Carter Gray reçut enfin les nouvelles. Ses hommes avaient été abattus. Carr et Finn étaient parvenus à s'enfuir. La machine à tuer nommée John Carr n'avait de toute évidence rien perdu de son savoir-faire. Gray téléphona immédiatement à Simpson.

– Alors ? lui demanda ce dernier.

– Comme prévu, Roger. Carr et Finn sont morts. Il n'y aura rien aux informations. On va étouffer l'affaire.

– Excellent. Désormais, on peut tourner la page.

Gray raccrocha. *Parfait.*

Il rendit visite au Président un peu plus tard dans la journée, après avoir pris soin de faire nettoyer le Visitor Center.

Le commandant en chef n'était pas particulièrement ravi des derniers évènements.

– Bon sang, que s'est-il passé, hier soir ? On m'a dit qu'il y avait du sang partout et les traces d'un affrontement armé.

– Monsieur, nous avons pu remonter la piste de John Carr et du fils de Lesya qui se cachaient dans le Visitor Center.

– Mon Dieu, au milieu du Capitole !

– Je ne sais absolument pas comment ils sont entrés là-dedans, mais c'est un fait. On a reçu un tuyau, et nous nous sommes rendus sur place avec un détachement de paramilitaires. On a essuyé une fusillade très intense.

– Ensuite, comment cela a-t-il tourné ?

– Les cibles visées ont été éliminées, répondit Gray d'un ton vague.

– Avons-nous des victimes à déplorer ?

– Oui, malheureusement. Les familles ont été prévenues.

– Où sont les corps ?

– On les a expédiés en avion à l'étranger pour les enterrer discrètement. Il faut garder le plus grand secret sur cette affaire. La presse s'en donnerait à cœur joie.

– Écoutez, Carter, je suis le président des États-Unis. Je veux tout savoir de ce dossier. Et je veux en être informé immédiatement.

Gray se rassit. Il s'attendait à une telle réaction. Il tira de sa poche les lettres de mission. Il avait au préalable détruit le téléphone portable, mais ces ordres avaient trop de valeur. Principalement parce qu'ils ne portaient pas son nom.

Le Président parcourut les documents.

– Roger Simpson ?

Gray hocha la tête.

– Laissez-moi vous raconter toute l'histoire, monsieur.

Son récit n'était que pure invention, mais Gray le déploya avec tant d'autorité et d'assurance que, lorsque le Président s'enfonça dans son fauteuil, il fut évident qu'il l'acceptait comme une vérité.

– Et le rôle de Lesya et de Rayfield Solomon ? questionna le Président. Solomon est considéré comme un traître à son pays. L'était-il vraiment ? Si ce n'est pas le cas, nous devons réparer cette injustice d'une façon ou d'une autre.

Gray eut une hésitation.

– Je ne pourrais pas l'affirmer à cent pour cent, monsieur.

– Mais vous m'avez dit qu'on l'avait éliminé. Qu'il avait trahi.

– À l'époque, cela semblait évident. Aujourd'hui, cela l'est peut-être moins. Je dois continuer à enquêter.

– Faites-le, Carter. Faites-le. Et si on découvre que cet homme était innocent, on rectifiera, vous comprenez ?

– Je me range à votre décision bien volontiers. Ray Solomon était mon ami.

– Mon Dieu ! Deux chefs d'État soviétiques assassinés par les États-Unis. Je ne peux pas le croire.

– Vous n'êtes pas le seul, monsieur.

– Est-ce à dire que vous n'étiez pas au courant ? répliqua sèchement le Président.

Gray choisit ses mots avec soin.

– On regardait les choses sous un autre angle, à l'époque. Nous avions la preuve que les Soviétiques prévoyaient d'assassiner de temps à autre des Présidents américains, mais nous avons pris des mesures pour les en empêcher. La vérité a été gardée secrète pour éviter une guerre nucléaire. Il n'y a jamais eu de complots officiels contre les dirigeants soviétiques, mais vous devez comprendre que la guerre froide battait son plein, même si on peut le regretter…

– Alors, bon sang, qui a ordonné l'assassinat d'Andropov et de Tchernenko ?

– Ces ordres n'ont pas transité par mon bureau.

– Êtes-vous en train de me dire que Roger Simpson, qui, si je me rappelle bien, n'était qu'un intermédiaire, a agi seul ?

– Non, pas du tout. Jamais il n'aurait pris une décision pareille dans son coin. Il a dû recevoir l'autorisation par les canaux hiérarchiques.

– Canaux qui vous ont contourné ? Pourquoi ? Vous étiez son supérieur, n'est-ce pas ?

– Pas dans tous les domaines, monsieur. Et mes sentiments sur les assassinats de chefs d'État étrangers étaient clairs. Ils étaient rendus illégaux par décret présidentiel, et pour moi c'était une ligne blanche à ne pas franchir.

– Bien. Peut-être devrais-je discuter de ça directement avec Roger.

– Je ne suis pas sûr que ce soit sage, monsieur. Il est en lice pour la Maison-Blanche. Il est membre de votre parti. Si vous procédez à une enquête, il y aura des fuites dans la presse et finalement la vérité éclatera. Comme vous le savez, c'est beaucoup plus difficile de garder un secret, de nos jours.

– Nous sommes dans l'ère de la dénonciation, oui, je sais.

– Et que dira le sénateur Simpson ? Ces ordres de mission sont signés de sa main. Il se défendra en disant que c'est sa hiérarchie qui les a émis. Il vous dira même peut-être que j'étais au courant. On ne peut pas lui en vouloir d'essayer de se couvrir. Mais l'affaire est terminée. Deux hommes ont été tués. Illégalement ? Probablement. Est-ce que la fin a justifié les moyens ? Je pense que l'humanité répondrait oui. Je pense qu'il ne faut pas réveiller le chien qui dort, monsieur le Président. Surtout ne le réveillons pas.

— Je vais y réfléchir, Carter. Mais tenez-moi informé des prochains développements.

— Encore une chose, monsieur.

— Oui.

— J'aimerais reprendre mon travail. À la tête des renseignements. Je veux à nouveau servir mon pays.

— Eh bien, comme vous ne l'ignorez pas, ce poste est pour l'instant vacant. Il est à vous si vous le voulez vraiment. Je doute que le Sénat fasse des problèmes pour le confier au lauréat de la médaille de la liberté.

— Je le souhaite de tout mon cœur, monsieur le Président.

Ce dernier serra la main de Gray.

— J'apprécie la franchise dont vous avez fait preuve aujourd'hui, Carter. Vous êtes un véritable patriote. Si tout le monde pouvait être comme vous !

— Je ne fais que mon travail, monsieur.

Avec Carr rôdant toujours dans les parages, son plus cher désir était surtout de s'entourer du plus grand nombre possible d'hommes armés.

— Vous savez, je crois que vous feriez un bon Président.

Gray éclata de rire.

— Merci, monsieur, mais je ne pense pas être fait pour le job.

Ce que Gray ne disait pas, c'est qu'il s'estimait en réalité bien trop qualifié pour ce poste. Seul l'intéressait le véritable pouvoir. Le Président n'avait comme seule latitude que de déclencher des guerres, et ces dernières devenaient trop rares. Le reste du temps, il était condamné à l'impuissance.

Gray quitta la Maison-Blanche et grimpa dans son hélicoptère, qui prit aussitôt de l'altitude. Il aurait dû se sentir victorieux, rasséréné. Mais il ne l'était pas. Il ne s'était jamais senti aussi déprimé de toute sa vie.

# Chapitre 94

À l'exception d'Oliver Stone, tous assistèrent aux funérailles de Milton. Caleb était si accablé par la perte de son ami qu'Alex et Annabelle durent l'aider à se tenir debout. Harry Finn aurait souhaité être présent, mais il vivait toujours caché avec sa famille.

Après s'être renseigné auprès de sa hiérarchie, Alex avait appris que ses problèmes s'étaient envolés.

– J'ignore ce que c'était que ce bordel, lui dit son directeur, et je crois que je n'ai pas envie de le savoir.

Une semaine plus tard, ils se réunirent tous dans l'appartement de Caleb pour honorer la mémoire de Milton. Cette fois, Finn vint avec Lesya.

– Je n'arrive pas à croire qu'Oliver ait raté les obsèques de Milton, dit Reuben en fixant son verre de bière. C'est incompréhensible, ajouta-t-il, les yeux rougis.

Annabelle se tourna vers Alex.

– Aucune nouvelle de lui ?

Alex secoua la tête.

– Harry, vous avez été le dernier à l'avoir vu. A-t-il dit quelque chose sur l'endroit où il se rendait ? Sur ce qu'il comptait faire ?

Finn eut un geste de dénégation.

— Je sais qu'il se reproche la mort de Milton.

— J'ai lu dans le journal, intervint Caleb d'un ton plein de colère, que Carter Gray allait reprendre la tête du renseignement américain. N'est-ce pas merveilleux ? Nous savons tous ce qu'il a fait. Malheureusement, nous n'avons aucune preuve.

Il se laissa choir dans un fauteuil et contempla la photographie de Milton qu'il avait posée sur une étagère, afin que tout le monde la voie. Des larmes coulèrent sur ses joues grassouillettes.

— Ma famille et moi allons devoir quitter le pays. Gray ne s'arrêtera que lorsqu'il nous aura coincés, annonça Finn.

— Je ne pense pas. Il est temps de mettre un terme à cette folie.

Tous les yeux se tournèrent vers Lesya, qui avait pris place dans un coin. De son sac, elle sortit un objet plutôt inhabituel dans les mains d'une vieille dame. Un ourson.

— Voici le jouet préféré de ma merveilleuse petite-fille. L'ours que je lui ai donné quand elle était toute petite.

Tous la dévisagèrent en se demandant si elle n'avait pas brusquement perdu l'esprit.

— Susie m'a donné la permission, précisa-t-elle.

Elle prit un petit canif dans son portefeuille et défit les coutures maintenant les différentes parties de l'animal. Elle écarta la mousse, d'où elle tira un petit écrin.

— C'est un artisan russe qui l'a fabriqué spécialement pour moi.

Elle ouvrit la boîte, révélant un appareil électronique de la taille du pouce, avec un port USB.

— Quelqu'un a un ordinateur ?

Sur l'écran du PC apparut une pièce aux modestes dimensions chichement meublée. Quatre personnes étaient assises autour d'une table en bois. Lesya et Rayfield Solomon, avec quelques années de moins, étaient installés l'un près de l'autre. En face d'eux se trouvait un jeune homme qui n'était autre que Roger Simpson. L'individu à ses côtés n'avait pas beaucoup changé.

– Carter Gray ! s'exclama Alex.

Lesya hocha la tête.

– C'est Rayfield qui a eu l'idée de filmer secrètement cette scène. La mission était d'une telle ampleur…

Les quatre protagonistes discutaient du projet d'assassinat. Apparemment, Andropov avait déjà été tué et ils se concentraient maintenant sur le sort de Konstantin Tchernenko, le seul homme qui s'interposait entre le pouvoir et Gorbatchev.

– Ray et Lesya, vous avez accompli un merveilleux travail, disait Gray. Personne n'a émis le moindre doute sur le décès d'Andropov. Tout le monde croit qu'il a succombé à des causes naturelles.

– Certains poisons ne laissent aucune trace, renchérit Lesya. Et nombreux sont ceux dans les sphères du pouvoir qui n'étaient pas malheureux de perdre Andropov.

– Peut-être que ce sera pareil avec Tchernenko, déclara Simpson. Maintenant qu'il a été nommé secrétaire général.

Gray l'interrompit.

– Pour la suite, attendez un peu. Au moins une année. Ça nous laissera le temps d'arranger les choses de notre côté et d'éviter les soupçons. Tout indique aujourd'hui que Gorbatchev prendra le pouvoir après la mort de Tchernenko.

– Si nous attendons, Konstantin mourra peut-être sans poison. Il n'est pas bien portant, fit remarquer Solomon.

– Alors patientons une année, répéta Gray. Puis, s'il est toujours en vie, toi et Lesya veillerez à ce qu'il ne s'éternise pas trop.

– Le directeur et le Président partagent ce point de vue ? questionna Solomon.

– Absolument, répondit Simpson. Ça leur paraît essentiel pour la paix mondiale et le démantèlement de l'URSS. Comme vous le savez, beaucoup de gens veulent la même chose dans le camp soviétique.

Gray rayonnait.

– Vous serez tous deux des héros, s'enflamma-t-il. (Il se tourna vers Lesya.) Votre ralliement à notre cause a fait toute la différence. Si la paix s'établit entre les États-Unis et ce qui reste de l'URSS, ce sera en grande partie grâce à vous. Et même si le grand public n'en saura jamais rien, vous aurez gagné la gratitude éternelle de votre pays d'adoption. Vous et Ray avez risqué votre vie un nombre incalculable de fois pour les États-Unis et je vous apporte un message qui émane directement du Président. Il vous exprime sa plus profonde reconnaissance pour tout ce que vous avez fait pour l'Amérique.

Le film se poursuivit encore quelques minutes puis s'arrêta.

– Je n'ai jamais rencontré d'êtres humains aussi doués pour le mensonge que votre Carter Gray ou votre Roger Simpson, commenta Lesya. À côté d'eux, j'étais une amatrice.

– Putain, pourquoi ne pas nous avoir montré ça avant ? demanda Alex.

– Seuls les fous utilisent toutes leurs munitions au premier round. Il faut toujours garder des cartouches en réserve. J'ai fait protéger le film et je l'ai enregistré sur cet appareil que j'ai introduit dans l'ours avant de donner ce dernier à Susie.

– Mon Dieu, tous ces morts, et Milton, bredouilla Caleb d'une voix cassée.

– Je ne pouvais rien faire pour l'éviter, riposta-t-elle. Si on leur avait donné aussi ce document, où serions-nous aujourd'hui ? Ça n'aurait pas empêché les autres de mourir. Votre ami non plus. Et nous aurions tout perdu.

– Qu'est-ce qu'on va faire de ce film ? s'enquit Alex.

– Je veux rencontrer Carter Gray.

– Quoi ? s'exclama Finn.

Lesya sourit.

– Laissez-moi lui parler au téléphone. Vous verrez qu'il acceptera de me recevoir.

# Chapitre 95

– Ça fait longtemps, Lesya, dit Gray.

Tous deux se faisaient face dans un petit motel de Fredericksburg, en Virginie.

– Tu m'as annoncé au téléphone que tu voulais me montrer quelque chose, continua-t-il.

– Je sais que tes hommes sont planqués dehors. Tu as toujours des hommes planqués dehors.

– Oui, dans mon métier, on doit prendre des précautions. Alors, cet objet qu'il fallait que je voie ? Je n'ai pas beaucoup de temps.

Lesya ouvrit l'ordinateur portable qu'elle avait apporté avec elle. Gray regarda le film sans bouger jusqu'à ce que l'écran redevienne noir. Il releva la tête et la fixa.

– C'était une idée de Rayfield, cet enregistrement ?

– Oui.

– S'il soupçonnait la vérité, pourquoi a-t-il exécuté la mission ?

– En réalité, il a surtout tourné ce document pour me protéger. Il savait à quel point j'étais vulnérable. Lui était couvert par les Américains. Moi, je n'avais rien.

– J'ai toujours profondément regretté ce qui vous est arrivé à toi et à Rayfield. Par bien des côtés, il a été le meilleur ami que j'aie jamais eu.

– Il t'a fait confiance, Carter. Je me méfiais de toi, lui non. C'était Simpson qu'il soupçonnait.

– Il savait juger les hommes. (Gray se pencha, impatient manifestement d'avouer enfin la vérité.) Lesya, je n'ai pas donné l'ordre de le tuer. C'est Roger le responsable. Je n'aurais jamais fait ça à Ray. Jamais. Quand j'ai appris la nouvelle, j'ai été furieux, mais j'étais impuissant. J'ai pesé de tout mon poids pour qu'on enlève le nom de Ray sur le « mur de la honte » à la CIA. Mais Roger avait trop bien ficelé les choses. Cette histoire de trahison était très convaincante. Et, comme Ray était mort et incapable de se défendre, j'étais pieds et poings liés.

– Je ne veux pas de tes explications, Carter. Ce qui est fait est fait. Rien ne pourra rendre la vie à mon mari.

– Mais on est arrivés au résultat qu'on voulait. Toi plus que quiconque, tu comprends ce que ça signifie pour le monde. Ray l'aurait compris.

– Oh oui, mais j'ai perdu mon époux. Et son nom est aujourd'hui synonyme de traître à son pays. Il est mort pour l'Amérique, qui le traite comme un renégat. Je ne peux pas le supporter.

– J'étais coincé. En dénonçant Roger, je me compromettais moi aussi. Simpson le savait. Il manque peut-être d'honneur, mais il n'est pas stupide.

– Ainsi, tu as refusé de t'exposer pour sauver la réputation de ton « meilleur ami » ? Tu n'as pas abandonné ta carrière pour ça ? Rayfield était peut-être ton meilleur ami, mais de toute évidence tu n'étais pas le sien.

– J'admets que j'ai été faible et égoïste de ne pas me sacrifier pour Ray.

– Oui, effectivement, cracha-t-elle. Ainsi, ton gouvernement n'a pas autorisé ces assassinats ? C'est toi, Simpson et quelques autres qui les ont décidés ? Je sais que tu ne répondras pas à ces questions, mais c'est la vérité. J'ai eu des dizaines d'années pour y réfléchir.

Elle l'observa. Gray avait perdu son assurance coutumière.

– Roger avait peur. Il craignait que Ray ne découvre que personne n'avait autorisé le complot. Tu sais que Ray n'aurait pas hésité à vendre la mèche sans se soucier des conséquences, même si elles risquaient de l'atteindre lui aussi.

– C'est exact. Mon mari était un homme honorable. Cependant, il a été assassiné, et Roger Simpson a fait une belle carrière de sénateur dans ce pays.

– Lesya, tu sais comment ça se passait, à l'époque…

D'un geste de la main, elle l'interrompit.

– C'était exactement pareil qu'aujourd'hui. Rien n'a changé, sauf les gens. Et ceux qui jouent à ce genre de petit jeu sont tous les mêmes. Ils parlent de faire le bien, de rendre le monde plus vivable. Tout ça, c'est des conneries. La seule chose qui compte pour eux, c'est d'avoir le pouvoir et de protéger leurs intérêts. Ç'a toujours été comme ça. Toujours !

Gray s'enfonça dans son fauteuil.

– Au fond, qu'est-ce que tu veux ? Je suis sûr que tu y as réfléchi aussi pendant toutes ces années.

– Oh oui ! Je sais exactement ce que je veux. Ça fait trente ans que j'attends le moment de pouvoir te le dire, espèce de salaud. Maintenant, tu vas rester ici sans bouger. Et tu feras exactement ce que je t'ordonne.

Quand Lesya eut terminé, Gray se leva.

– En échange de ce que tu m'as demandé, puis-je avoir l'original de ce film et toutes les copies existantes ?

– Non. Tu devras te contenter de ma parole. Je t'ai dit que je l'emporterais dans la tombe. Toi et Simpson pouvez vous estimer chanceux. Je pourrais vous détruire tous les deux. Maintenant, va-t'en. Je ne veux plus jamais te revoir. Oh… tu peux dire quelque chose à ce bon vieux sénateur de ma part ?

– Quoi ?

– J'ai entendu dire qu'il voulait devenir Président.

– Oui, il a l'intention de faire campagne.

– Qu'il reconsidère ses projets. À moins qu'il n'ait envie que je montre ce film au public américain. Tu lui diras ça.

– Je le ferai. Au revoir, Lesya. Penses-en ce que tu veux, mais je suis désolé.

D'un mouvement impérieux de la main, elle renvoya un homme qui, prochainement, allait se retrouver de nouveau à la tête de l'empire des renseignements américains.

La photographie de Rayfield Solomon fut décrochée du « mur de la honte» à la CIA. Et on donna à cette révision de l'Histoire des raisons fallacieuses, à la rubrique « apparition d'éléments nouveaux » que l'agence fédérale s'empressa de classer. Qui sait si, dans une centaine d'années, les écoliers américains ne pourront pas les consulter ? On décerna à Solomon, à titre posthume, la plus grande récompense que la CIA réservait à ses agents de terrain. Plus jamais son nom ne serait associé au mot « trahison ».

Lesya Solomon reçut la médaille de la liberté, une première pour une ancienne espionne russe. Les motifs d'une telle décoration furent de nouveau classés top secret, mais les journaux télévisés en rendirent compte. Lesya accorda même une interview à une chaîne d'info dans laquelle elle exalta l'amélioration des relations américano-russes. Elle acheva cet entretien en disant qu'elle regrettait que son héros de mari, qui avait tant fait pour mettre un terme à la guerre froide, ne soit pas en vie pour voir cela. Puis elle refusa toute autre publicité et retomba dans l'oubli.

Sans surprise, la nomination de Gray à la tête des renseignements fut validée par le Sénat. Tous les jours, un hélicoptère venait le chercher dans sa retraite hautement sécurisée du Maryland pour le déposer à son bureau de Virginie. Il était retourné à son existence faite d'opérations clandestines, de choix cornéliens qui influençaient la marche du monde. Un seul mot de Carter Gray, disait-on, faisait trembler les nations. L'homme était de nouveau dans son élément.

Mais, aux yeux de ceux qui le connaissaient bien, il avait changé. Son écrasante personnalité, son intolérance implacable envers ceux qui commettaient des erreurs, son assurance ahurissante n'étaient plus les mêmes.

De temps en temps, on pouvait le surprendre, assis à son bureau, fixant le mur, une vieille photographie à la main. Personne ne savait ce que représentait ce cliché qu'il conservait sous clé dans un coffre-fort.

Sur la photo, Lesya, Rayfield Solomon et Carter Gray affichaient un air encore juvénile et paraissaient heureux et épanouis. Ils faisaient un métier excitant et risquaient leur vie pour que des milliards d'hommes vivent en paix. Ces visages respiraient plus que de l'amitié, on y lisait l'amour qui s'était tissé entre eux. Devant cette image jaunie, Carter Gray pleurait de temps à autre.

# Chapitre 96

Six mois avaient passé, et personne n'avait eu de nouvelles d'Oliver Stone. Caleb était retourné travailler à la Bibliothèque, mais les vieux livres qui lui avaient donné tant de plaisir n'étaient plus désormais à ses yeux que… de vieux livres. Reuben avait regagné les docks puis, de retour chez lui, il s'asseyait sur son canapé, une bière à la main à laquelle il ne touchait pas. Il la versait finalement dans l'évier et allait se coucher.

Avec la disparition d'un de ses membres et l'évaporation de son chef dans la nature, le Camel Club semblait officiellement dissous.

Harry Finn avait rejoint son équipe Red Cells et repris ses missions pour la Sécurité intérieure. Grâce à l'intervention de Lesya et à la preuve qu'elle détenait, il n'y avait plus aucun risque que Carter Gray s'attaque à sa famille. Ni que Finn soit traduit devant les tribunaux pour l'assassinat de trois hommes et la tentative de meurtre contre Carter Gray.

Cependant, Finn, qui n'avait pas l'âme d'un tueur, restait hanté par ces crimes. Il s'octroya finalement un congé sabbatique de six mois. Six mois durant lesquels il profita de sa famille, accompagnait ses enfants à l'école ou au sport et serrait sa femme dans ses bras lorsqu'elle s'endormait. Sa mère, avec qui il était resté en contact, refusa d'accéder à sa prière de s'installer chez eux. Il aurait souhaité la connaître autrement, dans une atmosphère dénuée de secrets, de complots et de morts violentes, mais visiblement elle ne le souhaitait pas. Si cette attitude blessa Finn, il n'en montra rien.

Annabelle aurait pu quitter Washington et dilapider les millions qu'elle avait volés à Bagger, mais elle fit un autre choix. Après avoir été auditionnée par le FBI en compagnie d'Alex à propos de l'affaire Bagger – audition qui fit l'impasse sur la fortune qu'elle lui avait dérobée –, elle se lança dans une nouvelle escroquerie. Sa cible fut, cette fois, l'église propriétaire du cottage de Stone. Elle parvint à les convaincre qu'elle était la fille de leur locataire et se porta volontaire pour emménager dans les lieux et surveiller le cimetière en attendant que son père rentre de ce qu'elle leur décrivit comme des vacances bien méritées.

Elle avait rénové la maison et l'avait remeublée tout en prenant soin des affaires de Stone. Puis elle s'occupa de l'extérieur. Alex passait fréquemment lui donner un coup de main. Un soir, ils allèrent s'asseoir sous le porche.

– C'est incroyable comme vous avez transformé cette demeure, dit Alex.

– Je dois avouer qu'elle offrait de belles possibilités, reconnut Annabelle.

– Alors vous pensez pouvoir vous fixer quelque temps ici ?

– Jusqu'à aujourd'hui, je ne voulais pas entendre parler d'un foyer. Je me moquais d'Oliver, qui était capable de vivre dans un cimetière, mais finalement ça me plaît, ici.

– Je peux vous faire visiter la ville, si vous voulez.

– Vous me sauvez la vie, maintenant, vous me proposez de sortir avec vous. Vous êtes un flic multiservices.

– Ça fait partie des devoirs du métier.

– D'accord. Je suis une arnaqueuse, vous vous rappelez ? C'est mon job.

– Disons plutôt « arnaqueuse à la retraite », O.K. ?

– Absolument.

Pour une fois, elle ne paraissait pas tout à fait convaincante.

Ils se laissèrent glisser au fond de leurs sièges, le regard tourné vers les tombes.

– Vous croyez qu'il est toujours en vie ? demanda-t-elle.

– Je ne sais pas. Je l'espère, mais je ne sais pas.

– Est-ce qu'il va revenir, Alex ?

Il ne répondit pas, seul Oliver Stone pouvait prendre cette décision. Il fallait qu'il ait envie de réapparaître. Et chaque jour qui passait finissait par convaincre Alex qu'il ne reverrait jamais plus son vieil ami.

# Chapitre 97

Lorsque Carter Gray avait transmis à Roger Simpson le message de Lesya, ce dernier avait d'abord répondu de manière prévisible.

– Il y a sûrement quelque chose à faire pour éviter ça, avait gémi Simpson. J'ai travaillé toute ma vie pour me présenter à la Maison-Blanche.

Il regarda Carter Gray, plein d'espoir.

– Je ne vois pas quelle pourrait être la solution, répliqua Gray.

– Tu sais où elle est. Si nous parvenons…

– Non, Roger. Lesya a assez souffert. Elle mérite de vivre en paix le peu de temps qui lui reste.

L'expression de Simpson indiqua clairement son désaccord. Gray lui répéta de laisser tomber puis partit.

Les mois passaient, et Simpson continuait de broyer du noir. Le nom de Solomon réhabilité. Une médaille décernée à Lesya ! Gray de nouveau au pouvoir. C'était trop injuste. Cette situation le rongeait, le rendant encore plus morose et insupportable que d'habitude. En conséquence, sa femme se mit à passer de plus en plus de temps en Alabama ; ses amis et collègues l'évitèrent.

Un matin, un peu avant l'aube, Roger Simpson était assis tristement en peignoir après avoir récupéré comme tous les jours le journal sur le seuil de sa porte. Sa femme était allée rendre visite à des amis à Birmingham. Autre chose le rendait furieux : personne n'avait kidnappé son épouse. Finn et Carr avaient bluffé pour le forcer à quitter son bureau sans faire d'histoires. Hors de l'immeuble, loin de la bombe, il aurait pu faire arrêter Carr. Seulement il était trop effrayé. Ce souvenir renforçait sa colère.

Heureusement, Finn et John Carr étaient morts tous les deux. Cependant, il resterait à jamais sénateur ; sa tentative de conquérir le bureau ovale avait fait long feu. À l'idée d'avoir perdu le rêve de toute une vie, Simpson fracassa sa tasse de café contre le mur.

Puis il se laissa tomber devant la table de la cuisine, l'œil fixé au-delà de la fenêtre plongée dans l'obscurité ; il faudrait encore plusieurs heures avant que le soleil se lève au-dessus du littoral.

*Il doit bien y avoir un moyen*, se dit-il. *Il y en a forcément un.*

Il ne pouvait pas laisser une ancienne espionne russe, qui aurait mérité mille fois la mort, lui bloquer le passage vers la fonction la plus élevée du pays.

Il soupira, ouvrit son quotidien et se raidit brusquement. Devant ses yeux, une photographie scotchée sur la première page semblait le dévisager fixement.

Soudain, il reconnut cette femme.

Puis la tête de cette dernière disparut. À la place, il n'y eut plus qu'un trou béant. Simpson hoqueta et baissa les yeux sur sa poitrine. Du sang en jaillissait. La balle l'avait atteint après avoir traversé le journal, pulvérisant soigneusement le visage de la femme. Le tir était redoutable.

Il tourna un regard voilé vers la vitre brisée par l'impact. De l'autre côté de la rue se dressait le squelette de l'immeuble toujours en construction. En s'affaissant sans vie sur la table cuisine, Simpson eut le temps de mettre un nom sur son assassin.

# Chapitre 98

En reconstruisant en hâte la maison de Carter Gray perchée sur la falaise qui surplombait la Chesapeake Bay, on avait pris toutes les précautions pour garantir une sécurité totale au nouveau chef des renseignements. L'objectif visait bien évidemment à empêcher une nouvelle explosion de la propriété. Dans cette optique, et en tenant compte de certaines observations qu'avaient faites Oliver Stone, toutes les fenêtres avaient été équipées d'un vitrage pare-balles et le régulateur de gaz n'était plus accessible de l'extérieur. Les gardes continuaient de dormir dans le cottage situé près de la maison, et on avait rebâti la chambre forte souterraine et le tunnel de secours.

Gray se levait de bonne heure et se couchait tard le soir. Dans quelques années, il prendrait sa retraite avec une réputation intacte, celle d'un des plus grands serviteurs de l'État qu'ait connus son pays. L'homme accordait une grande importance à ce titre de gloire.

L'orage qui venait de la baie approchait rapidement. Gray entendit les grondements du tonnerre alors qu'il s'habillait dans sa chambre. Il regarda sa montre : il était 6 heures du matin. Il devait se hâter.

Il prit place dans le convoi composé de trois 4×4 : le sien se trouvait au milieu. Un chauffeur et un garde montèrent dans son Escalade ; les deux autres véhicules transportaient six hommes armés.

Lorsque les voitures quittèrent la propriété pour s'engager sur la route principale, il commença à bruiner. Gray se plongea dans l'examen du rapport ouvert sur ses genoux en vue de préparer sa première réunion de la matinée, mais ses pensées étaient ailleurs.

John Carr était toujours dans les parages.

C'est au moment où le convoi ralentissait pour négocier un virage que Gray aperçut une chose inhabituelle. Il baissa sa vitre pour mieux la voir. Sur le bas-côté de la route, plantée dans l'herbe, il y avait une stèle blanche flanquée d'un petit drapeau américain qui ressemblait comme deux gouttes d'eau à celles du cimetière national d'Arlington.

Quelques secondes plus tard, Gray réalisa son erreur. Avant qu'il ait eu le temps de crier, la balle d'un fusil longue portée l'atteignit en pleine tête, mettant un terme à son existence.

Tandis que ses hommes se ruaient vers l'endroit d'où était venu le coup de feu, un nouveau tir ouvrit la portière du passager. Le corps ensanglanté de Carter Gray s'affaissa, toujours prisonnier de sa ceinture de sécurité.

– Fils de pute…, murmura l'agent de sécurité avant de composer un numéro sur son téléphone portable.

# Chapitre 99

Oliver Stone avait abattu Gray à une telle distance qu'il n'avait pas besoin de courir pour échapper à ses gardes du corps. Il avait déjà réussi des tirs plus compliqués dans sa carrière, mais aucun n'avait eu autant d'importance à ses yeux. Il retraversa le bois d'un pas tranquille en direction de la maison du défunt. Soudain, la pluie redoubla d'intensité ; les éclairs et les grondements de tonnerre reprirent de plus belle.

Il avait tué Simpson depuis l'immeuble en construction de l'autre côté de la rue, son fusil à lunette perché sur un baril de pétrole. La photographie collée dans le journal était celle de son épouse, Claire. Il voulait que Simpson sache. Il avait placé le cliché à un endroit précis de la page et prévu son tir en conséquence, afin de ne laisser derrière lui aucun indice sur l'identité de cette femme.

Puis il s'était immédiatement rendu ici en voiture pour éviter que Gray, informé de l'assassinat de Simpson, n'aille se terrer quelque part. Il avait mis son plan sur pied la nuit précédente. L'orage venant de la côte était un élément décisif. Les hélicoptères ne décollant pas avec une telle météo, Gray serait obligé de monter dans le convoi. Stone avait déposé la stèle flanquée du drapeau sur le bord de la route, convaincu que Gray baisserait sa vitre pour assouvir sa curiosité. Ces quelques secondes étaient tout ce dont il avait besoin. Grâce à la portée et à la fiabilité de son fusil, à son talent de tireur d'élite toujours aussi remarquable en dépit des années, il était presque certain de réussir son coup. Et il y était parvenu.

Il longea l'orée de la propriété de Gray d'un pas soutenu, mais sans hâte. Les gardes du corps étaient sur ses talons, mais il avait attendu cet instant toute sa vie. Pourquoi ne pas le savourer ?

Arrivé au bord de la falaise, il contempla la mer assombrie qui bouillonnait en contrebas. Une image surgit dans son esprit, celle d'un jeune homme très amoureux, tenant sa femme d'une main, sa petite fille de l'autre. Le monde semblait leur appartenir : tout paraissait possible. Cependant, leur avenir s'était rétréci comme une peau de chagrin. La vision qui s'imposa soudain devant ses yeux, celle de John Carr courant de meurtre en meurtre pendant une dizaine d'années, expliquait ce gâchis.

Il avait construit son existence sur le mensonge, la tromperie, l'urgence et la mort violente, et sa seule justification était d'avoir agi avec l'autorisation de l'État. Mais, au final, il avait payé le prix fort.

Ce jour-là, dans la clinique, il avait menti à Harry Finn en lui disant qu'il était différent des autres, de Bingham, de Cincetti et de Cole. C'était faux. De bien des façons, il était leur semblable.

Il tourna les talons et s'éloigna du précipice. Puis, après avoir accompli un demi-tour sur lui-même, il s'élança en direction de l'abîme et sauta dans le vide, bras et jambes écartés.

Un souvenir vieux de trente ans. Ce jour-là, il venait de tuer un homme, et une douzaine de types le pourchassaient avec l'idée de lui faire la peau. Il avait couru aussi vite que le vent ; personne n'aurait pu le rattraper. Il était plus rapide que le cerf.

Il avait volé jusqu'au rebord d'une falaise trois fois plus haute que celle-ci et, sans hésiter, s'était élevé dans les airs. Au cours de sa chute, il avait senti les balles pleuvoir autour de lui. Puis il avait touché l'eau dans un plongeon impeccable et avait refait surface, avant de recommencer à tuer le lendemain.

Quelques minutes avant l'impact, les bras et les jambes de Stone se positionnèrent en une figure parfaite. Il y avait des choses qu'on n'oubliait jamais. Votre cerveau n'avait pas besoin d'envoyer de message, le corps savait exactement ce qu'il devait faire. Et, durant presque toute sa vie, John Carr avait su ce qu'il fallait faire.

Une seconde avant d'atteindre la surface de la mer, Oliver Stone eut un sourire. Et John Carr disparut dans les vagues.

# Ne lisez pas cela avant d'avoir fini le livre

J'espère que vous avez aimé cette histoire. Simplement ce petit message pour éviter de recevoir des e-mails me disant que j'ai commis une erreur manifeste : j'ai joué avec la chronologie, en mettant Youri Andropov et Konstantin Tchernenko au pouvoir en Union soviétique, afin de coller à la carrière de tueur d'Oliver Stone. En tant que romancier, j'ai toute latitude pour cela. Cette faculté m'est octroyée par la Déclaration des droits de l'écrivain, et par son paragraphe intitulé « Pourquoi s'embêter avec la vérité quand on peut l'inventer ? ». Ce texte a été officiellement promulgué par le Congrès, organisme illustre qui a une expérience enviable en la matière.

# Remerciements

À Michelle, l'aventure continue et je ne pourrais la vivre avec personne d'autre.

À Mitch Hoffman, le premier parmi tellement d'autres.

À Aaron Priest, Lucy Childs, Lisa Erbach Vance et Nicole Kenealy, qui me permettent de me concentrer sur l'écriture. Et qui, comme toujours, me parlent franchement.

À David Young, Jamie Raab, Emi Battaglia, Jennifer Romanello, Martha Otis et tous les gens merveilleux de chez Grand Central Publishing, qui m'accompagnent à chaque pas. Les noms changent, mais les personnes sont toujours aussi formidables.

À David North, Maria Rejt et Katie James, de Pan MacMillan, qui me guident pour traverser la « Mare » et m'emmener au sommet.

À Grace McQuade et Lynn Goldberg, pour notre nouveau et génial partenariat. Merci pour tout le travail que vous avez accompli. Cela en valait la peine.

À Shane Drennan, pour tous ses conseils d'expert. J'espère les avoir utilisés à bon escient.

Je dois la scène de la table de craps à Alli et Anshu Guleria et à Bob et Marilyn Schule. Merci à tous. À bientôt à Vegas.

À Deborah et Lynette, le personnel stellaire de Starship Enterprise.

Et merci aux millions de fans du Camel Club, pour leur capacité à voir de la lumière là où les autres ne perçoivent que l'obscurité.

Composition : Compo-Méca S.A.R.L.
64990 Mouguerre

Impression réalisée par Imprimerie Lebonfon
pour le compte des Éditions Michel Lafon

Imprimé au Canada

Dépôt légal : septembre 2010
N° d'impression :
ISBN : 978-2-7499-1266-0
LAF 1246